高等学校学習指導要領（平成30年告示）解説

# 総合的な探究の時間編

平成30年7月

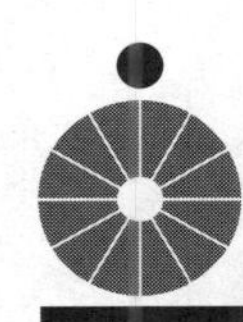

文部科学省

# ま　え　が　き

文部科学省では，平成30年3月30日に学校教育法施行規則の一部改正と高等学校学習指導要領の改訂を行った。新高等学校学習指導要領等は平成34年度から年次進行で実施することとし，平成31年度から一部を移行措置として先行して実施することとしている。

今回の改訂は，平成28年12月の中央教育審議会答申を踏まえ，

①　教育基本法，学校教育法などを踏まえ，これまでの我が国の学校教育の実践や蓄積を生かし，生徒が未来社会を切り拓（ひら）くための資質・能力を一層確実に育成することを目指す。その際，求められる資質・能力とは何かを社会と共有し，連携する「社会に開かれた教育課程」を重視すること。

②　知識及び技能の習得と思考力，判断力，表現力等の育成とのバランスを重視する平成21年改訂の学習指導要領の枠組みや教育内容を維持した上で，知識の理解の質を更に高め，確かな学力を育成すること。

③　道徳教育の充実や体験活動の重視，体育・健康に関する指導の充実により，豊かな心や健やかな体を育成すること。

を基本的なねらいとして行った。

本書は，大綱的な基準である学習指導要領の記述の意味や解釈などの詳細について説明するために，文部科学省が作成するものであり，高等学校学習指導要領第4章「総合的な探究の時間」について，その改善の趣旨や内容を解説している。

各学校においては，本書を御活用いただき，学習指導要領等についての理解を深め，創意工夫を生かした特色ある教育課程を編成・実施されるようお願いしたい。

むすびに，本書「高等学校学習指導要領解説総合的な探究の時間編」の作成に御協力くださった各位に対し，心から感謝の意を表する次第である。

平成30年7月

文部科学省初等中等教育局長

髙　橋　道　和

# 目次

# 第1章　総　説



## 第1節　改訂の経緯及び基本方針

### 1　改訂の経緯

今の子供たちやこれから誕生する子供たちが，成人して社会で活躍する頃には，我が国は厳しい挑戦の時代を迎えていると予想される。生産年齢人口の減少，グローバル化の進展や絶え間ない技術革新等により，社会構造や雇用環境は大きく，また急速に変化しており，予測が困難な時代となっている。また，急激な少子高齢化が進む中で成熟社会を迎えた我が国にあっては，一人一人が持続可能な社会の担い手として，その多様性を原動力とし，質的な豊かさを伴った個人と社会の成長につながる新たな価値を生み出していくことが期待される。

こうした変化の一つとして，進化した人工知能（AI）が様々な判断を行ったり，身近な物の働きがインターネット経由で最適化されるIoTが広がったりするなど，Society5.0とも呼ばれる新たな時代の到来が，社会や生活を大きく変えていくとの予測もなされている。また，情報化やグローバル化が進展する社会においては，多様な事象が複雑さを増し，変化の先行きを見通すことが一層難しくなってきている。そうした予測困難な時代を迎える中で，選挙権年齢が引き下げられ，更に平成34（2022）年度からは成年年齢が18歳へと引き下げられることに伴い，高校生にとって政治や社会は一層身近なものとなるとともに，自ら考え，積極的に国家や社会の形成に参画する環境が整いつつある。

このような時代にあって，学校教育には，子供たちが様々な変化に積極的に向き合い，他者と協働して課題を解決していくことや，様々な情報を見極め，知識の概念的な理解を実現し，情報を再構成するなどして新たな価値につなげていくこと，複雑な状況変化の中で目的を再構築することができるようにすることが求められている。

このことは，本来我が国の学校教育が大切にしてきたことであるものの，教師の世代交代が進むと同時に，学校内における教師の世代間のバランスが変化し，教育に関わる様々な経験や知見をどのように継承していくかが課題となり，子供たちを取り巻く環境の変化により学校が抱える課題も複雑化・困難化する中で，これまでどおり学校の工夫だけにその実現を委ねることは困難になってきている。

こうした状況の下で，平成26年11月には，文部科学大臣から，新しい時代にふさわしい学習指導要領等の在り方について中央教育審議会に諮問を行った。中央教育審議会においては，2年1か月にわたる審議の末，平成28年12月21日に「幼稚園，小学校，中学校，高等学校及び特別支援学校の学習指導要領等の改善及び必要な方策等について（答申）」（以下「平成28年12月の中央教育審議会答申」という。）を示した。

平成28年12月の中央教育審議会答申においては，“よりよい学校教育を通じてよりよい社会を創る”という目標を学校と社会が共有し，連携・協働しながら，新しい時代に求められる資質・能力を子供たちに育む「社会に開かれた教育課程」の実現を目指し，学習指導要領等が，学校，家庭，地域の関係者が幅広く共有し活用できる「学びの地図」としての役割を果たすことができるよう，次の6点にわたってその枠組みを改善するとともに，各学校において教育課程を軸に学校教育の改善・充実の好循環を生み出す「カリキュラム・マネジメント」の実現を目指すことなどが求められた。

① 「何ができるようになるか」（育成を目指す資質・能力）
② 「何を学ぶか」（教科等を学ぶ意義と，教科等間・学校段階間のつながりを踏まえた教育課程の編成）
③ 「どのように学ぶか」（各教科等の指導計画の作成と実施，学習・指導の改善・充実）
④ 「子供一人一人の発達をどのように支援するか」（子供の発達を踏まえた指導）
⑤ 「何が身に付いたか」（学習評価の充実）
⑥ 「実施するために何が必要か」（学習指導要領等の理念を実現するために必要な方策）

これを踏まえ，文部科学省においては，平成29年3月31日に幼稚園教育要領，小学校学習指導要領及び中学校学習指導要領を，また，同年4月28日に特別支援学校幼稚部教育要領及び小学部・中学部学習指導要領を公示した。

高等学校については，平成30年3月30日に，高等学校学習指導要領を公示するとともに，学校教育法施行規則の関係規定について改正を行ったところであり，今後，平成34（2022）年4月1日以降に高等学校の第1学年に入学した生徒（単位制による課程にあっては，同日以降入学した生徒（学校教育法施行規則第91条の規定により入学した生徒で同日前に入学した生徒に係る教育課程により履修するものを除く。））から年次進行により段階的に適用することとしている。また，それに先立って，新学習指導要領に円滑に移行するための措置（移行措置）を実施することとしている。

## 2　改訂の基本方針

今回の改訂は平成28年12月の中央教育審議会答申を踏まえ，次の基本方針に基づき行った。

### (1) 今回の改訂の基本的な考え方

① 教育基本法，学校教育法などを踏まえ，これまでの我が国の学校教育の実践や蓄積を生かし，生徒が未来社会を切り拓（ひら）くための資質・能力を一層確実に育成することを目指す。その際，求められる資質・能力とは何かを社会と共有し，連携する「社会に開かれた教育課程」を重視すること。

② 知識及び技能の習得と思考力，判断力，表現力等の育成とのバランスを重視する平成21年改訂の学習指導要領の枠組みや教育内容を維持した上で，知識の理解の質を更に高め，確かな学力を育成すること。

③ 道徳教育の充実や体験活動の重視，体育・健康に関する指導の充実により，豊かな心や健やかな体を育成すること。

## (2) 育成を目指す資質・能力の明確化

平成 28 年 12 月の中央教育審議会答申においては，予測困難な社会の変化に主体的に関わり，感性を豊かに働かせながら，どのような未来を創っていくのか，どのように社会や人生をよりよいものにしていくのかという目的を自ら考え，自らの可能性を発揮し，よりよい社会と幸福な人生の創り手となる力を身に付けられるようにすることが重要であること，こうした力は全く新しい力ということではなく学校教育が長年その育成を目指してきた「生きる力」であることを改めて捉え直し，学校教育がしっかりとその強みを発揮できるようにしていくことが必要とされた。また，汎用的な能力の育成を重視する世界的な潮流を踏まえつつ，知識及び技能と思考力，判断力，表現力等とをバランスよく育成してきた我が国の学校教育の蓄積を生かしていくことが重要とされた。

このため「生きる力」をより具体化し，教育課程全体を通して育成を目指す資質・能力を，ア「何を理解しているか，何ができるか（生きて働く「知識・技能」の習得)」，イ「理解していること・できることをどう使うか（未知の状況にも対応できる「思考力・判断力・表現力等」の育成)」，ウ「どのように社会・世界と関わり，よりよい人生を送るか（学びを人生や社会に生かそうとする「学びに向かう力・人間性等」の涵(かん)養)」の三つの柱に整理するとともに，各教科等の目標や内容についても，この三つの柱に基づく再整理を図るよう提言がなされた。

今回の改訂では，知・徳・体にわたる「生きる力」を生徒に育むために「何のために学ぶのか」という各教科等を学ぶ意義を共有しながら，授業の創意工夫や教科書等の教材の改善を引き出していくことができるようにするため，全ての教科等の目標や内容を「知識及び技能」，「思考力，判断力，表現力等」，「学びに向かう力，人間性等」の三つの柱で再整理した。

## (3)「主体的・対話的で深い学び」の実現に向けた授業改善の推進

子供たちが，学習内容を人生や社会の在り方と結び付けて深く理解し，これからの時代に求められる資質・能力を身に付け，生涯にわたって能動的に学び続けることができるようにするためには，これまでの学校教育の蓄積も生かしながら，学習の質を一層高める授業改善の取組を活性化していくことが必要である。

特に，高等学校教育については，大学入学者選抜や資格の在り方等の外部要因によって，その教育の在り方が規定されてしまい，目指すべき教育改革が進めにくいと指摘されてきたところであるが，今回の改訂は，高大接続改革という，高等学校教育を含む初等中等教育改革と，大学教育の改革，そして両者をつなぐ大学入学者選抜改革という一体的な改革や，更に，キャリア教育の視点で学校と社会の接続を目指す中で実施されるものである。改めて，高等学校学習指導要領の定めるところに従い，各高等学校において生徒が卒業までに身に付けるべきものとされる資質・能力を育成していくために，どのようにしてこれまでの授業の在り方を改善していくべきかを，各学校や教師が考える必要がある。

また，選挙権年齢及び成年年齢が 18 歳に引き下げられ，生徒にとって政治や社会が一層身近なものとなる中，高等学校においては，生徒一人一人に社会で求められる資質・能力を育み，生涯にわたって探究を深める未来の創り手として送り出していくことが，これまで以上に重要となっている。「主体的・対話的で深い学び」の実現に向けた授業改善（アクティブ・ラーニングの視点に立った授業改善）とは，我が国の優れた教育実践に見られる普遍的な視点を学習指導要領に明確な形で規定したものである。

今回の改訂では，主体的・対話的で深い学びの実現に向けた授業改善を進める際の指導上の配慮事項を総則に記載するとともに，各教科等の「第3款　各科目にわたる指導計画の作成と内容の取扱い」等において，単元や題材など内容や時間のまとまりを見通して，その中で育む資質・能力の育成に向けて，主体的・対話的で深い学びの実現に向けた授業改善を進めることを示した。

その際，以下の点に留意して取り組むことが重要である。

① 授業の方法や技術の改善のみを意図するものではなく，生徒に目指す資質・能力を育むために「主体的な学び」，「対話的な学び」，「深い学び」の視点で，授業改善を進めるものであること。

② 各教科等において通常行われている学習活動（言語活動，観察・実験，問題解決的な学習など）の質を向上させることを主眼とするものであること。

③ 1回1回の授業で全ての学びが実現されるものではなく，単元や題材など内容や時間のまとまりの中で，学習を見通し振り返る場面をどこに設定するか，グループなどで対話する場面をどこに設定するか，生徒が考える場面と教師が教える場面とをどのように組み立てるかを考え，実現を図っていくものであること。

④ 深い学びの鍵として「見方・考え方」を働かせることが重要になること。各教科等の「見方・考え方」は，「どのような視点で物事を捉え，どのような考え方で思考していくのか」というその教科等ならではの物事を捉える視点や考え方である。各教科等を学ぶ本質的な意義の中核をなすものであり，教科等の学習と社会をつなぐものであることから，生徒が学習や人生において「見方・考え方」を自在に働かせることができるようにすることにこそ，教師の専門性が発揮されることが求められること。

⑤ 基礎的・基本的な知識及び技能の習得に課題がある場合には，それを身に付けさせるために，生徒の学びを深めたり主体性を引き出したりといった工夫を重ねながら，確実な習得を図ることを重視すること。

### (4) 各学校におけるカリキュラム・マネジメントの推進

各学校においては，教科等の目標や内容を見通し，特に学習の基盤となる資質・能力（言語能力，情報活用能力（情報モラルを含む。以下同じ。），問題発見・解決能力等）や現代的な諸課題に対応して求められる資質・能力の育成のために教科等横断的な学習を充実することや，主体的・対話的で深い学びの実現に向けた授業改善を単元や題材など内容や時間のまとまりを見通して行うことが求められる。これらの取組の実現のためには，学校全体として，生徒や学校，地域の実態を適切に把握し，教育内容や時間の配分，必要な人的・物的体制の確保，教育課程の実施状況に基づく改善などを通して，教育活動の質を向上させ，学習の効果の最大化を図るカリキュラム・マネジメントに努めることが求められる。

このため，総則において，「生徒や学校，地域の実態を適切に把握し，教育の目的や目標の実現に必要な教育の内容等を教科等横断的な視点で組み立てていくこと，教育課程の実施状況を評価してその改善を図っていくこと，教育課程の実施に必要な人的又は物的な体制を確保するとともにその改善を図っていくことなどを通して，教育課程に基づき組織的かつ計画的に各学校の教育活動の質の向上を図っていくこと（以下「カリキュラム・マネジメント」という。）に努める」ことについて新たに示した。

### (5) 教育内容の主な改善事項

このほか，言語能力の確実な育成，理数教育の充実，伝統や文化に関する教育の充実，道徳教育の充実，外国語教育の充実，職業教育の充実などについて，総則や各教科・科目等（各教科・科目，総合的な探究の時間及び特別活動をいう。以下同じ。）において，その特質に応じて内容やその取扱いの充実を図った。

# 第2節　総合的な探究の時間改訂の趣旨及び要点

## 1　改訂の趣旨

平成28年12月の中央教育審議会答申において，学習指導要領等改訂の基本的な方向性が示されるとともに，各教科・科目等における改訂の具体的な方向性も示された。今回の総合的な学習の時間の改訂は，これらを踏まえて行われたものである。

総合的な学習の時間は，学校が地域や学校，児童生徒の実態等に応じて，教科・科目等の枠を超えた横断的・総合的な学習とすることと同時に，探究的な学習や協働的な学習とすることが重要であるとしてきた。特に，探究的な学習を実現するため，「①課題の設定→②情報の収集→③整理・分析→④まとめ・表現」の探究のプロセスを明示し，学習活動を発展的に繰り返していくことを重視してきた。全国学力・学習状況調査の分析等において，総合的な学習の時間で探究のプロセスを意識した学習活動に取り組んでいる児童生徒ほど各教科の正答率が高い傾向にあること，探究的な学習活動に取り組んでいる児童生徒の割合が増えていることなどが明らかになっている。また，総合的な学習の時間の役割はOECDが実施する生徒の学習到達度調査（PISA）における好成績につながったことのみならず，学習の姿勢の改善に大きく貢献するものとしてOECDをはじめ国際的に高く評価されている。

その上で，課題と更なる期待として，以下の点が示された。

- 総合的な学習の時間を通してどのような資質・能力を育成するのかということや，総合的な学習の時間と各教科・科目等との関連を明らかにするということについては学校により差がある。これまで以上に総合的な学習の時間と各教科・科目等の相互の関わりを意識しながら，学校全体で育てたい資質・能力に対応したカリキュラム・マネジメントが行われるようにすることが求められている。
- 探究のプロセスの中でも「整理・分析」，「まとめ・表現」に対する取組が十分ではないという課題がある。探究のプロセスを通じた一人一人の資質・能力の向上をより一層意識することが求められる。
- 地域の活性化につながるような事例が生まれている一方で，本来の趣旨を実現できていない学校もあり，小・中学校の取組の成果の上に高等学校にふさわしい実践が十分展開されているとは言えない状況にある。
- 各学校段階における総合的な学習の時間の実施状況や，義務教育9年間の修了時及び高等学校修了時までに育成を目指す資質・能力，高大接続改革の動向等を考慮すると，高等学校においては，小・中学校における総合的な学習の時間の取組の成果を生かしつつ，より探究的な活動を重視する視点から，位置付けを明確化し直すことが必要と考えられる。

## 2 改訂の要点

### (1) 改訂の基本的な考え方

- 高等学校においては，名称を「総合的な探究の時間」に変更し，小・中学校における総合的な学習の時間の取組を基盤とした上で，各教科・科目等の特質に応じた「見方・考え方」を総合的・統合的に働かせることに加えて，自己の在り方生き方に照らし，自己のキャリア形成の方向性と関連付けながら「見方・考え方」を組み合わせて統合させ，働かせながら，自ら問いを見いだし探究する力を育成するようにした。

### (2) 目標の改善

- 総合的な探究の時間の目標は，「探究の見方・考え方」を働かせ，横断的・総合的な学習を行うことを通して，自己の在り方生き方を考えながら，よりよく課題を発見し解決していくための資質・能力を育成することを目指すものであることを明確化した。
- 教科・科目等横断的なカリキュラム・マネジメントの軸となるよう，各学校が総合的な探究の時間の目標を設定するに当たっては，各学校における教育目標を踏まえて設定することを示した。

### (3) 学習内容，学習指導の改善・充実

- 各学校は総合的な探究の時間の目標を実現するにふさわしい探究課題を設定するとともに，探究課題の解決を通して育成を目指す具体的な資質・能力を設定するよう改善した。
- 課題の解決や探究活動の中で，各教科・科目等で育成する資質・能力を相互に関連付け，実社会・実生活の中で総合的に活用できるものとなるよう改善した。
- 教科・科目等を越えた全ての学習の基盤となる資質・能力を育成するため，課題を探究する中で，他者と協働して課題を解決しようとする学習活動や，言語により分析し，まとめたり表現したりする学習活動（比較する，分類する，関連付けるなどの，「考えるための技法」を自在に活用する），コンピュータや情報通信ネットワークなどを適切かつ効果的に活用して，情報を収集・整理・発信する学習活動（情報や情報手段を主体的に選択し活用できるようにすることを含む）が行われるように示した。
- 自然体験や就業体験活動，ボランティア活動などの社会体験，ものづくり，生産活動などの体験活動，観察・実験・実習，調査・研究，発表や討論などの学習活動を積極的に取り入れること等は引き続き重視することを示した。

なお，本解説では，第２章から第５章までは，学習指導要領の文言を基にした解説を行う。第６章から第11章までは，第５章までの内容を踏まえた上で，各学校における指導計画の作成，教育活動の実施に当たっての基本的な考え方やポイントを，その手順や方法，具体例などを交えて解説する。

# 第２章　総合的な探究の時間の特質



今回の改訂では，高等学校の教育課程における「総合的な学習の時間」を「総合的な探究の時間」に変更した。これは，本解説第１章総説で解説したように，平成28年12月の中央教育審議会答申において「高等学校においては，小・中学校における総合的な学習の時間の取組の成果を生かしつつ，より探究的な活動を重視する視点から，位置付けを明確化し直すことが必要と考えられる」とされたことを受けたものである。

本章では，新たに規定された総合的な探究の時間の特質について，「探究が高度化し，自律的に行われること」，「他教科・科目における探究との違いを踏まえること」の二つの視点から解説する。

## 1　探究が高度化し，自律的に行われること

これまでの総合的な学習の時間は，生徒や学校，地域の実態等に応じて，生徒が探究的な見方・考え方を働かせ，教科・科目等の枠を超えた横断的・総合的な学習や児童生徒の興味・関心等に基づく学習を行うなど創意工夫を生かした教育活動の充実を図ることとし，小学校第３学年から高等学校修了時までの教育課程に位置付けられてきた。今回の改訂では，高等学校については，総合的な探究の時間と名称が変更された。このことは，総合的な学習の時間と総合的な探究の時間には共通性と連続性があるとともに，一部異なる特質があることを意味している。そのことが最も端的に表れているのは，第１の目標である。

| 第１の目標 | |
|---|---|
| 総合的な学習の時間（平成29年告示） | 総合的な探究の時間（平成30年告示） |
| 探究的な見方・考え方を働かせ，横断的・総合的な学習を行うことを通して，よりよく課題を解決し，自己の生き方を考えていくための資質・能力を次のとおり育成することを目指す。（後略） | 探究の見方・考え方を働かせ，横断的・総合的な学習を行うことを通して，自己の在り方生き方を考えながら，よりよく課題を発見し解決していくための資質・能力を次のとおり育成することを目指す。（後略） |

両者の違いは，生徒の発達の段階において求められる探究の姿と関わっており，課題と自分自身との関係で考えることができる。総合的な学習の時間は，課題を解決することで自己の生き方を考えていく学びであるのに対して，総合的な探究の時間は，自己の在り方生き方と一体的で不可分な課題を自ら発見し，解決していくような学びを展開していく。

課題と生徒との関係（イメージ）

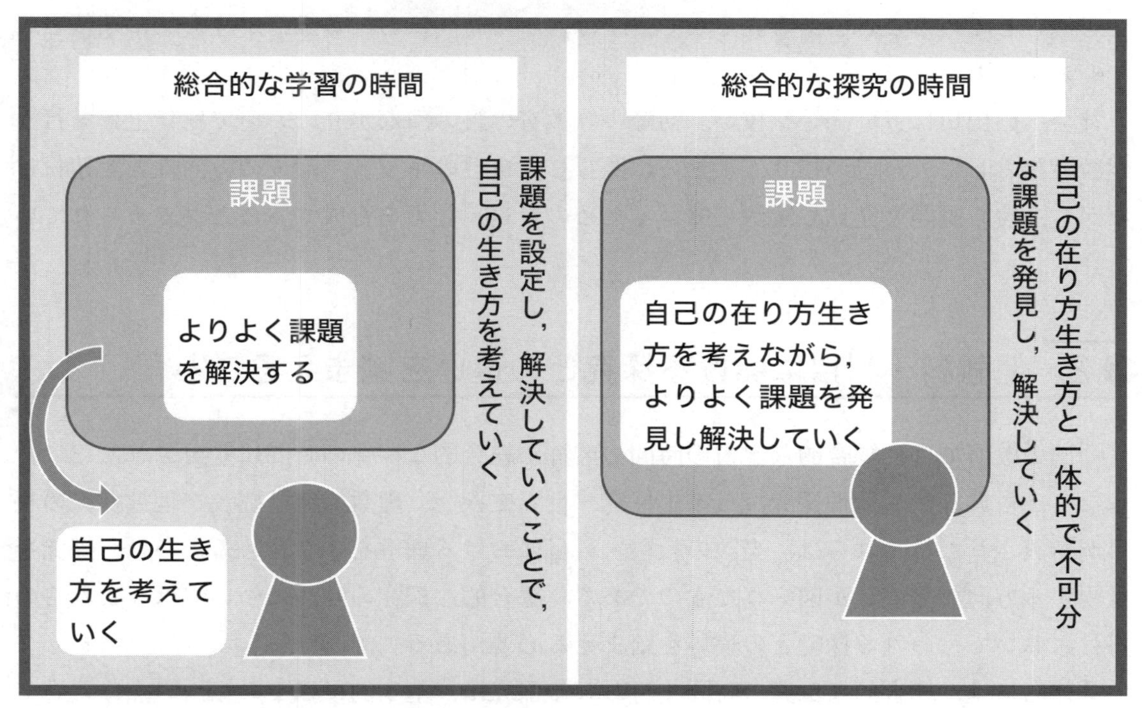


このことは，中央教育審議会答申において「高等学校における総合的な学習の時間においては，各教科・科目等の特質に応じた「見方・考え方」を総合的・統合的に働かせることに加えて，自己の在り方生き方に照らし，自己のキャリア形成の方向性と関連付けながら「見方・考え方」を組み合わせて統合させ，働かせながら，自ら問いを見いだし探究することのできる力を育成するようにする。このため，高等学校の総合的な学習の時間については，名称を「総合的な探究の時間」などに変更することも含め位置付けを見直す。」と指摘されたことを踏まえている。

高等学校においてこのような生徒の姿を実現していくに当たっては，生徒が取り組む探究がより洗練された質の高いものであることが求められる。質の高い探究とは，次の二つで考えることができる。

一つは，探究の過程が高度化するということである。高度化とは，①探究において目的と解決の方法に矛盾がない（整合性），②探究において適切に資質・能力を活用している（効果性），③焦点化し深く掘り下げて探究している（鋭角性），④幅広い可能性を視野に入れながら探究している（広角性）などの姿で捉えることができる。

もう一つは，探究が自律的に行われるということである。具体的には，①自分にとって関わりが深い課題になる（自己課題），②探究の過程を見通しつつ，自分の力で進められる（運用），③得られた知見を生かして社会に参画しようとする（社会参画）などの姿で捉えることができる。

以上，述べてきたように，今回の改訂において名称を変更して特質をもたせたことには次のような背景がある。一つは，この時期の生徒が，人間としての在り方を理念的に希求し，それを将来の進路実現や社会の一員としての生き方の中に具現しようと求めていることである。二つは，小中学校の総合的な学習の時間における学びがこれらの特質の具体化を可能としていることである。そして三つは，この時間における学びが社会的に期待されているからである。

社会への出口に近い高等学校が，初等中等教育の縦のつながりにおいて総仕上げを行う学校段階として，自己の在り方生き方に照らし，自己のキャリア形成の方向性と関連付けながら，自ら課題を発見し解決していくための資質・能力を育成することが求められている。

## 2 他教科・科目における探究との違いを踏まえること

今回の改訂では，総合的な学習の時間の名称が総合的な探究の時間に変更されただけではなく，古典探究や地理探究，日本史探究，世界史探究，理数探究基礎及び理数探究の科目が新設された。これらは，当該の教科・科目における理解をより深めるために，探究を重視する方向で見直しが図られたものである。総合的な探究の時間については，これらの科目において行われる探究との違いを踏まえる必要がある。

具体的には，総合的な探究の時間で行われる探究は，基本的に以下の三つの点において他教科・科目において行われる探究と異なっている。

一つは，この時間の学習の対象や領域は，特定の教科・科目等に留まらず，横断的・総合的な点である。総合的な探究の時間は，実社会や実生活における複雑な文脈の中に存在する事象を対象としている。

二つは，複数の教科・科目等における見方・考え方を総合的・統合的に働かせて探究するという点である。他の探究が，他教科・科目における理解をより深めることを目的に行われていることに対し，総合的な探究の時間では，実社会や実生活における複雑な文脈の中に存在する問題を様々な角度から俯瞰（ふかん）して捉え，考えていく。

そして三つは，この時間における学習活動が，解決の道筋がすぐには明らかにならない課題や，唯一の正解が存在しない課題に対して，最適解や納得解を見いだすことを重視しているという点である。

なお，実社会や実生活における課題を探究する総合的な探究の時間と，教科の系統の中で行われる探究の両方が教育課程上にしっかりと位置付き，それぞれが充実することが豊かな教育課程の実現につながると考えられる。

# 第3章　総合的な探究の時間の目標

## 第1節　目標の構成

総合的な探究の時間のねらいや育成を目指す資質・能力を明確にし，その特質と目指すところが何かを端的に示したものが，以下の総合的な探究の時間の目標である。

> 第1　目標
>
> 探究の見方・考え方を働かせ，横断的・総合的な学習を行うことを通して，自己の在り方生き方を考えながら，よりよく課題を発見し解決していくための資質・能力を次のとおり育成することを目指す。
>
> (1) 探究の過程において，課題の発見と解決に必要な知識及び技能を身に付け，課題に関わる概念を形成し，探究の意義や価値を理解するようにする。
>
> (2) 実社会や実生活と自己との関わりから問いを見いだし，自分で課題を立て，情報を集め，整理・分析して，まとめ・表現することができるようにする。
>
> (3) 探究に主体的・協働的に取り組むとともに，互いのよさを生かしながら，新たな価値を創造し，よりよい社会を実現しようとする態度を養う。



第1の目標は，大きく分けて二つの要素で構成されている。

一つは，総合的な探究の時間に固有な見方・考え方を働かせて，横断的・総合的な学習を行うことを通して，自己の在り方生き方を考えながら，よりよく課題を発見し解決していくための資質・能力を育成するという，総合的な探究の時間の特質を踏まえた学習過程の在り方である。もう一つは，(1)，(2)，(3) として示している，総合的な探究の時間を通して育成することを目指す資質・能力である。育成することを目指す資質・能力は，他教科等と同様に，(1) では総合的な探究の時間において育成を目指す「知識及び技能」を，(2) では「思考力，判断力，表現力等」を，(3) では「学びに向かう力，人間性等」を示している。

# 第２節　目標の趣旨

## 1　総合的な探究の時間の特質に応じた学習の在り方

### (1) 探究の見方・考え方を働かせる

**探究の見方・考え方を働かせる**ということを目標の冒頭に置いたのは，探究の重要性に鑑み，探究の過程を総合的な探究の時間の本質と捉え，中心に据えることを意味している。総合的な探究の時間における学習では，問題解決的な学習が発展的に繰り返されていく。これを探究と呼ぶ。なお，小中学校における総合的な学習の時間では，「探究的な見方・考え方を働かせる」としているのに対して，総合的な探究の時間では「探究の見方・考え方を働かせる」としている。



探究における生徒の学習の姿

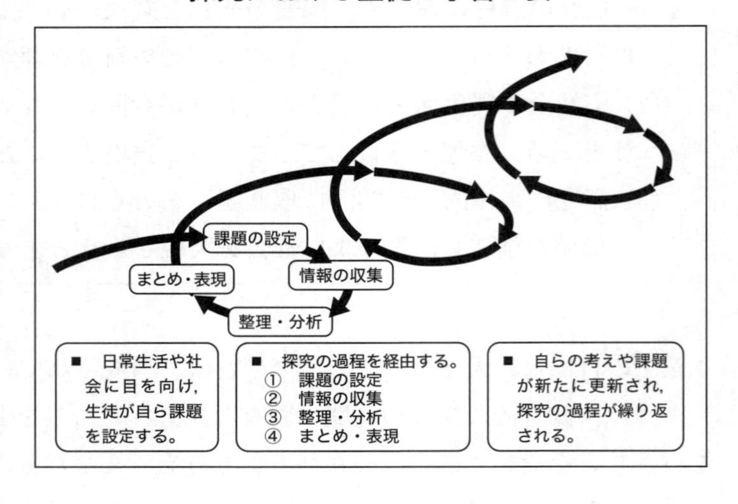


生徒は，①日常生活や社会に目を向けた時に湧き上がってくる疑問や関心に基づいて，自ら課題を見付け，②そこにある具体的な問題について情報を収集し，③その情報を整理・分析したり，知識や技能に結び付けたり，考えを出し合ったりしながら問題の解決に取り組み，④明らかになった考えや意見などをまとめ・表現し，そこからまた新たな課題を見付け，更なる問題の解決を始めるといった学習活動を発展的に繰り返していく。要するに探究とは，物事の本質を自己との関わりで探り見極めようとする一連の知的営みのことである。

探究においては，次のような生徒の姿を見いだすことができる。事象を自己の在り方生き方を考えながら捉えることで，感性や問題意識が揺さぶられて，学習活動への取組が真剣になる。自己との関わりを意識して課題を発見する。広範な情報源から多様な方法で情報を収集する。身に付けた知識及び技能を活用し，その有用性を実感する。議論を通して問題の解決方法を生み出す。概念が具体性を増して理解が深まる。見方が広がったことを喜び，更なる学習への意欲を高める。このように，探究においては，生徒の豊かな学習の姿が現れる。ただし，この①②③④の過程を固定的に捉える必要はない。物事の本質を探って見極めようとするとき，活動の順序が入れ替わったり，ある活動が重点的に行われたりすることは，当然起こり得ることだからである。

この探究のプロセスを支えるのが探究の見方・考え方である。探究の見方・考え方には，二つの要素が含まれる。

一つは，各教科・科目等における見方・考え方を総合的・統合的に働かせるということである。総合的な探究の時間における学習では，各教科・科目等の特質に応じた見方・考え方を，探究の過程において，適宜必要に応じて総合的・統合的に活用する。

例えば，実社会・実生活の中の課題の探究において，言葉による見方・考え方を働かせること（対象と言葉，言葉と言葉との関係を，言葉の意味，働き，使い方等に着目して捉えたり問い直したりして，言葉への自覚を高めること）や，数学的な見方・考え方を働かせること（事象を，数量や図形及びそれらの関係などに着目して捉え，論理的，統合的・発展的に考えること）や，理科の見方・考え方を働かせること（自然の事物・現象を，質的・量的な関係や時間的・空間的な関係などの科学的な視点で捉え，比較したり，関係付けたりするなどの科学的に探究する方法を用いて考えること）などの各教科・科目等の特質に応じた物事を捉える視点や考え方が，課題に応じて適宜組み合わされながら，繰り返し活用されることが考えられる。実社会・実生活における問題は，そもそもどの教科・科目等の特質に応じた視点や捉え方で考えればよいか決まっていない。扱う対象や解決しようとする方向性などに応じて，生徒が自覚的に活用できるようになることが大事である。



二つは，総合的な探究の時間に固有な見方・考え方を働かせることである。それは，特定の教科・科目等の視点だけで捉えきれない広範かつ複雑な事象を多様な角度から俯瞰（ふかん）して捉えることであり，また，実社会や実生活の複雑な文脈や自己の在り方生き方と関連付けて問い続けるという，総合的な探究の時間に特有の物事を捉える視点や考え方である。本解説第４章で説明するように，探究課題は，一つの決まった正しい答えがあるわけではなく，各教科・科目等で学んだ見方・考え方を総合的・統合的に活用しながら，様々な角度から捉え，考えることができるものであることが求められる。そして，課題の解決により，自己の在り方生き方を考えながら，また新たな課題を見付け，よりよく解決していくことを繰り返していくことになる。

このように，各教科・科目等における見方・考え方を総合的・統合的に活用して，広範で複雑な事象を多様な角度から俯瞰（ふかん）して捉え，実社会・実生活の課題を探究し，自己の在り方生き方を問い続けるという総合的な探究の時間の特質に応じた見方・考え方を，探究の見方・考え方と呼ぶ。それは総合的な探究の時間の中で，生徒が探究の見方・考え方を働かせながら横断的・総合的な学習に取り組むことにより，自己の在り方生き方を考えながら，よりよく課題を発見し解決していくための資質・能力を育成することにつながるのである。そして，学校教育のみならず，大人になった後に，実社会や実生活の中でも重要な役割を果たしていくのである。

なお，総合的な探究の時間において，各教科・科目等における見方・考え方を総合的・統合的に活用するということは，社会で生きて働く資質・能力を育成する上で，教科・科目等の学習と教科・科目等横断的な学習を往還することが重要であることを意味している。系統的に構造化された内容を，それぞれの特質に応じた見方・考え方を働かせて学ぶ教科・科目等の学習と，総合的な探究の時間において，各教科・科目等で育成された見方・考え方を，実社会や実生活における複雑な文脈の中に存在する問題において，総合的・統合的に活用する教科・科目等横断的な学習の両方が重要なのである。このような教科・科目等の学習と教科・科目等横断的な学習の両方が示されていることは，我が国の教育課程の大きな特色であり，今回の改訂では改めてその趣旨を明示している。

### (2) 横断的・総合的な学習を行う

**横断的・総合的な学習を行う**というのは，この時間の学習の対象や領域が，特定の教科・科目等に留まらず，横断的・総合的でなければならないことを表している。言い換えれば，この時間に行われる学習では，教科・科目等の枠を超えて探究する価値のある課題について，各教科・科目等で身に付けた資質・能力を活用・発揮しながら解決に向けて取り組んでいくことでもある。

総合的な探究の時間では，各学校が目標を実現するにふさわしい探究課題を設定することになる。それは，例えば，国際理解，情報，環境，福祉・健康などの現代的な諸課題に対応する横断的・総合的な課題，地域や学校の特色に応じた課題，生徒の興味・関心に基づく課題，職業や自己の進路に関する課題などである。具体的には，「自然環境とそこに起きているグローバルな環境問題」，「地域の伝統や文化とその継承に取り組む人々や組織」，「文化や流行の創造と表現」，「職業の選択と社会貢献及び自己実現」などを探究課題とすることが考えられる。こうした探究課題は，特定の教科・科目等の枠組みの中だけで完結するものではない。実社会や実生活の中から見いだされた探究課題に教科・科目等の枠組みを当てはめるのは困難であり，探究課題の解決においては，各教科・科目等の資質・能力が繰り返し何度となく活用・発揮されることが容易に想像できる。



### (3) 自己の在り方生き方を考えながら，よりよく課題を発見し解決していく

総合的な探究の時間に育成する資質・能力については，自己の在り方生き方を考えながら，よりよく課題を発見し解決していくためと示されている。このことは，小・中学校とは異なり，総合的な探究の時間は，自己の在り方生き方と一体的で不可分な課題を自ら発見し，解決していくような学びを展開していくことを明示している。

**自己の在り方生き方を考え**ることについては，次の三つの角度から考えることができる。一つは，人や社会，自然との関わりにおいて，自らの生活や行動について考えて，社会や自然の一員として，人間として何をすべきか，どのようにすべきかなどを考えることである。二つは，自分にとっての学ぶことの意味や価値を考えることである。取り組んだ学習活動を通して，自分の考えや意見を深めることであり，また，学習の有用感を味わうなどして学ぶことの意味を自覚することである。そして，これら二つを生かしながら，学んだことを現在及び将来の自己の在り方生き方につなげて考えることが三つ目である。学習の成果から達成感や自信をもち，自分のよさや可能性に気付き，人間としての在り方を基底に，自分の人生や将来，職業について見通し，どのように在るべきかを定めていくことである。つまり，総合的な探究の時間において，自己の在り方生き方を考えながら課題の解決に向かうということは，生徒がこの三つを自覚しながら，探究に取り組むことを意味している。

**よりよく課題を発見し解決していく**とは，解決の道筋がすぐには明らかにならない課題や，唯一の正解が存在しない課題などについても，自らの知識や技能等を総合的に働かせて，目前の具体的な課題に粘り強く対処し解決しようとすることである。その際，生徒自身が課題を発見することが重要であり，具体的には次の二点を押さえることが求められる。

**課題を発見**するとは，一つは，自分と課題との関係を明らかにすることである。もう一つは，実社会や実生活と課題との関係をはっきりさせることである。

こうしたよりよく課題を発見し解決していくための資質・能力は，試行錯誤しながらも新しい未知の課題に対応することが求められる時代において，欠かすことのできない資質・能力である。

また，よりよく課題を発見し解決していくための資質・能力を育成する一方，よりよく課題を発見し解決していくには一定の資質・能力が必要となるという双方向的な関係に留意する必要がある。課題についての一定の知識や，活動を支える一定の技能がなければ，課題の解決には向かわない。解決を方向付ける，「考えるための技法」や情報活用能力，問題発見・解決能力を持ち合わせていなければ，探究のプロセスは進まない。その一方で，探究を進める中で，知識及び技能は増大し，洗練され，精緻化される。言語能力や情報活用能力，問題発見・解決能力も，より高度なものになっていく。つまり，既有の資質・能力を用いて課題の発見や解決に向かい，課題の解決を通して，より高度な資質・能力が育成されていくのである。

このような関係を教師が意識しておくことが，よりよい課題の発見や解決につながっていく。つまり，この時間の学習に必要な資質・能力とは何かを見極め，他教科等やそれまでの総合的な探究の時間の学習において，意図的・計画的に育成すると同時に，総合的な探究の時間における探究活動の中でその資質・能力が高まるようにするということである。

総合的な探究の時間においては，こうした形で自己の在り方生き方を考えながら，よりよく課題を発見し解決していくことが大切である。その際，具体的な活動や事象との関わりをよりどころとし，また身に付けた資質・能力を用いて，よりよく課題を発見し解決していく中で多様な視点から考えることが大切である。また，その考えを深める中で，更に考えるべきことが見いだされるなど，常に自己との関係で見つめ，振り返り，問い続けていこうとすることが重要である。



## 2　総合的な探究の時間で育成することを目指す資質・能力

総合的な探究の時間で育成することを目指す資質・能力については，他教科等と同様に，総則に示された「知識及び技能」，「思考力，判断力，表現力等」，「学びに向かう力，人間性等」という三つの柱から明示された。

> 第1　目標
> (1) 探究の過程において，課題の発見と解決に必要な知識及び技能を身に付け，課題に関わる概念を形成し，探究の意義や価値を理解するようにする。

総合的な探究の時間の内容は，後述のように各学校において定めるものである。このため，従来は，この時間において身に付ける資質・能力として，どのような知識を身に付けることが必要かということについては，具体的に示されてこなかった。しかし，総合的な探究の時間の学習を通して生徒が身に付ける知識は質・量ともに大きな意味をもつ。探究の見方・考え方を働かせて，各教科・科目等横断的・総合的な学習に取り組むという総合的な探究の時間だからこそ獲得できる知識は何かということに着目することが必要である。総合的な探究の時間における探究の過程では，生徒は，教科・科目等の枠組みを超えて，長時間じっくり課題に取り組む中で，様々な事柄を知り，様々な人の考えに出会う。その中で，具体的・個別的な事実だけでなく，それらが複雑に絡み合っている状況についても理解するようになる。その知識は，教科書や資料集に整然と整理されているものを取り込んで獲得するものではなく，探究の過程を通して，自分自身で取捨・選択し，整理し，既にもっている知識や体験と結び付けながら，構造化し，身に付けていくものである。こうした過程を経ることにより，獲得された知識は，実社会や実生活における様々な課題の解決に活用可能な生きて働く知識，すなわち概念が形成されるのである。

各教科・科目等においても，「主体的・対話的で深い学び」を通して，事実的な知識から概念を獲得することを目指すものである。総合的な探究の時間では，各教科・科目等で習得した概念を実生活の課題解決に活用することを通して，それらが統合され，より一般化されることにより，汎用的に活用できる概念を形成することができる。

技能についても同様である。課題の解決に必要な技能は，例えば，インタビューのときには，事前に聞くべきことを場合分けしたり分析方法を想定したりして計画する技能，資料を読み取るときには，大事なことを読み取ってまとめたり他の資料と照合したりして吟味する技能などが考えられる。こうした技能は，各教科・科目等の学習を通して，事前にある程度は習得されていることを前提として行われつつ，探究を進める中でより高度な技能が求められるようになる。このような必要感の中で，注意深く体験を積んで，徐々に自らの力でできるようになり身体化されていく。技能と技能が関連付けられて構造化され，統合的に活用されるようにもなる。

**探究の意義や価値を理解する**ということは，探究はよいものだというようなことを生徒が観念的に説明できるようになることを目指すものではない。総合的な探究の時間だけではなく，様々な場面で生徒自らが探究を自律的に進めるようになることが，その意義や価値を理解した証となる。そのためには，この時間で行う探究が，学習全般や生活と深く関わっていることや学びという営みの本質であることへの自覚を大事にすることが欠かせない。そのことを生徒が自覚することによって，自分自身の課題を自分で解決する学びを継続するようになる。

一方で，身に付けた知識及び技能や思考力，判断力，表現力等が総合的に活用，発揮されることが，探究の意義や価値でもある。学んだことの有用性を実感するためにも，他教科等とこの時間との資質・能力の関連を，生徒自身が見通せるようにする必要がある。そのためにも，学習を進める中で，その関連を明示していくことや，学習においてどのような関連が実現されたのかを振り返り，自覚する機会を設けることが重要である。

(2) 実社会や実生活と自己との関わりから問いを見いだし，自分で課題を立て，情報を集め，整理・分析して，まとめ・表現することができるようにする。

育成を目指す資質・能力の三つの柱のうち，主に「思考力，判断力，表現力等」に対応するものとしては，実社会や実生活と自己との関わりから問いを見いだし，自分で課題を立て，情報を集め，整理・分析して，まとめ・表現するという，探究の過程において発揮される力を示している。

ここで重要なのが，実社会や実生活と自己との関わりから問いを見いだし，自分で課題を立てることである。問いや課題は，生徒がもっている知識や経験だけからは生まれないこともある。そこで，実社会や実生活と実際に関わることを求めている。その中で，過去と比べて現在に問題があること，他の場所と比べてこの場所には問題があること，自己の常識に照らして違和感を感じる問題があることなどを発見し，それが問題意識となり，自己との関わりの中で課題につながっていく。こうして，問いや課題が定まると，探究がスタートする。ちなみに，探究のプロセスが繰り返される中で，はじめに立てた問いや課題そのものが問い直されて，その質や精度が高まっていくことが思い描かれる必要がある。

探究の過程が動き始めると，「知識及び技能」を活用して問いや課題を掘り下げていく。具体的には，身に付けた「知識及び技能」の中から，当面する課題の解決に必要なものを選択し，状況に応じて適用したり，複数の「知識及び技能」を組み合わせたりして，適切に活用できるようになっていくことと考えることができる。なお，教科・科目等横断的な情報活用能力や問題発見・解決能力を構成している個別の「知識及び技能」や，各種の「考えるための技法」も，単にそれらを習得している段階から更に一歩進んで，課題や状況に応じて選択したり，適用したり，組み合わせたりして活用できるようになっていくことが，「思考力，判断力，表現力等」の具体と考えることができる。こうしたことを通して，知識や技能は，既知の限られた状況においてのみならず，未知の状況においても課題に応じて自在に駆使できるものとなっていく。

このように，「思考力，判断力，表現力等」は，「知識及び技能」とは別に存在していたり，「知識及び技能」を抜きにして育成したりできるものではない。いかなる課題や状況に対しても，「知識及び技能」が自在に駆使できるものとなるよう指導を工夫することこそが「思考力，判断力，表現力等」の育成の具体にほかならない。

そのためにも，情報活用能力や問題発見・解決能力を構成する個別の「知識及び技能」，これまで身に付けてきた「考えるための技法」が自在に活用されるような機会を，総合的な探究の時間や他教科等の中で，意図的・計画的・組織的に設けること等の配慮や工夫が重要になってくる。あるいは，総合的な探究の時間においては，探究の過程を通すというこの時間の趣旨を生かして，課題を解決したいという生徒の必要感を前提に，その解決の過程に適合する「知識及び技能」を教師が指導するという方法もあり得る。

そのようにして身に付けた「知識及び技能」は，様々な課題の解決において活用・発揮され，うまくいったりうまくいかなかったりする経験を経ながら，学んだ当初とは異なる状況においても自在に駆使できるようになっていく。このことが，個別の「知識及び技能」の習得という段階を超えた，「思考力，判断力，表現力等」の育成という段階である。

このような資質・能力については，やり方を教えられて覚えるということだけでは育まれないものである。実社会や実生活の課題について探究のプロセス（①課題の設定→②情報の収集→③整理・分析→④まとめ・表現）を通して，生徒が実際に考え，判断し，表現することを通して身に付けていくことが大切になる。

実社会や実生活には，解決すべき問題が多方面に広がって複雑に絡み合っている。その問題は，複合的な要素が入り組んでいて，答えが一つに定まらず，容易には解決に至らないことが多い。**自分で課題を立て**るとは，そうした問題と向き合って，自分で取り組むべき課題を見いだすことである。この課題は，解決を目指して学習するためのものである。その意味で課題は，生徒が解決への意欲を高めるとともに，解決への具体的な見通しをもてるものであり，そのことが主体的な課題の解決につながっていく。



課題は，問題をよく吟味して生徒が自分でつくり出すことが大切である。例えば，日頃から解決すべきと感じていた問題を改めて見つめ直す，具体的な事象を比較したり，関連付けたりして，そこにある矛盾や理想との隔たりを認識することなどが考えられる。また，地域の人やその道の専門家との交流も有効である。そこで知らなかった事実を発見したり，その人たちの真剣な取組や生き様に共感したりして，自分にとって一層意味や価値のある課題を見いだすことも考えられる。

課題の解決に向けては，自分で情報を集めることが欠かせない。自分で，何が解決に役立つかを見通し，足を運んだり，情報手段を意図的・計画的に用いたり，他者とのコミュニケーションを通したりして情報を集めることが重要である。調べていく中で，探究している課題が，社会で解決が求められている切実な問題と重なり合っていることを知り，さらにそれに尽力している人と出会うことにより，問題意識は一層深まる。同一の学習対象でも，個別に追究する生徒の課題が多様であれば，互いの情報を結び合わせて，現実の問題の複雑さや総合性に気付くこともある。

収集した情報は，整理・分析する。整理は，課題の解決にとってその情報が必要かどうかを判断し取捨選択することや，解決の見通しにしたがって情報を順序よく並べたり，書き直したりすることなどを含む。分析は，整理した情報を基に，比較・分類したりして傾向を読み取ったり，因果関係を見付けたりすることを含む。複数の情報を組み合わせて，新しい関係性を創り出すことも重要である。

整理・分析された情報からは，自分自身の意見や考えをまとめて，それを表現する。他者との相互交流や表現による振り返りを通して，課題が更新されたり，新たに調べることを見いだしたり，意見や考えが明らかになったりする。

これらの各プロセスで発揮される資質・能力の育成が期待されている。それは，探究のプロセスが何度も繰り返される中で確実に育っていくものと考えることができる。

(3) 探究に主体的・協働的に取り組むとともに，互いのよさを生かしながら，新たな価値を創造し，よりよい社会を実現しようとする態度を養う。

探究では，生徒が，身近な人々や社会，自然に興味・関心をもち，それらに意欲的に関わろうとする主体的，協働的な態度が欠かせない。探究に主体的に取り組むというのは，自らが設定した課題の解決に向けて真剣に本気になって学習活動に取り組むことを意味している。それは，解決のために，見通しをもって，自ら計画を立てて学習に向かう姿でもある。具体的には，どのように情報を集め，どのように整理・分析し，どのようにまとめ・表現を行っていくのかを考えて計画し，実際に社会と関わり，行動していく姿として表れるものと考えられる。

課題の解決においては，主体的に取り組むこと，協働的に取り組むことが重要である。なぜなら，それがよりよい課題の解決につながるからである。

総合的な探究の時間で育成することを目指す資質・能力は，自己の在り方生き方を考えながら，よりよく課題を発見し解決していくための資質・能力である。こうした資質・能力を育むためには，自己の在り方生き方と一体的で不可分な課題を自ら発見し，よりよい解決に向けて主体的に取り組むことが重要である。他方，複雑な現代社会においては，いかなる問題についても，一人だけの力で何かを成し遂げることは困難である。これが協働的に探究を進めることが求められる理由である。例えば，他の生徒と協働的に取り組むことで，学習活動が発展したり課題への意識が高まったりする。異なる見方があることで解決への糸口もつかみやすくなる。また，他者と協働的に学習する態度を育てることが求められている。この協働は，単に協力して事に当たるという意味ではなく，それぞれのよさを生かしながら個人ではつくりだすことができない価値を生み出すことを意味している。

探究においては，このような，他者と協働的に取り組み，異なる意見を生かして新たな知を創造しようとする態度が欠かせない。こうして探究に主体的・協働的に取り組む中で，互いの資質・能力を認め合い，相互に生かし合う関係が期待されている。また，探究の中で生徒が感じる手応えは，一人一人の意欲や自信となり次の課題解決を推進していく。

また，高校生の探究が，実際に社会を変える力となることも多い。探究を通して，生徒は自分なりの世界観や価値観を築いていくとともに，地域の人々との協働によって，実際に地域社会を変えていく。そうして，よりよい社会を実現することに向けて経験を深めていく。

このように，総合的な探究の時間を通して，自ら社会に関わり参画しようとする意志，社会を創造する主体としての自覚が，一人一人の生徒の中に徐々に育成されることが期待されているのである。実社会や実生活の課題を探究しながら，自己の在り方生き方を問い続ける姿が一人一人の生徒に涵(かん)養されることが求められているのである。

この「学びに向かう力，人間性等」については，よりよい生活や社会の創造に向けて，自他を尊重すること，自ら取り組んだり異なる他者と力を合わせたりすること，社会に寄与し貢献することなどの適正かつ好ましい態度として「知識及び技能」や「思考力，判断力，表現力等」を活用・発揮しようとすることと考えることができる。とりわけ高等学校段階においては，探究がより自律的になることが期待されている。

これら育成を目指す資質・能力の三つの柱は，個別に育成されるものではなく，探究の過程において，よりよい課題の解決に取り組む中で，相互に関わり合いながら高められていくものとして捉えておく必要がある。

# 第4章　各学校において定める目標及び内容

各学校は，第1に示された総合的な探究の時間の目標を踏まえて，各学校の総合的な探究の時間の目標や内容を適切に定めて，創意工夫を生かした特色ある教育活動を展開する必要がある。ここに総合的な探究の時間の大きな特質がある。こうした特質を踏まえ，今回の改訂では，各学校において定める目標や内容についての考え方について，「第3　指導計画の作成及び内容の取扱い」から「第2　各学校において定める目標及び内容」へと移すことで，より明確に示すこととした。

本章では，各学校において定める目標及び内容を設定していく際の基本的な考え方と留意すべき点について述べる。なお，本章及び第5章で解説する，学習指導要領第4章総合的な探究の時間の各規定の相互の関係については，下図のように示すことができる。

第4章　総合的な探究の時間の構造イメージ

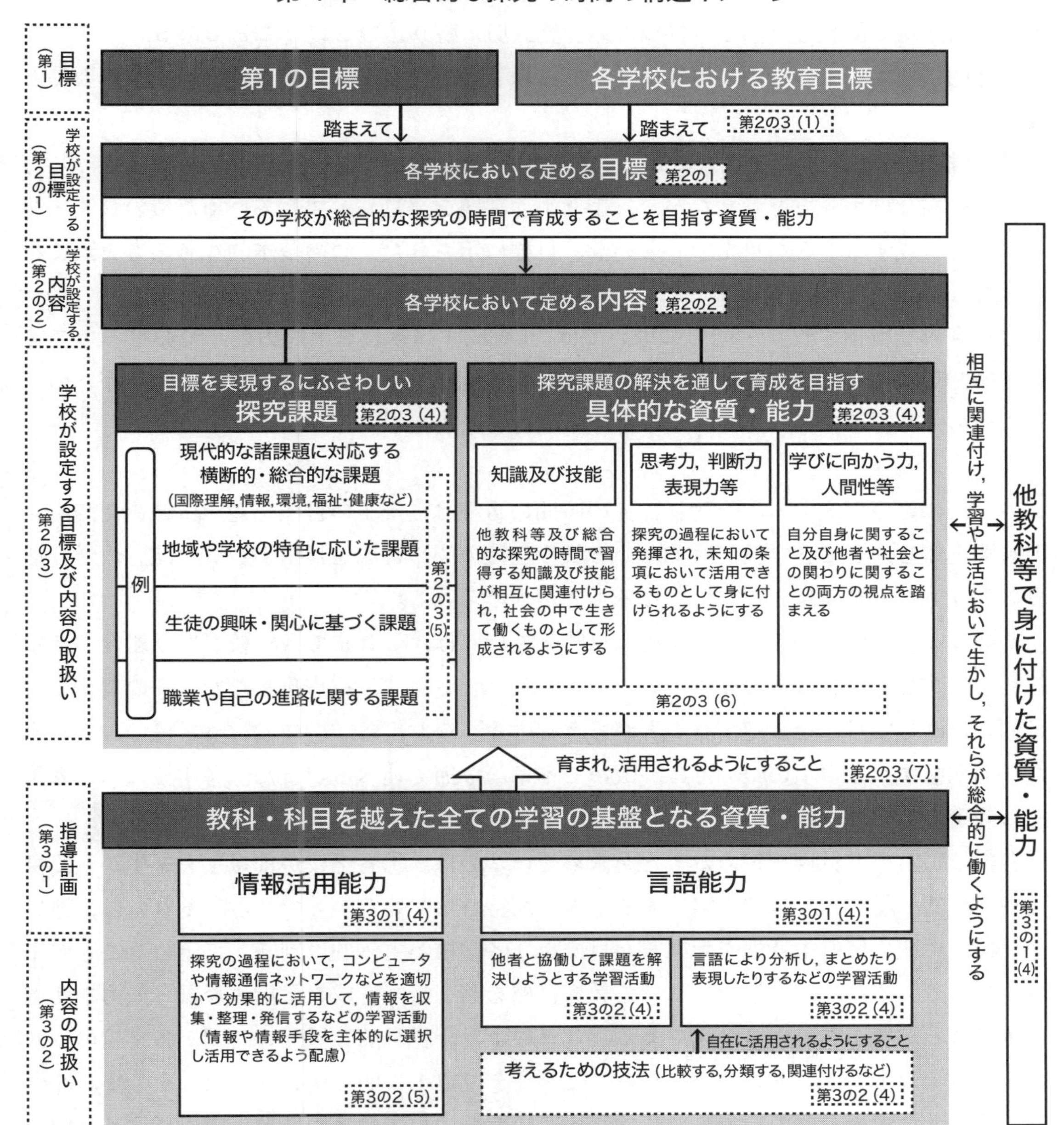

# 第１節　各学校において定める目標

> 第２　各学校において定める目標及び内容
> １　目標
> 各学校においては，第１の目標を踏まえ，各学校の総合的な探究の時間の目標を定める。

各学校においては，第１の目標を踏まえ，各学校の総合的な探究の時間の目標を定め，その実現を目指さなければならない。この目標は，各学校が総合的な探究の時間での取組を通して，どのような生徒を育てたいのか，また，どのような資質・能力を育てようとするのか等を明確にしたものである。

各学校において総合的な探究の時間の目標を定めるに当たり，**第１の目標を踏まえ**とは，本解説第３章で解説した第１の目標の趣旨を適切に盛り込むということである。



具体的には，第１の目標の構成に従って，以下の二つを反映させることが，その要件となる。

(1)「探究の見方・考え方を働かせ，横断的・総合的な学習を行うことを通して」，「自己の在り方生き方を考えながら，よりよく課題を発見し解決していくための資質・能力を育成することを目指す」という，目標に示された二つの基本的な考え方を踏まえること。

(2) 育成を目指す資質・能力については，「育成すべき資質・能力の三つの柱」である「知識及び技能」，「思考力，判断力，表現力等」，「学びに向かう力，人間性等」の三つのそれぞれについて，第１の目標の趣旨を踏まえること。

各学校において定める総合的な探究の時間の目標は，第１の目標を適切に踏まえて，この時間全体を通して各学校が育てたいと願う生徒の姿や育成を目指す資質・能力，学習活動の在り方などを表現したものになることが求められる。

その際，上記の二つの要件を適切に反映していれば，これまで各学校が取り組んできた経験を生かして，各目標の要素のいずれかを具体化したり，重点化したり，別の要素を付け加えたりして目標を設定することが考えられる。なお，各学校における目標の設定に当たって配慮すべき事項については，改めて本章第３節で述べる。また，各学校における目標の設定の手順や方法については，本解説第７章第２節で詳しく解説する。

各学校において目標を定めることを求めているのは，①各学校が創意工夫を生かした探究や横断的・総合的な学習を実施することが期待されているからである。それには，地域や学校，生徒の実態や特性を考慮した目標を，各学校が主体的に判断して定めることが不可欠である。また，②各学校における教育目標を踏まえ，育成を目指す資質・能力を明確に示すことが望まれているからである。これにより，総合的な探究の時間が各学校のカリキュラム・マネジメントの中核になることが今まで以上に明らかとなった。そして，③学校として教育課程全体の中での総合的な探究の時間の位置付けや他教科等の目標及び内容との違いに留意しつつ，この時間で取り組むにふさわしい内容を定めるためである。このように，各学校において総合的な探究の時間の目標を定めるということには，主体的かつ創造的に指導計画を作成し，学習活動を展開するという意味がある。

なお，すでに本解説第3章でも述べ，また第1の目標にも明記されている通り，総合的な探究の時間における目標は，小中学校における総合的な学習の目標とは，その構造において大きく異なる。具体的には，小中学校の総合的な学習の時間の目標では，「よりよく課題を解決し，自己の生き方を考えていくための資質・能力を育成することを目指す」こととしているのに対し，高等学校における総合的な探究の時間の目標では，「自己の在り方生き方を考えながら，よりよく課題を発見し解決していくための資質・能力を育成することを目指す」としている。これは，小中学校では，教師の指導も受けながら課題を設定し，解決していくことにより，児童・生徒が結果として自己の生き方を考える契機となっていくことになる場合が多いのに対し，高等学校では，生徒自身が自己の在り方生き方と一体的で不可分な課題を自ら発見し，解決していくことが期待されることを意味している。それにより，高等学校の総合的な探究の時間における探究が自己のキャリア形成の方向性と関連付き，学ぶことと生きることの結び付きが推進される。各学校において総合的な探究の時間の目標を設定するに当たっては，この点を踏まえ，十分留意することが欠かせない。

このように，小中学校の総合的な学習の時間と高等学校の総合的な探究の時間ではその目標に大きな違いがある。そのため，総合的な探究の時間を充実させるためには，小学校や中学校等との接続を視野に入れ，違いを明確に意識すると同時に，連続的かつ発展的な学習活動が行えるよう目標を設定することが重要である。

## 第2節　各学校において定める内容

> 第2　各学校において定める目標及び内容
> 　2　内容
> 　　各学校においては，第1の目標を踏まえ，各学校の総合的な探究の時間の内容を定める。

各学校においては，第1の目標を踏まえ，各学校の総合的な探究の時間の内容を定めることが求められている。総合的な探究の時間では，各教科・科目等のように，どの学年で何を指導するのかという内容を学習指導要領に明示していない。これは，各学校が，第1の目標の趣旨を踏まえて，地域や学校，生徒の実態に応じて，創意工夫を生かした内容を定めることが期待されているからである。



今回の改訂において，総合的な探究の時間については，内容の設定に際し，「目標を実現するにふさわしい探究課題」，「探究課題の解決を通して育成を目指す具体的な資質・能力」の二つを定める必要があるとされた。

目標を実現するにふさわしい探究課題とは，目標の実現に向けて学校として設定した，生徒が探究に取り組むためのものであり，従来「学習対象」として説明されてきたものに相当する。つまり，探究課題とは，探究的に関わりを深める人・もの・ことを示したものである。具体的には，例えば「自然環境とそこに起きているグローバルな環境問題」，「地域の伝統や文化とその継承に取り組む人々や組織」，「文化や流行の創造と表現」，「職業の選択と社会貢献及び自己実現」などが考えられる。

一方，探究課題の解決を通して育成を目指す具体的な資質・能力とは，各学校において定める目標に記された資質・能力を各探究課題に即して具体的に示したものであり，教師の適切な指導の下，生徒が各探究課題の解決に取り組む中で，育成することを目指す資質・能力のことである。

このように，総合的な探究の時間の内容は，目標を実現するにふさわしい探究課題と，探究課題の解決を通して育成を目指す具体的な資質・能力の二つによって構成される。両者の関係については，目標の実現に向けて，生徒が「何について学ぶか」を表したものが探究課題であり，各探究課題との関わりを通して，具体的に「どのようなことができるようになるか」を明らかにしたものが具体的な資質・能力という関係になる。

なお，すでに本解説第4章第1節でも述べたように，総合的な探究の時間では，生徒自身が自己の在り方生き方と一体的で不可分な課題を自ら発見し，解決していくことが期待されている。したがって，各学校において設定する内容，とりわけ探究課題については，一人一人の生徒が自己の在り方生き方と一体的で不可分に結び付いた形で成立するような課題を自ら発見していけるような幅の広さや奥行きの深さを受け止められるものとすることが望まれる。それは同時に，様々な生徒が抱く多様な課題に対する意識を生かすことができるようなものであることも要請する。なお，この最後の点については，第3指導計画の作成と内容の取扱いの1の(3)で述べられており，詳しくは本解説第5章第1節で改めて解説する。

また，主に中学校までとの対比において，高等学校の総合的な探究の時間においては，生徒が展開する探究の過程がより高度化し，探究が自律的に行われることが期待されており，育成を目指す具体的な資質・能力も，それにふさわしいものとする必要がある。

生徒が探究の過程を高度化させていくとは，①探究において目的と解決の方法に矛盾がない（整合性），②探究において適切に資質・能力を活用している（効果性），③焦点化し深く掘り下げて探究している（鋭角性），④幅広い可能性を視野に入れながら探究している（広角性）などの姿で捉えることができる。

探究が自律的なものとなるとは，①自分にとって関わりが深い課題になる（自己課題），②探究の過程を見通しつつ，自分の力で進められる（運用），③得られた知見を生かして社会に参画しようとする（社会参画）などの姿で捉えることができる。

探究の質をより高度で自律的なものとするためには，各学校において設定する探究課題がそれらを必然として生み出すようなものとなっているかの吟味が大切になってくる。また，各学校においては，内容を指導計画に適切に位置付けることが求められる。その際，学年間の連続性，発展性や，小学校や中学校等との接続，他教科等の目標及び内容との違いに留意しつつ，他教科等で育成を目指す資質・能力との関連を明らかにして，内容を定めることが重要である。なお，それぞれの設定に当たって配慮すべき事項等については，改めて本章第３節で述べる。また，各学校における内容の設定の手順や方法については，本解説第７章第３節で詳しく解説する。

# 第３節　各学校において定める目標及び内容の取扱い

> 第２　各学校において定める目標及び内容
> 　３　各学校において定める目標及び内容の取扱い
> 　　各学校において定める目標及び内容の設定に当たっては，次の事項に配慮するものとする。
> 　(1) 各学校において定める目標については，各学校における教育目標を踏まえ，総合的な探究の時間を通して育成を目指す資質・能力を示すこと。

各学校において定める目標については，各学校における教育目標を踏まえ，総合的な探究の時間を通して育成を目指す資質・能力を示す必要がある。

**各学校における教育目標を踏まえ**とは，各学校において定める総合的な探究の時間の目標が，この時間の円滑で効果的な実施のみならず，各学校において編成する教育課程全体の円滑で効果的な実施に資するものとなるよう配慮するということである。



第１章総則第２款の１において，教育課程の編成に当たって，学校教育全体や各教科・科目等における指導を通して育成を目指す資質・能力を踏まえつつ，各学校の教育目標を明確にすることが定められた。あわせて，各学校の教育目標を設定するに当たっては，「第４章第２の１に基づき定められる目標との関連を図るものとする。」とされた。各学校における教育目標には，地域や学校，生徒の実態や特性を踏まえ，主体的・創造的に編成した教育課程によって実現を目指す生徒の姿等が描かれることになる。各学校における教育目標を踏まえ，総合的な探究の時間の目標を設定することによって，総合的な探究の時間が，各学校の教育課程の編成において，特に教科・科目等横断的なカリキュラム・マネジメントという視点から，極めて重要な役割を担うことが今まで以上に鮮明となった。

学校教育目標は，教育課程全体を通して実現していくものである。その意味で，総合的な探究の時間も他教科等と同様，それぞれの特質に応じた役割を果たすことで，学校教育目標の実現に貢献していくことに変わりはない。

その一方で，各学校において定める総合的な探究の時間の目標には，第１の目標を踏まえつつ，各学校が育てたいと願う生徒の姿や育成すべき資質・能力などを，各学校の創意工夫に基づき明確に示すことが期待されている。つまり，総合的な探究の時間の目標は，学校の教育目標と直接的につながるという，他教科等にはない独自な特質を有するということを意味している。このため，各学校の教育目標を教育課程で具現化していくに当たって，総合的な探究の時間の目標が各学校の教育目標を具体化し，そして総合的な探究の時間と各教科・科目等の学習を関連付けることにより，総合的な探究の時間を軸としながら，教育課程全体において，各学校の教育目標のよりよい実現を目指していくことになる。

また，総合的な探究の時間は，教科・科目等を越えた全ての学習の基盤となる資質・能力を育むとともに，各教科・科目等で身に付けた資質・能力を関連付け，学習や生活に生かし，それらが総合的に働くようにするものである。このような形で各教科・科目等の学習と総合的な探究の時間の学習が往還することからも，総合的な探究の時間は教科・科目等横断的な教育課程の編成において重要な役割を果たす。

これらのことは，小中学校でも同様に重要ではあるが，高等学校の場合には，各学校が果たすべき役割，独自性や持ち味，学校らしさといったものが明確である分，一層，切実であり，有効であることも確かである。各学校が自校の特色や個性をしっかりと自覚し，これを主体的・創造的に学校教育目標，さらには総合的な探究の時間の目標に反映させ，さらに相互に緊密な連携を図ることにより，教育課程は有効に機能し，そのことは生徒の学びや育ちの高まりへと着実に跳ね返っていく。このように，学校教育目標と総合的な探究の時間の目標の間に緊密な連携を図ることには大きな意味がある。

こうしたことを踏まえ，各学校において定める目標を設定するに当たっては，第1の目標の趣旨を踏まえつつ，例えば，各学校が育てたいと願う生徒の姿や育成すべき資質・能力のうち，他教科等では十分な育成が難しいものについて示したり，あるいは，学校において特に大切にしたい資質・能力について，より深めるために，総合的な探究の時間の目標に明記し，その実現を目指して取り組んでいったりすることなどが考えられる。

**総合的な探究の時間を通して育成を目指す資質・能力を示す**とは，各学校における教育目標を踏まえて，各学校において定める目標の中に，この時間を通して育成を目指す資質・能力を「三つの柱」に即して具体的に示すということである。

その際，既に学校教育目標の中に実現を目指す望ましい生徒の姿が具体的に描かれている場合には，そこから無理なく育成を目指す資質・能力を導き出すことができると思われる。一方，実現を目指す生徒の姿が抽象的，一般的，概括的に描かれている場合には，育成を目指す資質・能力を導き出すことが困難となる可能性がある。そのようなときは，校長のリーダーシップの下，実現を目指す生徒の姿について改めて校内で議論し，育成を目指す資質・能力をイメージできる程度に具体化したり鮮明化したりすることが考えられる。この作業は，単に総合的な探究の時間の目標設定のみならず，学校の全ての教育活動の質の向上に資するものである。総合的な探究の時間の目標設定を契機に，校内で一体となって取り組み，共通理解を図ることが期待される。

このように，学校教育目標の中に実現を目指す望ましい生徒の姿が具体的に描かれることは，そこにその学校ならではの強調点，独自性などが明確に示されることを意味する。したがって，それらを意識し，適切に反映させて育成を目指す資質・能力を記述していけば，自ずと，第1の目標との対比において，いずれかの要素の具体化や重点化，あるいは別の要素の付加が生じてくるであろう。

各学校においては，前回の改訂において定めてきた「学校の目標」や「育てようとする資質や能力及び態度」を参考にし，実践から得られた知恵や経験を発展的に継承することが大切である。その際，第1の目標における (1)(2)(3) の記述からも分かるように，従来「学習方法に関すること」として示してきたことが，今回の改訂では，主として (2)「思考力，判断力，表現力等」に関わるものである。また従来「自分自身に関すること，他者や社会との関わりに関すること」という二つで示してきたことが，今回の改訂では，主として (3)「学びに向かう力，人間性等」に関わるものである。これまでの実践を参考に，適切な資質・能力を検討することが求められる。

(2) 各学校において定める目標及び内容については，他教科等の目標及び内容との違いに留意しつつ，他教科等で育成を目指す資質・能力との関連を重視すること。

各教科・科目等は，それぞれ固有の目標と内容をもっている。それぞれが役割を十分に果たし，その目標をよりよく実現することで，教育課程は全体として適切に機能することになる。各学校においては，他教科等の目標及び内容との違いに十分留意し，目標及び内容を定めることが求められる。その上で，各学校において定める目標及び内容については，他教科等で育成を目指す資質・能力との関連を重視することが大切である。

その際，特に注意を要する事柄として，すでに第２章で述べた通り，科目名に探究を含む，古典探究，日本史探究，世界史探究，地理探究，理数探究との間における違いがある。これらの科目においても，その展開の中で生徒に実現する学びの様相や質としては探究を目指す。その一方で，古典探究，日本史探究，世界史探究，地理探究については，当該科目の領域範囲中で生じる鋭角的な質の探究を想定している。また，理数探究では，数学的な見方・考え方や理科の見方・考え方を組み合わせるなどして働かせた探究を想定している。

総合的な探究の時間と**他教科等で育成を目指す資質・能力との関連を重視する**とは，各教科・科目等の目標に示されている，育成を目指す資質・能力の三つの柱ごとに関連を考えることである。すなわち，「知識及び技能」，「思考力，判断力，表現力等」，「学びに向かう力，人間性等」のそれぞれにおいて資質・能力の関連を考えることであり，その際，各学校で定める目標及び内容が，他教科等における目標及び内容とどのような関係にあるかを意識しておくことがポイントとなる。

総合的な探究の時間は，教科・科目等を越えた全ての学習の基盤となる資質・能力を育むとともに，各教科・科目等で身に付けた資質・能力を相互に関連付け，学習や生活に生かし，それらが総合的に働くようにするものである。このような形で各教科・科目等の学習と総合的な探究の時間の学習が往還することを意識し，例えば，各教科共通で特に重視したい態度などを総合的な探究の時間の目標において示したり，各教科・科目等で育成する「知識及び技能」や「思考力，判断力，表現力等」が総合的に働くような内容を総合的な探究の時間において設定したりすることなどが考えられる。

総合的な探究の時間で育成を目指す資質・能力と，他教科等で育成を目指す資質・能力との共通点や相違点を明らかにして目標及び内容を定めることは，冒頭に示した教育課程全体において各教科・科目等がそれぞれに役割を十分に果たし，教育課程が全体として適切に機能することに大きく寄与する。そのためにも，総合的な探究の時間の目標及び内容を設定する際には，他教科等の資質・能力との関連を重視することが大切なのである。

このことは，中央教育審議会答申において示されたカリキュラム・マネジメントの三つの側面で考えるならば，特に「各教科・科目等の教育内容を相互の関係で捉え，学校の教育目標を踏まえた教科・科目等横断的な視点で，その目標の達成に必要な教育の内容を組織的に配列していくこと」という側面に深く関係するものと考えることができる。

(3) 各学校において定める目標及び内容については，地域や社会との関わりを重視すること。

各学校において目標や内容を定めるとは，どのような生徒を育てたいのか，そのためにどのような資質・能力を育成するのか，さらに，それをどのような探究課題の解決を通して，具体的な資質・能力として育成を実現していこうとするのかなどを明らかにすることである。ここでは，各学校において目標や内容を定めるに当たっては，地域や社会との関わりを重視することが大切であることを示している。

**地域や社会との関わりを重視する**ということには，以下の三つの意味がある。

一つ目は，総合的な探究の時間では，実社会や実生活において生きて働く資質・能力の育成が期待されていることである。実際の生活にある課題を取り上げることで，生徒は地域や社会において，何が本質的な課題なのかを明らかにし，発見した課題をよりよく解決しようと真剣に取り組み，自らの能力を存分に発揮する。その中で育成された資質・能力は，実社会や実生活で生きて働くものとして育成される。

二つ目は，総合的な探究の時間では，生徒が主体的に取り組む学習が求められていることである。地域や社会に関わる課題は，自己の在り方生き方と不可分に結び付いたものとして捉え，そこに意味のある課題を発見することが比較的容易であり，自己のキャリア形成の方向性との関連も見えやすいなど，生徒の関心も高まりやすい。また，直接体験なども行いやすく，身体全体を使って，本気になって探究に取り組む生徒の姿が生み出される。なお，その場合，自分が生活する地域で展開されていることが，表面的には異なるものの他の地域においても生じていることに気付き，引き続き自分の課題として積極的に受け止め，考え続けていこうとするようになることが期待される。つまり，地域での課題の発見や解決に取り組んだ経験を，より普遍的で原理的な問題として捉えるとともに，そのよりよい解決に主体的・協働的に取り組み続け，新たな価値を実現しようとする姿として育成される。

三つ目は，総合的な探究の時間では，生徒にとっての学ぶ意義や目的を明確にすることが重視されていることである。自ら課題を発見し，また解決する過程では，地域の様々な人との関わりが生じることも考えられる。そうした学習活動では，「自分の力で解決することができた」，「自分の取組が地域を動かした」，「これからも地域づくりに参画し，さらによい地域にしていきたい」，「自分たちは地域や社会の未来に対して責任があるし，それを果たしていくことは実にやりがいのあることだ」などの，課題の解決に取り組んだことへの自信や自尊感情，責任感が育まれ，地域や社会の一員であるとの意識も醸成されるとともに，自己の在り方生き方を深く省察するといったことが期待できる。

このように，各学校においては，これらのことに配慮しつつ，目標及び内容を定めることが求められる。実際の生活の中にある問題や地域の事象を取り上げ，それらを実際に解決していく過程が大切であり，そのことが総合的な探究の時間の充実につながる。

こうして行われる探究では，生徒が自ら設定した課題などを，自分と切り離して捉えることを意味するものではない。自己の在り方生き方と一体的で不可分なものして捉え，考えることが期待されているのである。また，人や社会，自然を，別々の存在として認識するのではなく，それぞれが複雑につながり合い，相互に影響し，依存しあいながら存在しているものとして捉え，認識しようとすることにもつながる。総合的な探究の時間では，それぞれの生徒が具体的で関係的な認識を，自ら構築していくことを期待しているのであり，そうして構築された社会・世界に対する認識との関わりにおいて，自己の在り方生き方を求め，深めていくことを目指している。つまり，地域や社会との関わりを重視した探究を深めていけばいくほど，自己の在り方生き方に関わる探究も深まりを見せてくるという関係にあると理解することが大切である。このように，地域や社会との関わりを重視した探究を行うことに，総合的な探究の時間のもつ重要性がある。

(4) 各学校において定める内容については，目標を実現するにふさわしい探究課題，探究課題の解決を通して育成を目指す具体的な資質・能力を示すこと。



各学校において定める内容について，今回の改訂では新たに，「目標を実現するにふさわしい探究課題」，「探究課題の解決を通して育成を目指す具体的な資質・能力」の二つを定めることが示された。

**目標を実現するにふさわしい探究課題**とは，目標の実現に向けて学校として設定した，生徒が探究に取り組むためのものであり，従来「学習対象」として説明されてきたものに相当する。つまり，探究課題とは，探究的に関わりを深める人・もの・ことを示したものであり，例えば「自然環境とそこに起きているグローバルな環境問題」，「地域の伝統や文化とその継承に取り組む人々や組織」，「文化や流行の創造と表現」，「職業の選択と社会貢献及び自己実現」などである。

ここでいう探究課題とは，指導計画の作成段階において各学校が内容として定めるものであって，学習活動の中で生徒が自ら設定する「課題」のことではない。学校なり教師が，探究を通して生徒にどのような資質・能力を育成したいと考えるかを，学習対象の水準で表現したものである。つまり，単元なり１単位時間の授業において，どのような教材なり問題場面と生徒を出会わせ，生徒がどのような課題をもって探究を展開していくかを構想する基盤となるものが内容としての探究課題である。

一方，**探究課題の解決を通して育成を目指す具体的な資質・能力**とは，各学校において定める目標に記された資質・能力を，各探究課題に即して具体的に示したものであり，教師の適切な指導の下，生徒が各探究課題の解決に取り組む中で，育成することを目指す資質・能力のことである。

この具体的な資質・能力も，「知識及び技能」，「思考力，判断力，表現力等」，「学びに向かう力，人間性等」という資質・能力の三つの柱に即して設定していくことになる。

このように，総合的な探究の時間の内容は，探究課題と具体的な資質・能力の二つによって構成される。そして，両者の関係については，目標の実現に向けて，生徒が「何を学ぶか（どのような対象と関わり探究を行うか）」を表したものが「探究課題」であり，各探究課題との関わりを通して，具体的に「何ができるようになるか（探究を通して，どのような生徒の姿を実現するか)」を明らかにしたものが「具体的な資質・能力」という関係になる。

第1の目標は，各学校においてどのような内容を設定する場合であっても共通して育成することを目指す資質・能力，望ましい生徒の成長の姿を記述している。一方，探究課題と共に内容を構成する，具体的な資質・能力とは，特定の領域や対象に関わる探究課題の解決を通して，どのような資質・能力の育成を目指すかを具体的に記述するものである。

当然のことながら，各探究課題にはその課題ならではの特質があるため，学校の目標に示された資質・能力のうち，特定の要素や側面が特に効果的に育成できる可能性が高いといったことが起こりうる。具体的な資質・能力の設定に当たっては，そのような探究課題ごとの特質を踏まえ，各探究課題の解決を通して，設定した具体的な資質・能力が最も効果的に育成されるよう工夫することが求められる。

なお，全体を見通した際に，目標で示した資質・能力のうち，特定の要素や側面の育成に弱さや偏りが認められた場合には，探究課題それ自体の設定から見直すことも含めて，内容の全体を見直していく必要がある。このように，探究課題と具体的な資質・能力は相互に深く関連している。したがって，内容の設定に際しては，両者の間を行きつ戻りつしながら柔軟に進める必要が生じることもある。

内容の設定において大切なのは，生徒が全ての内容に関わる学びを経験し終わった時に，各学校において定める目標，その中に示した資質・能力が確かに実現されるよう，適切かつ効果的，効率的に内容を設定することである。



(5) 目標を実現するにふさわしい探究課題については，地域や学校の実態，生徒の特性等に応じて，例えば，国際理解，情報，環境，福祉・健康などの現代的な諸課題に対応する横断的・総合的な課題，地域や学校の特色に応じた課題，生徒の興味・関心に基づく課題，職業や自己の進路に関する課題などを踏まえて設定すること。

**目標を実現するにふさわしい探究課題**とは，目標の実現に向けて学校として設定した，生徒が探究に取り組むためのものであり，従来「学習対象」として説明されてきたものに相当する。

目標を実現するにふさわしい探究課題については，地域や学校の実態，生徒の特性等に応じて，例えば，国際理解，情報，環境，福祉・健康などの現代的な諸課題に対応する横断的・総合的な課題，地域や学校の特色に応じた課題，生徒の興味・関心に基づく課題，職業や自己の進路に関する課題など，横断的・総合的な学習としての性格をもち，探究の見方・考え方を働かせて学習することがふさわしく，それらの解決を通して育成される資質・能力が，自己の在り方生き方を考えながら，よりよく課題を発見し解決していくことに結び付いていくような，教育的に価値のある諸課題であることが求められる。

しかし，本項において挙げられているそれぞれの課題は，あくまでも例示であり，各学校が探究課題を設定する際の参考として示したものである。これらの例示を参考にしながら，地域や学校の実態，生徒の特性等に応じて，探究課題を設定することが求められる。

例示されたこれらの課題は，第１学年から第３学年までの生徒の発達の段階において，第１の目標の構成から導かれる以下の三つの要件を，適切に実施するものとして考えられた。

(1) 探究の見方・考え方を働かせて学習することがふさわしい課題であること

(2) その課題をめぐって展開される学習が，横断的・総合的な学習としての性格をもつこと

(3) その課題を学ぶことにより，自己の在り方生き方を考えながら，よりよく課題を発見し解決していくことに結び付いていくような資質・能力の育成が見込めること

以下に，例示した課題の特質について示す。

**国際理解，情報，環境，福祉・健康などの現代的な諸課題に対応する横断的・総合的な課題**とは，社会の変化に伴って切実に意識されるようになってきた現代社会の諸課題のことである。そのいずれもが，持続可能な社会の実現に関わる課題であり，現代社会に生きる全ての人が，これらの課題を自分自身の在り方生き方との関わりで考え，問いを発し，よりよい解決に向けて行動することが望まれている。また，これらの課題については正解や答えが一つに定まっているものではなく，従来の各教科・科目等の枠組みでは必ずしも適切に扱うことができない。したがって，こうした課題を総合的な探究の時間の探究課題として取り上げ，その解決を通して具体的な資質・能力を育成していくことには大きな意義がある。



**地域や学校の特色に応じた課題**とは，町づくり，伝統文化，地域経済，防災，都市計画，観光など各地域や各学校に固有な諸課題のことである。全ての地域社会には，その地域ならではのよさがあり特色がある。古くからの伝統や習慣が現在まで残されている地域，地域の気候や風土を生かした特産物や工芸品を製造している地域など，様々に存在している。これらの特色に応じた課題は，よりよい郷土の創造に関わって生じる地域ならではの課題であり，生徒が地域における自己の在り方生き方との関わりで考え，問いを発し，よりよい解決に向けて地域社会で行動していくことが望まれている。また，これらの課題についても正解や答えが一つに定まっているものではなく，従来の各教科・科目等の枠組みでは必ずしも適切に扱うことができない。しかも，生徒にとっては，自分自身の取組が地域や社会を変え，社会に参画し貢献していることを実感できる課題でもある。したがって，こうした課題を総合的な探究の時間の探究課題として取り上げ，その解決を通して具体的な資質・能力を育成していくことには大きな意義がある。

**生徒の興味・関心に基づく課題**とは，生徒がそれぞれの発達段階に応じて興味・関心を抱きやすい課題のことである。個々の生徒が，日常の生活はもちろん各教科・科目等における学習の進展に応じて興味・関心を抱いたり，各教科・科目等の学習を契機に生起したりすることも期待できる課題である。例えば，社会や時代の変化と流行の変遷との関連について考えたり，社会の変化に対応した教育や保育の在り方について考えたりすることなどが考えられる。これらの課題は，一人一人の生活と深く関わっており，生徒が自己の在り方生き方との関わりで考え，問いを発し，よりよい解決に向けて行動することが望まれている。

総合的な探究の時間は，生徒が，自ら学び，自ら考える時間であり，生徒の主体的な学習態度を育成する時間である。また，自己の在り方生き方を考えながら探究できるようにすることを目指した時間である。その意味からも，総合的な探究の時間において，生徒の興味・関心に基づく探究課題を取り上げ，その解決を通して具体的な資質・能力を育成していくことは重要なことである。

なお，生徒の興味・関心に基づく課題については，横断的・総合的な学習として，探究の見方・考え方を働かせ，学習の質的高まりが期待できるかどうかを，教師が十分に判断する必要がある。たとえ生徒が興味・関心を抱いた課題であっても，総合的な探究の時間の目標にふさわしくない場合や十分な学習の成果が得られない場合には，適切に指導を行うことが求められる。

**職業や自己の進路に関する課題**とは，中等教育の最終段階にある生徒にとって，自己の在り方に関する思索を自身の進路に結び付け，自己の生き方について現実的に検討する上で必要となる諸課題のことである。この時期の生徒は，人間としての在り方や将来の生き方について，深く考えることを求めているとともに，就職や進学などについて，現実的に検討することを迫られてもいる。職業や自己の進路について，この両面から思う存分，納得がいくまで探究する機会を提供し，自己の中で統合できるまでに導くことは，生徒の人間的成熟や安定の確保，自己の将来を力強く着実に切り開いていこうとする資質・能力の育成において，極めて重要である。したがって，こうした課題を総合的な探究の時間の探究課題として取り上げ，具体的な学習活動としていくことには大きな意義がある。

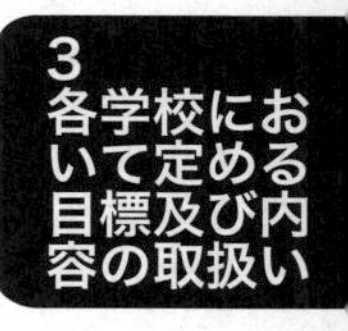


なお，このことについては，第１章総則第２の２「教科・科目等横断的な視点に立った資質・能力の育成」の（2）と深く関わっている。

(6) 探究課題の解決を通して育成を目指す具体的な資質・能力については，次の事項に配慮すること。

ア　知識及び技能については，他教科等及び総合的な探究の時間で習得する知識及び技能が相互に関連付けられ，社会の中で生きて働くものとして形成されるようにすること。

イ　思考力，判断力，表現力等については，課題の設定，情報の収集，整理・分析，まとめ・表現などの探究の過程において発揮され，未知の状況において活用できるものとして身に付けられるようにすること。

ウ　学びに向かう力，人間性等については，自分自身に関すること及び他者や社会との関わりに関することの両方の視点を踏まえること。



**探究課題の解決を通して育成を目指す具体的な資質・能力**とは，各学校において定める目標に記された資質・能力を，各探究課題に即して具体的に示したものであり，教師の適切な指導の下，生徒が各探究課題の解決に取り組む中で，育成することを目指す資質・能力のことである。

具体的な資質・能力については，他教科等と同様に，「育成すべき資質・能力の三つの柱」である「知識及び技能」，「思考力，判断力，表現力等」，「学びに向かう力，人間性等」に沿って設定していくが，その際，それぞれ以下の点に配慮する必要がある。

「知識及び技能」については，他教科等及び総合的な探究の時間で習得する「知識及び技能」が相互に関連付けられ，社会の中で生きて働くものとして形成されるようにすることが大切である。今回の改訂では，資質・能力として各教科・科目等で身に付ける「知識及び技能」については，具体的な事実に関する知識，個別的な手順の実行に関する技能に加えて，複数の事実に関する知識や手順に関する技能が相互に関連付けられ，統合されることによって概念として形成されるようにすることを重視している。こうした概念が理解されることにより，知識や技能は，それが習得された特定の文脈に限らず，日常の様々な場面で活用可能なものとなっていく。

総合的な探究の時間においても，個々の探究課題を解決しようとする中で，生徒は様々な知識や技能を結果的に習得していくが，それらが統合されて概念的理解にまで達することを目指すことが求められる。そのために，まずは内容の設定の段階において，どのような概念の形成を期待するのかということを明示する必要がある。

「思考力，判断力，表現力等」についても，「知識及び技能」を未知の状況において活用できるものとして身に付けるようにすることが大切である。そのためにも，様々に異なる状況や複雑で答えが一つに定まらない問題に対して，「知識及び技能」を繰り返し活用・発揮することが大切になる。その過程で，問題状況の特質や情報の性質，表現する相手やその目的等によって，どの「知識及び技能」が適切であり有効であるかなどに気付いていく。そのような経験の積み重ねの中で，次第に未知の状況においても活用できるものとして，思考力，判断力，表現力等は確かに育成されていく。

したがって，まずは内容の設定の段階において，探究課題の特質から想定される問題状況，収集が可能な情報の性質，整理・分析において有効な観点，まとめ・表現において想定される相手や目的などを十分に検討すべきである。また，その探究課題の解決において，どのような思考力，判断力，表現力等が求められるのか，効果的であるかを十分に予測し，その解決を通して育成を目指す具体的な資質・能力として設定することが求められる。

例えば，省エネを実現する町の在り方を話し合う中で，資源節約グループが，電力の節約のために夜間の活動を制限すべきと提案する。この提案に対し，LED推進グループは反対する。この話合いの中で，それぞれのグループは一面的な視点でしか対象を捉えていなかったことを自覚していく。ここで教師が，エネルギーと生活にはどういう意味があるのか，同様の関係は他にもないか，それら全てを通して一貫した特徴は何か，といったことへと学びをもう一段進められるよう指導する。その結果，生徒は，資源やエネルギー，産業や人間生活の関係などについての理解を深めながら，「多様性（それぞれには特徴があり，多種多様に存在していること）」，「相互性（互いに関わりながらよさを生かしていること）」，「有限性（物事には終わりがあり，限りがある）」など，環境問題の本質に関する概念的理解へと到達することができる。また，こうして概念的に理解された（概念として獲得された）知識は，省エネという具体的な文脈だけでなく，さらに別の環境問題や，環境問題以外でも，今後出会う多様な事物・現象について考えるに当たって，存分に活用・発揮できることも期待できる。

あるいは，福祉に関わる学習を進める中で，高齢者や障害者にとってよりよい介助や支援の仕方は，障害の種類や程度，その人の身体の状態やその日の体調などによっても大きく変化することを経験する。しかし，更に様々な人に対する介助や支援を経験する中で，そこに一人一人の状況に応じた配慮が求められるということ（個別性）に気付くとともに，状況は異なっても常に留意しなければならないこととして，相手の立場に立ち，相手の気持ちに寄り添うことが大切であるという本質的な理解に結び付く。この段階まで学びを深めることができたならば，次には，既に習得している様々な介助や支援に関する「知識及び技能」を，新たに出会う未知の具体的な場面に応じて創意工夫しながら自在に発揮できるようになる可能性は一気に高まってくる。

「学びに向かう力，人間性等」については，「自分自身に関すること及び他者や社会との関わりに関することの両方の視点を含む」ようにすることが求められる。先にも述べた通り，このことは，従来「育てようとする資質や能力及び態度」として示してきた三つの視点のうち，「自分自身に関すること」及び「他者や社会との関わりに関すること」の二つの視点の両方に関わるものである。

第1の目標において，「学びに向かう力，人間性等」に関しては，「探究に主体的・協働的に取り組むとともに，互いのよさを生かしながら，新たな価値を創造し，よりよい社会を実現しようとする態度を養う」ことが示されている。「他者や社会との関わり」として，課題の解決に向けた他者との協働を通して，新たな価値を創造し，よりよい社会を実現しようとする態度などを養うとともに，「自分自身に関すること」として，探究に主体的・協働的に取り組むことを通して，探究の意義を自覚したり，自分のよさや可能性に気付いたり，学んだことを自信につなげたり，現在及び将来の自己の在り方生き方につなげたりする内省的な考え方（Reflection）といった両方の視点を踏まえて，内容を設定することが考えられる。

探究課題の解決を通して育成を目指す具体的な資質・能力の考え方については，本解説第6章第3節の3において更に詳しく解説する。

(7) 目標を実現するにふさわしい探究課題及び探究課題の解決を通して育成を目指す具体的な資質・能力については，教科・科目等を越えた全ての学習の基盤となる資質・能力が育まれ，活用されるものとなるよう配慮すること。

**目標を実現するにふさわしい探究課題及び探究課題の解決を通して育成を目指す具体的な資質・能力**については，教科・科目等を越えた全ての学習の基盤となる資質・能力が育まれ，活用されるものとなるよう配慮することが大切である。



第1章総則第2款の2の(1)においても，「学習の基盤となる資質・能力」として，言語能力，情報活用能力（情報モラルを含む。），問題発見・解決能力等を挙げており，総合的な探究の時間においても，**教科・科目等を越えた全ての学習の基盤となる資質・能力**としては，それぞれの学習活動との関連において，言語活動を通じて育成される言語能力（読解力や語彙力等を含む。），言語活動やICTを活用した学習活動等を通じて育成される情報活用能力，問題解決的な学習を通じて育成される問題発見・解決能力などが考えられる。

これらは，他教科等でも，その教科・科目等の特質に応じて展開される学習活動との関連において育成が目指されることになる。総合的な探究の時間においては，生徒自らが課題を設定して取り組む，実社会や実生活の中にある複雑な問題状況の解決に取り組む，答えが一つに定まらない問題を扱う，多様な他者と協働したり対話したりしながら活動を展開するなど，この時間ならではの学習活動の特質を存分に生かす方向で，教科・科目等を越えた全ての学習の基盤となる資質・能力の育成に貢献することが期待されている。

総合的な探究の時間では，従来から，各学校において「育てようとする資質や能力及び態度」の例として「学習方法に関すること」を挙げ，例えば，情報を収集し分析する力，分かりやすくまとめ表現する力などを育成するといった視点を示してきたところであり，今回の改訂により，改めてその趣旨が明確にされたと言える。

なお，このことについては，本解説第5章第1節の1の(3)においても改めて説明する。

# 第5章　指導計画の作成と内容の取扱い

## 第1節　指導計画の作成に当たっての配慮事項

> 第3　指導計画の作成と内容の取扱い
> 　1　指導計画の作成に当たっては，次の事項に配慮するものとする。
> 　(1) 年間や，単元など内容や時間のまとまりを見通して，その中で育む資質・能力の育成に向けて，生徒の主体的・対話的で深い学びの実現を図るようにすること。その際，生徒や学校，地域の実態等に応じて，生徒が探究の見方・考え方を働かせ，教科・科目等の枠を超えた横断的・総合的な学習や生徒の興味・関心等に基づく学習を行うなど創意工夫を生かした教育活動の充実を図ること。

この事項は，総合的な探究の時間の指導計画の作成に当たり，生徒の主体的・対話的で深い学びの実現に向けた授業改善を進めることとし，総合的な探究の時間の特質に応じて，効果的な学習が展開できるように配慮すべき内容を示したものである。

選挙権年齢や成年年齢の引き下げなど，高校生にとって政治や社会が一層身近なものとなる中，学習内容を人生や社会の在り方と結び付けて深く理解し，これからの時代に求められる資質・能力を身に付け，生涯にわたって能動的に学び続けることができるようにするためには，これまでの優れた教育実践の蓄積も生かしながら，学習の質を一層高める授業改善の取組を推進していくことが求められている。

指導に当たっては，(1)「知識及び技能」が習得されること，(2)「思考力，判断力，表現力等」を育成すること，(3)「学びに向かう力，人間性等」を涵（かん）養することが偏りなく実現されるよう，年間や，単元など内容や時間のまとまりを見通しながら，生徒の主体的・対話的で深い学びの実現に向けた授業改善を行うことが重要である。

主体的・対話的で深い学びは，必ずしも1単位時間の授業の中で全てが実現されるものではない。**年間や，単元など内容や時間のまとまり**の中で，例えば，主体的に学習に取り組めるよう学習の見通しを立てたり学習したことを振り返ったりして自身の学びや変容を自覚できる場面をどこに設定するか，対話によって自分の考えなどを広げたり深めたりする場面をどこに設定するか，学びの深まりをつくりだすために，生徒が考える場面と教師が教える場面をどのように組み立てるか，といった観点で授業改善を進めることが求められる。また，生徒や学校の実態に応じ，多様な学習活動を組み合わせて授業を組み立てていくことが重要であり，年間や，単元など内容や時間のまとまりを見通した学習を行うに当たり基礎となる「知識及び技能」の習得に課題が見られる場合には，それを身に付けるために，生徒の主体性を引き出すなどの工夫を重ね，確実な習得を図ることが必要である。主体的・対話的で深い学びの実現に向けた授業改善を進めるに当たり，特に「深い学び」の視点に関して，各教科等の学びの深まりの鍵となるのが「見方・考え方」である。各教科等の特質に応じた物事を捉える視点や考え方である「見方・考え方」を，習得・活用・探究という学びの過程の中で働かせることを通じて，より質の高い深い学びにつなげることが重要である。

総合的な探究の時間においては，第1の目標に示された「自己の在り方生き方を考えながら，よりよく課題を発見し解決していくための資質・能力」は，年間や，単元など内容や時間のまとまりを見通した授業の積み重ねによって総合的に育成されていく。

「資質・能力」の育成のためには，「主体的・対話的で深い学びの実現を図る」ことが鍵となる。探究のプロセス（①課題の設定→②情報の収集→③整理・分析→④まとめ・表現）を充実させるとともに，その過程において，生徒や学校，地域の実態等に応じて，生徒が探究の見方・考え方を働かせ，教科・科目等の枠を超えた横断的・総合的な学習や生徒の興味・関心に基づく学習を行うなど，創意工夫を生かした教育活動を充実させることが大切である。このことは，第1章総則第3款の1の(1)にも示されているように今回の改訂における重要な改善点である。

その際，「探究の過程」を通して，各教科・科目等における見方・考え方を総合的・統合的に活用して，広範で複雑な事象を多様な角度から俯瞰（ふかん）して捉え，実社会・実生活の課題を探究し，自己の在り方生き方を問い続けることが行われる。こうした総合的な探究の時間に固有な学びの中では，一つの教科・科目等の枠に収まらない課題に取り組む学習活動を通して，各教科・科目等で身に付けた知識や技能等を相互に関連付け，学習や生活に生かし，それらが生徒の中で総合的に働くようにすることが一層求められる。



したがって，総合的な探究の時間では，これまで以上に，生徒や学校，地域の実態等に応じ，創意工夫を生かした教育活動の充実を図ることが欠かせない。

**創意工夫を生かす**とは，他校にはない特殊なもの，独創性の高いものを行うことが求められているわけではない。生徒や学校，地域の実態に応じて，それぞれの学校の生徒にふさわしい教育活動を適切に実施することが重要である。

ここで求められる実態とは，この時間の学習活動を適切に行うために十分考慮すべき実態のことである。生徒の実態とは，知的な側面，情意的な側面，身体的な側面などに関する生徒の実際の姿とこれまでの経験などが考えられる。学校の実態とは，課程や学科の特色，生徒数や学級数などの学校の規模，職員数や職員構成，校内環境や学校の風土や伝統，教育研究の積み重ねなどが考えられる。地域の実態としては，学校が設置されている地域の山や川などの自然環境，町やそこにある機関，歴史や文化などの社会環境，そこに住む人やその営み，思いや願いなどの人的環境などが考えられる。

例えば，上級学校に進学する生徒が多い普通科の高等学校では，国際理解，情報，環境，福祉・健康などの現代的な諸課題に関する学習活動を展開する場合がある。そこでは，生徒の進路希望と関連付けたフィールドワークを行うなどの取組が考えられる。就職を考える生徒が多い専門学科の高等学校では，専門的な分野を生かした学習活動を展開する場合がある。工業科であれば，地域の公園の再開発，食品加工科では地域の農産物を生かした加工食品の開発などの学習活動を展開する場合がある。総合学科の高等学校では，「産業社会と人間」の学びを生かした学習活動を展開する。そこでは，生徒が興味・関心，進路等に応じて設定した課題について，知識や技能の深化，総合化を図る取組が行われる。また，中山間地域の小規模の高等学校では，地域活性化などに関する学習活動を展開する場合がある。そこでは，小規模校のよさを生かして全校体制での探究活動を行い，地域住民や行政へ提言するなどの取組が考えられる。さらに，連携大学や企業，海外の姉妹校などがある高等学校では，連携先と交流する学習活動を展開する場合がある。そこでは，大学の教員から講義を受けたり，専門的な内容について学んだり，テレビ会議システムなどで交流をしたりして探究を進めるといった取組が考えられる。このように各学校においては，地域や学校，生徒の実態を的確に把握し，それらの要素を複合的に関連付け，各学校の生徒にとって必要であると考えられる教育活動を展開していかなければならない。

なお，特色ある教育活動の創造につなげていくためにも，地域の実態把握が欠かせない。教師自らが地域に興味をもち，地域を探索したりフィールド調査をしたり，実際に見たり聞いたりして，地域と関わることが望まれる。また，生徒の実態把握に関しては，教科担任や部活動顧問などの他の教師，保護者，生徒自身に対する様々な観点からの実態調査に加えて，生徒に関わることの多い連携機関の職員や大学教員等からの情報を集めることも有効である。

> (2) 全体計画及び年間指導計画の作成に当たっては，学校における全教育活動との関連の下に，目標及び内容，学習活動，指導方法や指導体制，学習の評価の計画などを示すこと。



総合的な探究の時間の目標は，第1の目標を踏まえるとともに，育てたいと願う生徒の姿を，育成を目指す資質・能力として各学校で定めることから，学校の教育目標と直接つながる。また，総合的な探究の時間の目標を実現するためには，各教科，特別活動を含めた全教育活動における総合的な探究の時間の位置付けを明確にすることが重要であり，それぞれが適切に実施され，相互に関連し合うことで教育課程は機能を果たすこととなる。すなわち，学校の教育目標を教育課程に反映し具現化していくに当たっては，これまで以上に総合的な探究の時間を教育課程の中核に位置付けるとともに，各教科・科目等との関わりを意識しながら，学校の教育活動全体で資質・能力を育成するカリキュラム・マネジメントを行うことが求められる。したがって，総合的な探究の時間が実効性のあるものとして実施されるためには，地域や学校，生徒の実態や特性を踏まえ，各教科・科目等を視野に入れた全体計画及び年間指導計画を作成することが求められる。

**全体計画**とは，指導計画のうち，学校として，入学してから卒業するまでを見通して，この時間の教育活動の基本的な在り方を概括的・構造的に示すものである。一方，**年間指導計画**とは，全体計画を踏まえ，その実現のために，どのような学習活動を，どのような時期に，どのくらいの時数で実施するのかなどを示すものである。この二つの計画において，各学校が定める「**目標**」と，目標を実現するにふさわしい探究課題等からなる各学校が定める「**内容**」を明確にすることが重要である。さらには，それらとの関連において生み出される「**学習活動**」，その実施を推進していく「**指導方法**」や「**指導体制**」，生徒の学習状況等を適切に把握するための「**学習の評価**」などが示されるべきである。

各学校においては，校長のビジョンとリーダーシップの下で総合的な探究の時間の全体計画及び年間指導計画を作成しなければならない。これらの計画を作成することによって，適切な教育活動が展開され，学校として行き届いた指導を行うことが可能となる。その際，これまでの各学校の教育実践の積み重ねや教育研究の実績に配慮して計画を作成することが有効である。なお，各学校における目標及び内容，学習活動などの設定の手順や方法については，本解説第7章及び第8章で詳しく解説する。

総合的な探究の時間の全体計画及び年間指導計画の作成に当たっては，第1章総則第1款の5に示された，組織的かつ計画的に教育活動の質の向上を図っていく，カリキュラム・マネジメントを大事にする必要がある。カリキュラム・マネジメントについては，

① 内容等を教科・科目等横断的な視点で組み立てていくこと
② 教育課程の実施状況を評価してその改善を図っていくこと
③ 教育課程の実施に必要な人的又は物的な体制を確保するとともにその改善を図っていくこと

という三つの側面がある。

①内容等を教科・科目等横断的な視点で組み立てていくことについては，目標及び内容，学習活動などが，教科・科目等横断的な視点で連続的かつ発展的に展開するように，教科・科目等間・学年間の関連やつながりに配慮することが大切である。例えば，1学年で身に付けた資質・能力が2学年以降の学習によりよく発展するように配慮して作成することなどが考えられる。また，小中学校における総合的な学習の時間の取組との連続性，大学や専門学校等における取組への発展的な展開のためには，高等学校段階でどのような学習を行い，どのような資質・能力の育成を目指すのか，小中学校の全体計画や年間指導計画も踏まえて高等学校の指導計画が作成されるよう，指導計画をはじめ生徒の学習状況などについて，相互に連携を図ることが求められる。

②教育課程の実施状況を評価してその改善を図っていくことに関しては，生徒や学校，地域の実態を踏まえて総合的な探究の時間の指導計画を作成し，計画的・組織的な指導に努めるとともに，目標及び内容，具体的な学習活動や指導方法，学校全体の指導体制，評価の在り方，学年間・学校段階間の連携等について，学校として自己点検・自己評価を行うことが大切である。そのことにより，各学校の総合的な探究の時間を不断に検証し，改善を図っていくことにつながる。そして，その結果を次年度の全体計画や年間指導計画，具体的な学習活動に反映させるなど，計画，実施，評価，改善というカリキュラム・マネジメントのサイクルを着実に行うことが重要である。指導計画の評価については，本解説第10章で解説する。

③教育課程の実施に必要な人的又は物的な体制を確保するとともにその改善を図っていくことについては，「内容」や「学習活動」，その実施を推進していく「指導方法」や「指導体制」に必要な人的・物的資源等を，地域等の外部の資源も含めて活用しながら効果的に組み合わせることが大切である。指導方法については本解説第8章で，指導体制の整備については本解説第11章で，環境整備や外部連携などを含めて解説する。

(3) 目標を実現するにふさわしい探究課題を設定するに当たっては，生徒の多様な課題に対する意識を生かすことができるよう配慮すること。

総合的な探究の時間では，生徒自身が自己の在り方生き方と一体的で不可分な課題を自ら発見し，解決していくことが期待されている。学校が探究課題を設定するに当たっては，とりわけ，**生徒の多様な課題に対する意識を生かす**ことが求められる。なぜなら，総合的な探究の時間において生徒が立てる課題は，多様な広がりをもっているとともに，一人一人の意識に応じたものであるからである。このように考えられる背景としては，一つは，より専門的な教科・科目等の学びが行われ，知識が幅広く獲得されるようになることが考えられる。二つは，実社会や実生活の経験が豊かになり，身の回りの事象が広がるようになること，そして三つは，課題を将来の職業選択や進路実現に直接結び付けて自己の在り方生き方を模索していくようになることが挙げられる。

例えば，「自然環境とそこに起きているグローバルな環境問題」を探究課題として設定した場合，生徒一人一人は，「過去と比べて地域の自然環境はどう変化してきているのだろうか」，「地域で暮らす人々は，地域の自然環境に対してどのような思いをもっているのだろうか」，「自然環境と地域産業にはどのような関わりがあるのだろうか」などのような課題を導き出し，幅広く，複線的な探究を行っていくことが考えられる。

したがって，指導計画の作成に当たっては，一人一人の多様な学びを把握すること，一人一人の活動を支える学習環境を整えること，他者と交流する場を設けることなどの配慮が欠かせない。

高等学校においては，一人一人が個別の課題を立てて探究に取り組むいわゆる個人研究が行われる場合も多い。そうした場合においても，生徒の多様な課題に対する意識を生かすためには，探究課題に幅をもたせ，生徒の多様な探究に十分応えられるようにしておくことが必要である。

(4) 他教科等及び総合的な探究の時間で身に付けた資質・能力を相互に関連付け，学習や生活において生かし，それらが総合的に働くようにすること。その際，言語能力，情報活用能力など全ての学習の基盤となる資質・能力を重視すること。

今回の改訂では，これまで以上に総合的な探究の時間と各教科・科目等との関わりを意識しながら，学校の教育活動全体で教科・科目等横断的に資質・能力を育成していくカリキュラム・マネジメントが求められている。

**他教科等及び総合的な探究の時間で身に付けた資質・能力を相互に関連付け，学習や生活において生かし，それらが総合的に働くようにする**とは，各教科・科目等で別々に身に付けた資質・能力をつながりのあるものとして組織化し直し改めて現実の生活に関わる学習において活用し，それらが連動して機能するようにすることである。身に付けた資質・能力は，当初学んだ場面とは異なる新たな場面や状況で活用されることによって，一層生きて働くようになる。

これからの時代においてより求められる資質・能力は，既知の特定の状況においてのみ役に立つのではなく，未知の多様な状況において自在に活用することができるものであることが求められている。こうした資質・能力の獲得のためには，総合的な探究の時間の中で，自分で課題を見付け，目的に応じて情報を収集し，その整理・分析を行い，まとめ・表現したり，コミュニケーションを図ったり，振り返ったりするなどの探究活動を行うことが重要である。そして，その過程において，各教科・科目等で身に付けた資質・能力や，それまでの総合的な探究の時間において身に付けた資質・能力を相互に関連付けるような学びの展開が重要である。

例えば，エネルギーや環境の問題に関心をもち，課題の解決や探究活動を行った場合，生徒は，地球温暖化，酸性雨，オゾン層の破壊，砂漠化などについて調査し，地球規模の環境問題に起因する身近なエネルギーと環境・災害に関する課題を探究していく。ここでは，地理歴史科や公民科，理科で学習した資源と産業，政治，生態系とエネルギーなどに関する知識が発揮されることで，豊富な情報が収集される。また，収集した情報は，数学科や国語科，情報科で学習したことを生かして統計処理し，コンピュータなどでまとめたりして，深く分析していく。さらには，そうした結果を論文やレポート・報告書などにまとめたり，プレゼンテーションやポスター発表，ショートムービーや，総合芸術などとして表現したりしていくことが考えられる。



このように，総合的な探究の時間において，各教科・科目等で身に付けた資質・能力が存分に活用・発揮されることで，学習活動は深まりを見せ，大きな成果を上げる。そのためにも，教師は各教科・科目等で身に付ける資質・能力について十分に把握し，総合的な探究の時間との関連を図るようにすることが必要である。例えば，年間指導計画を工夫し単元配列表を作成することで，各教科・科目等で学ぶ1年間の学習内容や扱われる題材と，総合的な探究の時間の内容や学習活動との関連を概観し，捉えることができる。なお，単元配列表については，本解説第8章第2節2の(3)で詳しく解説する。

このように，各教科・科目等で身に付けた資質・能力を関連付け，活用・発揮することを経験することにより，日常の学習活動や生活における様々な課題に対する解決においても，各教科・科目等で身に付けた資質・能力等を働かせる生徒の姿が期待できる。

その際，言語能力，情報活用能力，問題発見・解決能力など全ての学習の基盤となる資質・能力を重視することが大切である。**言語能力**とは，言語に関わる知識及び技能や態度等を基盤に，「創造的思考とそれを支える論理的思考」，「感性・情緒」，「他者とのコミュニケーション」の三つの側面の力を働かせて，情報を理解したり文章や発話により表現したりする資質・能力のことである。**情報活用能力**とは，世の中の様々な事象を情報とその結び付きとして捉えて把握し，情報及び情報技術を適切かつ効果的に活用して，問題を発見・解決したり自分の考えを形成したりしていくために必要な資質・能力のことである。これらの能力は，総合的な探究の時間において探究を進める上で大変重要なものであると同時に，全ての教科・科目等の学習の基盤となるものである。第1章総則第2款の2の(1)においても，「学習の基盤となる資質・能力」として，「言語能力，情報活用能力（情報モラルを含む。），問題発見・解決能力等」を挙げている。

その他の**学習の基盤となる資質・能力**には，問題解決的な学習を通じて育成される問題発見・解決能力，体験活動を通じて育成される体験から学び実践する力，「対話的な学び」を通じて育成される多様な他者と協働する力，見通し振り返る学習を通じて育成される学習を見通し振り返る力等が挙げられる。

| (5) 他教科等の目標及び内容との違いに留意しつつ，第1の目標並びに第2の各学校において定める目標及び内容を踏まえた適切な学習活動を行うこと。 |
|---|

各教科及び特別活動と総合的な探究の時間は，それぞれ固有の目標と内容をもっている。それぞれが役割を十分に果たし，その目標をよりよく実現することで，教育課程は全体として適切に機能することになる。互いの違いを十分に理解した上で，総合的な探究の時間の目標及び内容を踏まえた適切な学習活動を展開することが求められる。今回の改訂により総合的な探究の時間において明確にされた，「探究の見方・考え方を働かせ，横断的・総合的な学習を行うこと」という総合的な探究の時間の特質を十分に踏まえることが必要である。

総合的な探究の時間については，探究に向けた質的な改善が図られてきているものの，未だに特定の教科・科目等の知識や技能の習得を図る学習活動が行われていたり，修学旅行や体育祭の準備などと混同された学習活動が行われていたりするなどの事例が見られるとの指摘もある。これらについては，総合的な探究の時間としてふさわしくないものであることは言うまでもない。

総合的な探究の時間と特別活動との関連については，第1章総則第2款の3の(3)のケに，「総合的な探究の時間における学習活動により，特別活動の学校行事に掲げる各行事の実施と同様の成果が期待できる場合においては，総合的な探究の時間における学習活動をもって相当する特別活動の学校行事に掲げる各行事の実施に替えることができる」との記述がある。これは総合的な探究の時間についての記述であり，探究であることが前提となっている。総合的な探究の時間において探究が行われる中で体験活動を実施した結果，学校行事として同様の成果が期待できる場合にのみ，特別活動の学校行事を実施したと判断してもよいことを示しているものである。特別活動の学校行事を総合的な探究の時間として安易に流用して実施することを許容しているものではない。

具体的には，総合的な探究の時間において，その趣旨を踏まえ，例えば，自然体験活動や社会体験活動，あるいは就業体験やボランティア活動を探究の過程の中で行う場合において，これらの活動は集団活動の形態をとる場合が多く，集団への所属感や連帯感を深め，公共の精神を養うなど，特別活動の趣旨も踏まえた活動とすることが考えられる。

すなわち，

・　総合的な探究の時間に行われる自然体験活動や社会体験活動は，環境や自然を課題とした探究活動，あるいは歴史や国際理解を題材とした探究活動として行われると同時に，「平素と異なる生活環境にあって，見聞を広め，自然や文化などに親しむとともに，よりよい人間関係を築くなどの集団生活の在り方や公衆道徳などについての体

験を積むことができる」旅行・集団宿泊的行事と，

・　総合的な探究の時間に行われる就業体験活動やボランティア活動は，社会との関わりを考える探究活動として行われると同時に，「勤労の尊さや生産することの喜びを体得し，職場体験などの職業や進路に関わる啓発的な体験が得られるようにするとともに，共に助け合って生きることの喜びを体験し，ボランティア活動などの社会奉仕の精神を養う体験が得られる」勤労生産・奉仕的行事と，それぞれ同様の成果も期待できると考えられる。このような場合，総合的な探究の時間とは別に，特別活動として改めてこれらの体験活動を行わないとすることも考えられる。

また，高等学校において，特に注意を要する事柄として，すでに第2章で述べた通り，総合的な探究の時間と同じく科目名に探究を含む，古典探究，日本史探究，世界史探究，地理探究，理数探究との間における違いがある。これらの科目においても，その展開の中で生徒に実現する学びの様相や質としては探究を目指す。その一方で，古典探究，日本史探究，世界史探究，地理探究については，当該科目の領域範囲中で生じる鋭角的な質の探究を行うこととしている。また，理数探究では，数学的な見方・考え方や理科の見方・考え方を組み合わせるなどして働かせた探究を行うこととしている。



(6) 各学校における総合的な探究の時間の名称については，各学校において適切に定めること。

総合的な探究の時間の教育課程の基準上の名称は「総合的な探究の時間」とするが，各学校における教育課程，時間割上のこの時間の具体的な名称については，この規定に示す通り，各学校で**適切に定める**ものとされている。

各学校において，この時間の目標や内容，学習活動の特質，学校の取組の経緯を踏まえて，例えば，地域のシンボルや学校教育目標，保護者や地域の人々の願いに関連した名称など，この時間の趣旨が広く理解され，生徒や保護者，地域の人々に親しんでもらえるように適切な名称を定めればよい。

(7) 障害のある生徒などについては，学習活動を行う場合に生じる困難さに応じた指導内容や指導方法の工夫を計画的，組織的に行うこと。

障害者の権利に関する条約に掲げられたインクルーシブ教育システムの構築を目指し，生徒の自立と社会参加を一層推進していくためには，通常の学級，通級による指導，特別支援学校において，生徒の十分な学びを確保し，一人一人の生徒の障害の状態や発達の段階に応じた指導や支援を一層充実させていく必要がある。

通常の学級においても，発達障害を含む障害のある生徒が在籍している可能性があることを前提に，全ての教科等において，一人一人の教育的ニーズに応じたきめ細かな指導や支援ができるよう，障害種別の指導の工夫のみならず，各教科等の学びの過程において考えられる困難さに対する指導の工夫の意図，手立てを明確にすることが重要である。

これを踏まえ，今回の改訂では，障害のある生徒などの指導に当たっては，個々の生徒によって，見えにくさ，聞こえにくさ，道具の操作の困難さ，移動上の制約，健康面や安全面での制約，発音のしにくさ，心理的な不安定，人間関係形成の困難さ，読み書きや計算等の困難さ，注意の集中を持続することが苦手であることなど，学習活動を行う場合に生じる困難さが異なることに留意し，個々の生徒の困難さに応じた指導内容や指導方法を工夫することを，各教科等において示している。

その際，総合的な探究の時間の目標や内容の趣旨，学習活動のねらいを踏まえ，学習内容の変更や学習活動の代替を安易に行うことがないよう留意するとともに，生徒の学習負担や心理面にも配慮する必要がある。

総合的な探究の時間については，生徒の知的な側面，情意的な側面，身体的な側面などに関する生徒の実際の姿や経験といった，生徒の実態等に応じて創意工夫を生かした教育活動を行うことが必要であることをこれまでも示してきた。探究するための資質・能力を育成するためには，一人一人の学習の特性や困難さに配慮した学習活動が重要であり，例えば，総合的な探究の時間における配慮として，次のようなものが考えられる。

- 様々な事象を調べたり，得られた情報をまとめたりすることに困難がある場合は，必要な事象や情報を選択して整理できるように，着目する点や調べる内容，まとめる手順や調べ方について具体的に提示するなどの配慮をする。
- 関心のある事柄を広げることが難しい場合は，関心のもてる範囲を広げることができるように，現在の関心事を核にして，それと関連する具体的な内容を示していくことなどの配慮をする。
- 様々な情報の中から，必要な事柄を選択して比べることが難しい場合は，具体的なイメージをもって比較することができるように，比べる視点の焦点を明確にしたり，より具体化して提示したりするなどの配慮をする。
- 学習の振り返りが難しい場合は，学習してきた場面を想起しやすいように，学習してきた内容を文章やイラスト，写真等で視覚的に示すなどして，思い出すための手掛かりが得られるように配慮する。
- 人前で話すことへの不安から，自分の考えなどを発表することが難しい場合は，安心して発表できるように，発表する内容について紙面に整理し，その紙面を見ながら発表できるようにすること，ICT機器を活用したりするなど，生徒の表現を支援するための手立てを工夫できるように配慮する。

このほか，総合的な探究の時間においては，各教科・科目等の特質に応じて育まれる「見方・考え方」を総合的・統合的に働かせるような学習を行うため，特別支援教育の視点から必要な配慮等については，各教科・科目等における配慮を踏まえて対応することが求められる。こうした配慮を行うに当たっては，困難さを補うという視点だけでなく，むしろ得意なことを生かすという視点から行うことにより，自己肯定感の醸成にもつながるものと考えられる。

なお，学校においては，こうした点を踏まえ，個別の指導計画を作成し，必要な配慮を記載し，他教科等の担任と共有したり，翌年度の担任等に引き継いだりすることが必要である。

(8) 総合学科においては，総合的な探究の時間の学習活動として，原則として生徒が興味・関心，進路等に応じて設定した課題について知識や技能の深化，総合化を図る学習活動を含むこと。

総合学科においては，総合的な探究の時間における学習活動として，従前から，「生徒の興味・関心に基づく課題，職業や自己の進路に関する課題について，知識や技能の深化，総合化を図る学習活動」を含むこととしてきた。総合学科では，当初は「課題研究」が原則履修科目とされてきた。総合学科の「課題研究」は，多様な教科・科目の選択履修によって深められた興味・関心等に基づき，生徒自らが課題を設定し，その課題の解決を図る学習を通して，問題解決能力や自発的・総合的な学習態度を育てるとともに，自己の将来の進路選択を含め人間としての在り方生き方について考えさせることをねらいとした科目であった。平成11年の改訂で創設した総合的な学習の時間は，すべての学校で必置であるとともに，そのねらいや学習活動は，課題研究の目標や内容を取り入れたものとすることとしてきた。

したがって，総合学科の総合的な探究の時間では「生徒の興味・関心に基づく課題，職業や自己の進路に関する課題について，**知識や技能の深化，総合化を図る学習活動**」を行うことにより，課題研究に相当する学習を行うことを示したものである。このことは，総合学科において設定する課題としては，「生徒の興味・関心に基づく課題」「職業や自己の進路に関する課題」を含むことを意味する。これらの課題を探究することで，知識や技能の深化，総合化を図る学習活動が行われ，深い学びに向かうことが期待されている。

なお，総合的な探究の時間の標準単位数は，卒業までに3～6単位配当することとされており，学校によっては，例えば総合的な探究の時間の授業時数として6単位設定し，そのうちの3単位を課題研究的な学習活動に充て，残りの時間は国際理解，情報，環境，福祉・健康などの現代的な諸課題に対応する横断的・総合的な課題，地域や学校の特色に応じた課題などについての学習活動に充てるなどが考えられる。総合学科において，総合的な探究の時間の中で課題研究的な学習活動以外の活動に一定の時数を配当することも可能である。

もちろん他の学科や他の探究課題においても同様に，目標を実現するにふさわしい探究課題については，地域や学校の実態，生徒の特性等に応じて課題を設定することが求められる。

## 第２節　内容の取扱いについての配慮事項

> 第３　指導計画の作成と内容の取扱い
> 　２　内容の取扱いに当たっては，次の事項に配慮するものとする。
> 　(1)　第２の各学校において定める目標及び内容に基づき，生徒の学習状況に応じて教師が適切な指導を行うこと。

総合的な探究の時間においては，生徒が自ら課題を見付け，自ら学び，自ら考え，主体的に判断するなど，生徒の主体性や興味・関心を十分に生かすことが望まれる。そのためにはより質の高い指導が必要である。しかし，課題設定や解決方法を教師が必要以上に教え過ぎてしまうことによって，生徒が自ら学ぶことを妨げるような事例や，どのような活動をするのかということに目を向け過ぎるあまり，総合的な探究の時間を通して育成を目指す資質・能力が身に付いているのかが見えにくい事例も見られる。

**生徒の学習状況に応じて教師が適切な指導を行うこと**とは，こうした反省に立って，各学校で定めた総合的な探究の時間の目標及び内容に基づいて，育成を目指す資質・能力が身に付いているのかを継続的に評価しながら，より質の高い資質・能力の育成に向けて自立的な学習が行われるよう，必要な手立てを講じることを意味している。

探究のプロセスにおいて，生徒の知らない知識が必要になると考えられる場合には，教師が提示したり説明したりすることが適切である。例えば，生徒が課題への取り組み方を考えつかない場合には，これまでに取り組まれた好ましい事例を教師が示したり，より達成しやすい小さな課題に分けて示したり，情報の整理・分析で迷っている場合には，図示して比較したり分類したり関連付けたりすることなどを促し，生徒の思考を補助したりすることが適切である。学習の場の設定，学習活動の目的をしっかりもたせること，学習の状況についての価値付けや方向付け，課題の解決や探究活動が一段落したときの新たな方向性の提示や次の課題の設定なども，必要に応じて教師が行うことが考えられる。また，自らの学びを意味付けたり価値付けたりして自己変容を自覚するために振り返りの場面を学習過程に計画的に位置付けることが適切である。

生徒の主体性を生かした学習と教師の適切な指導が相まってこそ，より質の高い学習が実現され，総合的な探究の時間の目標が達成される。また，そのことが生徒の学習活動への満足感や達成感も高める。

なお，総合的な探究の時間の学習指導については本解説第９章で，評価については本解説第10章で詳しく解説する。

> (2) 課題の設定においては，生徒が自分で課題を発見する過程を重視すること。

総合的な探究の時間においては，学びが高度化するとともに，自律的になることが期待されている。そのためには，自己の在り方生き方と一体的で不可分な課題を自ら発見し，解決していくような学びを展開していくことが欠かせない。したがって生徒一人一人にとっての「課題の設定」が極めて重要になる。

**自分で課題を発見する**とは，生徒が自分自身の力で課題を見付け設定することのみならず，設定した課題と自分自身との関係が明らかになること，設定した課題と実社会や実生活との関係がはっきりすることを意味する。そのためにも，実社会や実生活と自己との関わりから問いを見いだし，自分で課題を立てることが欠かせない。問いや課題は，既有知識や既有の経験だけからは生まれないこともある。そこで，実社会や実生活と実際に関わることを大切にしたい。その中で，時間的な推移の中で現在の状況が問題をもっていること，空間的な比較の中で身の回りには問題があること，自己の常識に照らして違和感を伴う問題があることなどを発見し，それが問題意識となり，自己との関わりの中で課題につながっていく。

**発見する過程を重視する**とは，生徒の中に生まれた問いや問題意識が切実な課題として設定され，より明確な「質の高い課題」として洗練されていくプロセスや時間を重視することである。「課題の設定」においては，課題に関することを幅広く調べたり，一人でじっくりと考えたり，様々な考えをもつ他者と相談したりするなどして，行きつ戻りつしながら，時間をかけて取り組むことを大切にしたい。こうして洗練された「質の高い課題」は，より具体的な課題となり，生徒が自らの力で探究を進めるための原動力となるリサーチクエスチョンとなっている。また，自分自身を見つめて，自分で発見した課題は，自分が何者であるかを教えてくれる鏡であり，将来の職業選択や進路実現にもつながる切実なものになっているはずである。

このように高等学校においては，探究のプロセスの中でもとりわけ「課題の設定」を丁寧に指導することを心がけたい。「課題の設定においては，生徒が自分で課題を発見する過程を重視」とあるが，課題の設定において，教師は必要に応じて適切に指導・助言するのは言うまでもない。自分で課題を発見する過程は，生徒にとっても重要な学習場面であり，教師にとっては重要な指導対象となる。したがって，教師には適切な指導を行うことが求められるとともに，課題を設定するための知識や技能を生徒に身に付けさせ，自分自身で探究を進めることができるよう十分な時間をかけて指導することが重要である。

このことについては，グループ学習などでも同様であり，グループ等で設定する課題が，生徒一人一人にとって，切実なものになっていなければならない。

なお，総合的な探究の時間における課題の設定については本解説第9章第3節で，教師の指導体制については第11章で詳しく解説する。



(3) 第2の3の (6) のウにおける両方の視点を踏まえた学習を行う際には，これらの視点を生徒が自覚し，内省的に捉えられるよう配慮すること。

探究課題の解決を通して育成を目指す具体的な資質・能力を定める際,「学びに向かう力，人間性等」については,「自分自身に関すること」「他者や社会との関わりに関すること」の両方の視点を踏まえることが必要であり，学習活動においては，その**視点を生徒が自覚し，内省的に捉えられるように**することを心がけなければならない。なぜなら，二つの視点によって自他の存在や考えが明らかになり，自分自身の変容や他者や社会との関わりに気付くことなどが期待できるからである。こうした学びが実現されるためにも，学習活動に丁寧な振り返りを位置付けることが欠かせない。

振り返りは学習活動の節目や終末に行い，主たる学習活動やそこでの学びについて時間を遡って見つめ直すことを行う。このことによって自らを内省し，省察することにつながり，学びの意味や価値を生徒自身が自覚することに結び付く。そこでは，出来事を時間軸に沿って考えたり，事象同士を関係付けて考えたり，事実の背景にある原因を明らかにして考えたりしていく。また，それらを対象化して自らの学びをモニターしていく。そのためにも，音声言語を使って意見交換したり，文字言語を使って表現したりする言語活動を行うことを心がけたい。とりわけ，まとめたことや調べたことの概要を「書く」ことで，それぞれの場面では気付きにくかった二つの視点を生徒が自覚し，内省的に捉え，自らの行為や態度へと高めていくことが期待できる。また，二つの視点などをポートフォリオの項目に入れるなどして，生徒が自己の変容を認識できるようにしたり，ポートフォリオから生徒の変容を教師が読み取り，示すことで，生徒が気付かない自身の成長を実感できるようにしたりすることなども考えられる。言語化の場面は定期的に設定するとともに，多様な記録方法を用いるなどの工夫も考えられる。

その結果，「自分自身に関すること」としては，自己理解や主体性，将来展望などの資質・能力が，「他者や社会との関わりに関すること」としては，他者理解や協働性，社会参画などの資質・能力が育成され，発揮されていくようになる。

なお，二つの視点は深く関連し合っており，截(せつ)然と区別されるものではない。重要なことは，二つのバランスをとり，関係を意識することである。主体性と協働性とは互いに影響し合っているものであり，自己の理解なくして他者を深く理解することは難しい。

高校生の時期は，自らの在り方生き方と本気で向き合おうとする時期である。「自分のことを知りたい」あるいは「社会との関わりで自分を価値付けたい」と思っている時期でもある。これらの視点を自覚し，内省的に捉えることで，潜在的に育成され高まりを見せようとしている資質・能力を顕在化し，確かに育成することになる。

なお，学びに向かう力，人間性等については，本解説第７章で詳しく解説する。

> (4) 探究の過程においては，他者と協働して課題を解決しようとする学習活動や，言語により分析し，まとめたり表現したりするなどの学習活動が行われるようにすること。その際，例えば，比較する，分類する，関連付けるなどの考えるための技法が自在に活用されるようにすること。

総合的な探究の時間においては，探究の過程を質的に高めていくことを心掛けなければならない。本項では，そのために配慮する必要がある三つのことを示している。

第１は，**他者と協働して課題を解決しようとする学習活動**を行うことである。

ここでは，他者を幅広く捉えておくことが重要である。共に学習を進めるグループだけでなく，ホームルーム全体や他のホームルームあるいは学校全体，地域の人々，専門家など，また価値を共有する仲間だけでなく文化的背景や立場の異なる人々をも含めて考える。協働的に学習することの目的は，グループでよりよい考えを導き出すことに加えて，一人一人がどのような資質・能力を身に付けるかということが重要である。

多様な他者と協働して学習活動を行うことには様々な意義がある。一つには，他者へ説明することにより生きて働く知識及び技能の習得が図られる点である。他者と協働して学習活動を進めていくためには，自分のもっている情報やその情報を基にした自分の考えを説明する必要がある。説明する機会があることで知識及び技能が目的や状況に応じて活用され，生きて働くものとして習得されていく。二つには，他者から多様な情報が収集できることである。様々な考えや意見，情報をたくさん入手することは，その後の学習活動を推進していく上で重要な要素である。多様な情報があることで，それらを手掛かりに考えることが可能になり，自己の考えを広げ深める学びが成立する。三つには，よりよい考えが作られることである。多様なアイデアや視点を組み合わせる等の相互作用の中で，グループとして考えが練り上げられると同時に，個人の中にも新たな考えが構成されていくのである。

他者と協働して学習活動を進めるには，互いのコミュニケーションが欠かせない。自分の考えや気持ちなどを相手に伝えるとともに，相手の考えや気持ちなどを受け止めることも求められる。これらによって，双方向の交流が質の高い学習活動を実現する。そして，これらのプロセスを通じて，個別の知識及び技能が目的や状況に応じて活用され，生きて働くものになり，未知の状況に対応できる思考力，判断力，表現力等や学びに向かう力が育成されるのである。



これからの時代を生きる生徒にとっては，多様で複雑な社会において円滑で協働的な人間関係を形成する資質・能力が求められる。このような資質・能力は，国や地域を越えて常に重要である。総合的な探究の時間において課題の解決や探究活動を協働的に行うことは，その資質・能力を育成する場としてふさわしい。これらのことは，個人研究等を中心とした探究でも同様である。グループを再編成して，それぞれの研究についてディスカッションしたり，定期的に中間報告会などを実施したりして，協働的に活動する場面を多く設定することが必要である。なお，グループ編成等では，必ずしも同じ分野の課題を扱う生徒だけではなく，異なる分野の課題を扱う生徒も交えて協働的に活動することで，新たな分野への興味をもたせることもできるという利点もある。

協働的に課題解決を行う際には，各教科・科目等で身に付けた知識及び技能や思考力，判断力，表現力等を活用できるようにすることに留意するとともに，考えを可視化するなどして生徒同士で学び合うことを促すなどの授業改善の工夫が必要である。それによって，思考を広げ深め，新しい考えを創造する生徒の姿が生まれるものと考えられる。

第２は，**言語により分析し，まとめたり表現したりする学習活動**を行うことである。本解説第４章第３節で述べたように，今回の改訂において，言語能力は全ての学習の基盤となる力として位置付けられている。探究の過程において，体験したことや収集した情報を，言語により分析したりまとめたりすることは，自らの学びを意味付けたり価値付けたりして自己変容を自覚し，次の学びへと向かうために特に大切にすべきことである。そのためには，分析とは何をすることなのか具体的なイメージをもつことが必要となる。例えば，「考えるための技法」を活用し，集めた情報を共通点と相違点に分けて比較したり，視点を決めて分類したり，体験したことや収集した情報と既有の知識とを関連付けたり，時間軸に沿って順序付けたり，理由や根拠を示したりすることで，情報を分析し意味付けることなどが考えられる。また言語により分析する対象には，観察記録やインタビューデータといった質的なものに加えて，アンケートや質問紙などにより収集した量的なデータも含まれる。

言語によりまとめたり表現したりする学習活動では，分析したことを論文やレポートに書き表したり，口頭で報告したりすることなどが考えられる。論文やレポートにまとめることは，それまでの学習活動を振り返り，自分の考えとして整理することにつながる。特に，高等学校においては，論文やレポートでまとめたり表現したりすることが有効である。また，論文は，探究の過程について考察したことを論じることによって，設定した課題に対する自分の考えが明らかになるとともに，論文やレポート，報告書にまとめる手順や作法についても実践的に習得することが期待できる。

それらの報告の場として，学年や学校全体でどのように学んできたか，それによって何が分かったのかを共有する場面が想定される。参加者全員の前で行うプレゼンテーションや目の前の相手に個別に行うポスターセッションなど，多様な形式を目的に応じて設定することが考えられる。その際，報告することを探究の過程に適切に位置付けることが大切である。

そこでは，発表の工夫をさせると同時に，聞いている生徒にも主体的に関わらせることが重要である。例えば，発表者となる生徒が要点を絞って伝えるための図や表の活用，視聴覚機器やプレゼンテーションソフトウェアなどをツールとして利用することなどが考えられる。聞いている生徒には発表内容を深め，問題点に気付かせる「よい質問」をしたり，発表者の学習成果を改善させるアドバイスをしたり，発表者の学習成果を自分の考えと比較して生かしたりすることを目標とさせるなどの工夫が考えられる。その上で，発表後の時間を十分確保して，交流したり，それぞれに自己評価したりして，新たな追究に向かわせるなども考えられる。このようにして，言語を利用した協働的な学習によって，個人やグループごとに異なる学習活動の成果を共有したり，相互に関係付けたりすることが実現する。

第3は，これらの学習活動においては，**「考えるための技法」が自在に活用されるようにすること**を求めている。「考えるための技法」とは，考える際に必要になる情報の処理方法を，例えば**「比較する」**，**「分類する」**，**「関連付ける」など**，技法のように様々な場面で具体的に使えるようにするものである。

生徒は，教科・科目等の学習場面や日常生活において，様々に思考を巡らせている。課題について考える過程の中で，対象を分析的に捉えたり，複数の対象の関係について考えたりしている。しかし，生徒は自分がどのような方法で考えているのか，頭の中で情報をどのように整理しているのかということについて，必ずしも自覚していないことが多い。そこで，学習過程において「考えるための技法」を意識的に活用させることによって，生徒の思考を支援すると同時に，別の場面にも活用できるものとして習得させることが重要である。それにより，生徒は別の場面でも「考えるための技法」を適切に選択し活用して課題解決することができるようになり，それが未知の状況にも対応できる思考力，判断力，表現力等の育成につながるのである。

そのためには，各教科・科目等や総合的な探究の時間の学習において生徒に求める「考えるための技法」を探究の過程において意図的，計画的に指導することが必要である。学習活動において生徒に求められる「考えるための技法」は何か，それはどの教科・科目等のどのような学習場面で活用できるのかを教師が想定しておくことで，「考えるための技法」の視点から各教科・科目等の学習を相互に関連付けることが可能になる。それにより，教科・科目等の学習で習得した技法を活用して，総合的な探究の時間で課題解決を行ったり，逆に総合的な探究の時間で自覚化した「考えるための技法」を教科・科目等の学習で活用したりする場面を準備することができる。

「考えるための技法」を様々な場面で意識的に活用し，情報を整理・分析する学習経験を積み重ねることで，生徒は「考えるための技法」を様々な場面で自在に活用可能なものとして習得することが可能になる。自在に活用するとは，生徒が自らの意思で場面や状況に合わせて選択したり，適用したり，組み合わせたりして活用できるようになるということである。そのため，総合的な探究の時間において，「考えるための技法」を活用する場面を準備する際には，探究の過程に適切に位置付け，習得した「考えるための技法」を探究のプロセスで活用する場面と併せて指導することが必要である。

「考えるための技法」を指導する際には，比較や分類を図や表を使って視覚的に行う，いわゆる思考ツールといったものを活用することが考えられる。その際，例えば，比較することが求められる場面では複数の教科・科目等においても同じ図を思考ツールとして活用するよう指導することで，「考えるための技法」を，生徒が教科・科目等を越えて意識的に活用しやすくなる。

各教科・科目等や総合的な探究の時間において，「考えるための技法」を，実際の問題解決の文脈で意識的に活用できるようにすることにより，他者と協働して課題を解決しようとする学習活動や，言語により分析し，まとめたり表現したりするなどの学習活動の質が高まり，未知の状況にも対応できる思考力等の育成につなげることが重要である。

なお，「考えるための技法」の具体的な例や活用方法については，本解説第７章第３節の４において解説する。

(5) 探究の過程においては，コンピュータや情報通信ネットワークなどを適切かつ効果的に活用して，情報を収集・整理・発信するなどの学習活動が行われるよう工夫すること。その際，情報や情報手段を主体的に選択し活用できるよう配慮すること。

生徒を取り巻く現代社会の日常生活において，コンピュータや携帯電話，スマートフォン，タブレット型端末などの情報機器の普及が目覚ましく，インターネットをはじめとする情報通信ネットワークへのアクセスも容易になっている。また今後の技術革新の進展に伴い，情報機器の機能の高度化や情報通信ネットワークの高速化などが進むことが予想される。このように「いつでも」,「誰でも」,「どこででも」,「瞬時に」多様な情報を得たり情報を発信したりできる時代を生きる生徒には，コンピュータや情報通信ネットワークを，またそこから得られる情報を，適切かつ効果的に，そして主体的に選択し活用する力を育てることが求められている。学校においても，情報機器ならびに情報通信ネットワークへの入り口となる校内LANなどの整備が進められつつある。

総合的な探究の時間では，生徒の探究の過程において，コンピュータなどの情報機器や情報通信ネットワークを適切かつ効果的に活用することによって，より深い学びにつなげるという視点が重要である。

総合的な探究の時間においては,「課題を設定する」,「情報を収集する」,「情報を整理・分析する」,「まとめ・表現する」という探究のプロセスを繰り返しながら課題の解決や探究活動を発展させていく。これらのプロセスにおいて情報機器や情報通信ネットワークを有効に活用することによって，探究がより充実するとともに，生徒にとって必然性のある課題の解決や探究活動の文脈でそれらを活用することにより，情報活用能力が獲得され，将来にわたり全ての学習の基盤となる力として定着していくことが期待される。

プロセスにおける情報機器や情報通信ネットワークの活用に当たっては，何のために情報を収集したり整理・分析したりまとめたりしているのか，誰に対してどのような情報発信を行うことを目指して情報を収集し，整理・分析してまとめようとしているのかといったことを，課題の解決や探究活動の目的を生徒自らが意識しながら，情報の収集，整理・分析，まとめ・表現を進めていくことが肝要である。



総合的な探究の時間においては，生徒の多様な体験を基に探究活動が展開されていくことが大切である。実際の見学や体験活動を基に学習課題を生成したり，地域に出てインタビューやフィールドワークを行い情報収集したり，劇を創作して表現したりするなど，これまでも大切にされてきた具体的な活動をこれからも大切にしながら，情報機器や情報通信ネットワークを目的や状況に応じて選択し活用することが肝要である。

**情報を収集・整理・発信する**とは，探究活動の目的に応じて，本やインターネットを活用したり，適切な相手を見付けて問合せをしたりして，学習課題に関する情報を幅広く収集し，それらを整理・分析して自分なりの考えや意見をもち，それを課題の解決や探究活動の目的に応じて身近な人にプレゼンテーションしたり，インターネットを使って広く発信したりするような，コンピュータや情報通信ネットワークなどを含めた多様な情報手段を，目的に応じて効果的に選択し活用する学習活動のことを指している。

情報の収集に当たっては，図書やインターネット及びマスメディアなどの情報源から必要な情報を得るにはどのようにすればよいのか，ワークシートなど手書きの記録と併せてデジタルカメラやICレコーダーなど情報を記録する機器を用いて情報収集するにはどのようにすればよいのか，それぞれの長所や短所は何であり，目的や場面に応じてどのように使い分けるのかというような，活用する情報機器の適切な選択・判断についても，実際の探究を通して習得するようにしたい。

また情報の収集においては，その情報を丸写しすれば，生徒は学習活動を終えた気になってしまうことが危惧される。実際に相手を訪問し，見学や体験をしたりインタビューをしたりするなど，従来から学校教育においてなされてきた直接体験を重視した方法による情報の収集を積極的に取り入れたい。それらの多様な情報源・情報収集の方法によってもたらされる多様な情報を，整理・分析して検討し，自分の考えや意見をもつことができるように探究の過程をデザインすることが大切である。

探究の過程においては，情報の収集に続く情報の整理も重視されるべきである。すなわち，入手した情報の重要性や信頼性を吟味した上で，比較・分類したり，複数のものを関連付けたり組み合わせたりして，新しい情報を創り出すような「考えるための技法」を，実際に探究の過程を通して身に付けるようにすることが大切である。

情報の発信に当たっては，発信した情報に対する返信や反応が得られるように工夫することが望ましい。同級生や地域の人々，他の学校の生徒たち，行政や地域社会，国内外の人々から，自分の発信した情報に対する感想やアドバイスが返り，それを基にして改善したり発展させたりするサイクルをうまくつくることで，情報活用の実践力が育つと考えられる。またこのようなサイクルを進めることによって，目的に応じ，受け手の状況を踏まえた情報発信を行おうとする，情報発信者としての意識の高まりが期待できる。一方，情報を発信する学習においては，他者の作成した情報を参考にしたり引用したりすることがある。この場合，情報の作成者の権利を尊重し，引用した情報であることが分かるように転載し，出典を明記することが必要である。また，情報科において学習する「情報モラル」を踏まえ，情報の中には所定の手順を踏んで初めて引用を許されるものがあることについても十分に理解することが必要である。



(6) 自然体験や就業体験活動，ボランティア活動などの社会体験，ものづくり，生産活動などの体験活動，観察・実験・実習，調査・研究，発表や討論などの学習活動を積極的に取り入れること。

総合的な探究の時間で重視する体験活動は，実社会・実生活の事物や現象に自ら働きかけ，実感をもって関わっていく活動である。

前回の改訂において，体験活動は言語活動と共に重要なものとして位置付けられた。また，今回の改訂では，第１章総則第３款の１の(5)において，「生徒が生命の有限性や自然の大切さ，主体的に挑戦してみることや多様な他者と協働することの重要性などを実感しながら理解することができるよう，各教科・科目等の特質に応じた体験活動を重視し，家庭や地域社会と連携しつつ体系的・継続的に実施できるよう工夫すること」とされた。

生徒は，人々や社会，自然と関わる体験活動を通して，自分と向き合い，他者に共感することや社会の一員であることを実感する。また，自然の偉大さや美しさに出会ったり，文化・芸術に触れたり，社会事象への関心を高め問題を発見したり，友達との信頼関係を築いて物事を考えたりするなどして，喜びや達成感を味わう。

こうしたことから，総合的な探究の時間では，一定の知識を覚え込ませるのではなく，探究課題の特質や，育成したい資質・能力を見通して，直接的な体験を探究の過程に，適切に位置付ける必要がある。例えば，環境について学ぶ過程において自然に関わる体験活動を行ったり，福祉について学ぶ過程においてボランティア活動など社会と関わる体験活動を行ったり，地域について学ぶ過程においてものづくりや生産，文化や芸術に関わる体験活動などを行うことが考えられる。

同様の趣旨から，総合的な探究の時間における学習活動は，以下のような学習活動を積極的に行う必要がある。例えば，事象を精緻に観察すること，科学的な見方で仮説を立て，実験し，検証すること，身に付けた知識や技能，考えを現実の場面に適用するなどの実習を行うこと，学問的な調査研究の方法を知り，実際に事実を確かめるために調査したり，より詳しい事情を調べるためにインタビューをしたりするなどして，情報の収集を行うこと。また，そうした情報を論理的・体系的にまとめて整理したり，関連付けたりする発表や討論を行ったり，報告書を書いたりすること。これらの学習活動を積極的に取り入れることによって学習の深まりが期待できる。

例えば，環境汚染の問題を課題にした場合，環境を保全する取組の大変さや環境保全の重要性を認識し，身近な環境汚染に対する関心等を高めることについては，不法投棄の現場を視察したり，ゴミを片付けたりすること，身近な酸性雨の被害を調査することなどの環境汚染の問題に関する体験活動を行うことが効果的であると考えられる。また，身の回りの環境汚染の問題を科学的に認識するためには，ゴミが自然環境に及ぼす影響を調べたり，土壌に含まれる鉄イオンを検出する実験を行い，酸性雨によってアルミが溶出するような事態について考察したり，国を超えて酸性雨が広がる現象について風向きと酸性雨のデータを分析したりして，より深く環境汚染の問題を考えることも大切である。ゴミの不法投棄や土壌汚染とその影響についての事例を集め，様々な汚染が複合的に人体に影響を与えることについて調査する活動も考えられる。こうして体験したことや実験したこと，調査したことなどで分かったことを発表・討論させることを通して，身の回りで起きている環境汚染の問題に対して，どのように行政や地域社会が対応すればよいのか，自分たちはどのような行動をとればよいのかを考えさせることにつながる。

なお，体験的な学習を展開するに当たっては，生徒の発達の特性を踏まえ，目標や内容に沿って適切かつ効果的なものとなるよう工夫するとともに，生徒をはじめ教職員や外部の協力者などの安全確保，健康や衛生等の管理に十分配慮することが求められる。



> (7) 体験活動については，第1の目標並びに第2の各学校において定める目標及び内容を踏まえ，探究の過程に適切に位置付けること。

総合的な探究の時間では体験活動を重視している。しかし，ただ単に体験活動を行えばよいわけではなく，それを探究の過程に適切に位置付け，価値ある体験活動とすることが重要である。

**探究の過程に適切に位置付ける**とは，一つには，設定した探究課題に迫り，課題の解決につながる体験活動であることが挙げられる。予想を立てた上で検証する体験活動を行ったり，体験活動を通して実感的に理解した上で課題を再設定したりするなど，探究課題の解決に向かう学習の過程に適切に位置付けることが欠かせない。

二つには，生徒が主体的に取り組むことのできる体験活動であることが挙げられる。そのためには，生徒の発達に合った，生徒の興味・関心に応じた体験活動であることが必要となる。生徒にとって過度に難しかったり，明確な目的をもてなかったりする体験活動では十分な成果を得ることができない。

こうした体験活動を行う際には，次の点に配慮したい。まずは，年間を見通した適切な時数の範囲で行われる体験活動であることが挙げられる。十分な体験活動を位置付けることは当然であるが，何のための体験活動なのかを明らかにし，その目的のために必要な時間数を確保することが大切である。また，生徒の安全に対して，十分に配慮した体験活動であることも挙げられる。体験活動は，それ自体が魅力的であり生徒の意欲を喚起することが多い。また，屋外で行ったり，機材などを使ったりするダイナミックな活動であることも多い。事前の準備や人的な手配などを丁寧に行い，十分な安全確保の中で体験活動の魅力を存分に引き出すようにすることが望まれる。

このように意図的・計画的に体験活動を位置付けることによって，探究の過程は一層充実し，総合的な探究の時間で育成を目指す資質・能力が確実に身に付くと考えられる。



なお，体験活動の具体例としては，例えば，職場での実習を通して実社会を垣間見ることにより勤労観・職業観を醸成する就業体験活動なども考えられる。この体験活動は，特別活動として実施する勤労生産・奉仕的行事として行うことも考えられるが，総合的な探究の時間に位置付けて実施する場合には，課題の解決や探究活動に適切に位置付く学習活動でなければならない。

このように総合的な探究の時間において，学校行事と関連付けて体験活動を実施することもあり得る。しかし，その場合でも，必ず総合的な探究の時間の目標及び内容を踏まえたものであること，探究の過程に位置付いていることなどを満たさなければならない。その上で実際に総合的な探究の時間の要件を満たす活動の時数だけを正確に算出して，総合的な探究の時間の時数として計上することが求められる。

平成 21 年の学習指導要領解説において，文化的行事や健康安全・体育的行事の準備などは総合的な探究の時間として適切ではないことが明記されたが，一方で十分な改善が図られていないという指摘もある。総合的な探究の時間と特別活動との目標や内容の違いを踏まえ，それぞれの時間にふさわしい体験活動を行わなければならない。

総合的な探究の時間と特別活動との関連を意識し，適切に体験活動を位置付けるためには，次のような点に十分配慮すべきである。例えば，修学旅行と関連を図る場合は，その土地に行かなければ解決し得ない学習課題を生徒自らが設定していること，現地の学習活動の計画を生徒が立てること，その上で，現地ではインタビューや調査等の機会を設けるなど生徒の自主的な学習活動を保障すること，事後は，解決できた部分をまとめ，解決できなかった部分を別の手段で追究する学習活動を行うことなど，一連の学習活動が探究となっていることが必要である。こうしたことに十分配慮した上で，総合的な探究の時間と特別活動とを関連させて実施することが考えられる。その際，総合的な探究の時間の目標や内容に関わらない時間については，総合的な探究の時間に該当しないことは当然であり，適切な時数が配当されるよう十分に注意しなければならない。このことについては，本解説第５章第３節総則関連事項に詳しく説明している。

(8) グループ学習や個人研究などの多様な学習形態，地域の人々の協力も得つつ，全教師が一体となって指導に当たるなどの指導体制について工夫を行うこと。

**多様な学習形態**の工夫を行うことは，生徒の様々な興味・関心や多様な学習活動に対応し，主体的・対話的で深い学びを進めるために必要なことである。例えば，個々に行う個人研究をはじめ，興味・関心別のグループ，表現方法別のグループ，調査対象別のグループなど多様なグループ編成や，ホームルームを越えた学年全体での活動，さらには教え合いや学び合いの態度を育むために他学年の生徒が一緒に活動することにも考慮する必要がある。

**個人研究**などの個々に行う学習は，一人一人が自己の課題と対峙し，自ら計画を立てて調査し，分かったことを一人でまとめることが求められるため，自分で学習を進める力を育むことができる。その反面，限られた時間で集められた資料だけで考えることになったり，考えが一面的になったりすることもある。そのような事態を回避するために，研究の方法についての適切な指導や，定期的な目標設定と点検評価，学び合いによるアドバイスの機会を設定することなどが考えられる。

グループによる学習では，メンバー全員で計画を立てて役割分担をすることが求められる。この中で，一人一人の個性を生かすことを学んだり，コミュニケーションの取り方を学んだりすることが期待される。また，自分の役割を最後までやり遂げることも求められる。一方で，一人一人の生徒に課題が設定されなかったり，役割に軽重がついたり，全員の関心や意見が十分に反映されなかったりするということも考えられる。それぞれの役割に応じた成果を定期的に報告させたり，メンバー同士で役割をどれくらい果たしているかを相互評価させたりする機会を設けることなどが考えられる。

ホームルーム全体での学習では，教師の指導の下，計画的に体験を行ったり，活発な討論を行ったりする。また，それを基に新たな課題の解決に向かっていく学習活動の高まりも期待できる。しかし，一人一人が追究方法を考えたり，まとめの資料を作り上げたりする側面が弱くなり，他者に依存することが危惧される。ホームルーム全体での学習と個々に行う学習を組み合わせるような課題の設定や学習活動の工夫が考えられる。

複数の学年で一緒に学習を進めることは，上級生のリーダーシップを育み，教師から自立して活動するようになったり，下級生にとっても各自の資質や能力だけでは経験できないような学習活動を経験できたり，上級生の姿を見て，「自分もこうありたい」，「自分ならこんなことができそうだ」という意欲を高めることができたりするという利点がある。一方で，全員が学習内容を理解するための時間がかかったり，学習活動の管理が難しくなったりすることも考えられる。下級生が学習活動を理解し，主体的に関われるようにするためには，自分の役割や自分が考えたことなどを明確に記録し，定期的に報告させるなどの工夫が考えられる。

総合的な探究の時間を充実させるためには，これらの学習形態の長所，短所を踏まえた上で，学習活動に即して適切な学習形態を選択したり組み合わせたりする必要がある。また，人数と学習活動とは適正か，どれくらいの時間が必要か，事前にどのような活動を行っておくかなどについて，しっかりとした計画を立てることも重要である。このような計画の下でホームルームや学年，学科を越えた取組を進めることで，生徒の多様な興味・関心や学習経験などを生かすことができる。

**指導体制について工夫を行う**ことは，上のような多様な学習形態を支えるとともに，学習の幅や深まりを生み出すことにつながる。

総合的な探究の時間は，保護者をはじめ地域の専門家，大学や企業など外部の人々の協力が欠かせない。この時間を豊かな学習活動として展開していくためには，地域の人々を積極的に活用することが必要である。教員だけでは展開できない多様な学習を行うことができたり，多様な大人との「対話的な学び」から生徒が成長できたりするという大きな意義をもつ。その際，「社会に開かれた教育課程」の視点から，学校と保護者とが育成を目指す資質・能力について共有し，必要な協力を求めることも大事である。

また，この時間は特定の教師のみが担当するのではなく，全教師が一体となって組織的に指導に当たることが求められる。このことは，横断的・総合的な学習を行うなどのこの時間の目標からも明らかである。生徒の学習が一人一人のテーマに応じて多様に展開する場合や，複合的な内容を含む場合などは，教師の専門性を積極的に生かし，それぞれの学習活動の特性に応じた指導体制を工夫することが考えられる。この時間の企画・立案の段階から，全教職員の連携協力体制を整え，一体となって取り組むことがとりわけ重要である。学校がどのような課題を取り上げ，また，生徒がどのような課題に取り組むのかが決まれば，それにふさわしい学習活動は何であり，それにふさわしい指導体制はどうあるべきか，それぞれの教師が自らできることは何かという観点から，おのずと教師それぞれの役割分担が決まり，学校全体としての指導体制が固まっていく。高等学校においては，教科担任制という指導体制にとらわれず柔軟な指導体制を組む必要がある。

例えば，自らの将来や進路についての研究では，生徒の興味・関心，希望に応じた様々な学問領域についての資料収集や調査が必要となる。ホームルーム担任だけが受け持ちの生徒の指導に当たるのではなく，一人一人の教職員の個性や経験を生かした指導体制を組むことが望まれる。また，個人研究のようにテーマが多様に分散する場合でも，地域環境については理科の教師，海外事情については地理歴史科や公民科，英語科の教師がそれぞれ当たるなど，教師の専門性を生かした適切な分担をすることが重要である。さらには，ただ分担をするだけでなく，教師自身がその領域について知見を深めてよりよく指導できるように準備することも求められる。

すなわち，この時間は特定の教師のみが担当するのではなく，全教師が一体となって指導に当たることが重要である。このことは，横断的・総合的な学習を行うなどのこの時間の目標からも明らかである。そのためには，同学年や異学年の教師が協働で計画や指導に当たることはもちろん，校長，副校長，教頭，養護教諭，司書教諭，学校図書館司書，実習助手，講師などもこの時間の指導に関わる体制を整え，全教職員がこの時間の学習活動の充実に向けて協力するなど，学校全体として取り組むことが不可欠である。その際，幅広く外部にこの時間の学習の状況や成果を公表し，保護者をはじめ地域の人々からの評価も得て，その後の実践に生かしていくなど，学校を取り巻く地域の理解と協力を得やすくすることも大切である。

地域との連携に当たっては，コミュニティ・スクールの枠組みの積極的な活用や，地域学校協働本部との協働を図ることなどが考えられる。地域の様々な課題に即した探究課題を設定するに当たっては，教育委員会のみならず首長部局と連携することも大切である。

こうしたことの計画や準備を行う際には，全校的な組織をつくり，役割を分担する校内の指導体制を確立することが重要である。例えば，校内推進委員会や校内評価委員会などの組織を校務分掌等として位置付け，中心的な役割を担うコーディネーターを配置するなどして指導体制を整え，総合的な探究の時間の充実に向けて取り組むことが考えられる。

なお，総合的な探究の時間における指導体制については，本解説第11章で詳しく解説する。

(9) 学校図書館の活用，他の学校との連携，公民館，図書館，博物館等の社会教育施設や社会教育関係団体等の各種団体との連携，地域の教材や学習環境の積極的な活用などの工夫を行うこと。



総合的な探究の時間における探究の過程では，様々な事象について調べたり探したりする学習活動が行われるため，豊富な資料や情報が必要となる。そこで，学校図書館やコンピュータ室の図書や資料を充実させ，タブレット型端末を含むコンピュータ等の情報機器や校内ネットワークシステムを整備・活用することが望まれる。

学校図書館の「学習センター」，「情報センター」としての機能を充実させ，図書の適切な廃棄・更新に努めること等により，最新の図書や資料，新聞やパンフレットなどを各学年の学習内容に合わせて使いやすいように整理，展示したり，関連する映像教材やデジタルコンテンツを揃えていつでも利用できるようにしたりしておくことによって，調査活動が効果的に行えるようになり，学習を充実させることができる。さらに，司書教諭，学校図書館司書等による図書館利用の指導により，生徒が情報を収集，選択，活用する能力を育成することができる。また，インターネットで必要なものが効率的に調べられるように，学習活動と関連するサイトをあらかじめ登録したページを作って，図書館やコンピュータ室などで利用できるようにしておくことも望まれる。

一方で，それらを用いて探究を進める学習の場面や時間を十分確保することや，そのための多様な学習活動を展開できるスペースを確保しておくことにも配慮が求められる。

また，総合的な探究の時間の学習活動が小学校や中学校，大学等の学習活動と相互に関連付けられ連続的・発展的に展開できるようにしたり，地域をはじめ全国の学校間で共通の課題を取り扱ったりするなど，他の学校との連携にも配慮する必要がある。例えば，近隣の小学校の児童や中学校の生徒を学校に招いて，互いに学習成果を発表し合うことが考えられる。高等学校の生徒は自分たちの調査結果を分かりやすく小・中学生に伝えたり，小・中学生の発表にコメントをしたりする場面を設けることが考えられる。一方，高等学校の生徒が小学生の斬新な視点や直接体験に基づく新鮮な発想に驚かされることなども期待できる。また，高等学校の総合的な探究の時間においては，生徒の興味・関心等に基づき，高度で専門的な研究活動が行われることも十分に考えられる。その場合には，高等学校の生徒が大学を訪問したり，大学の教員や大学生，大学院生などの指導を受けて研究を行ったりするなど，高大連携を図ることも効果的であると考えられる。このように，異なる校種での交流や高等学校同士の連携によって，生徒の知識が整理されたり意欲が高まったりして学習活動が質的に高まっていくことなどが期待される。

異なる学校を結んで行う協働的な学習は，共に学習活動を進めるという意識や競い合う意識を生んで学習意欲を高めたり，自分たちだけでは調べられない相手の地域の情報を得たりするという利点がある。また，多様な他者と協働し，異なる意見や他者の考えを受け入れる中で，多面的・多角的に捉えたり，考えたりすることにもつながる。その一方，場合によっては交流が形骸化してしまう可能性があることも踏まえ，協働して計画を立案し，実効性の高い連携を考えていく必要がある。



地域には，豊かな体験活動や知識を提供する公民館，図書館や博物館などの社会教育施設等や，その地域の自然や社会に関する詳細な情報を有している企業や事業所，社会教育関係団体や非営利団体等の各種団体があり，それらと連携することで総合的な探究の時間の学習が地域や社会とのつながりを強くすることになる。例えば，地域の高齢化や社会保障に関する課題についての学習活動では，公民館に集う高齢者から生き方や考え方について意見を聴取したり，地域の問題点を解決するために自分たちが考えた施策について，行政の担当者と討論する時間を設けたりすることが考えられる。また，より包括的な問題状況に関する課題についての学習活動については，町づくりや社会福祉に取り組むNPOなどとともに活動し，協議する場をもつことによって，生徒にとって実際の社会で必要とされる知識や技能が明確になり，学習することの意味や自らの将来展望なども明らかにすることが考えられる。また，遺跡や神社・仏閣などの文化財，伝統的な行事や産業なども地域の特色をつくっている。この時間が豊かな学習活動として展開されるためには，学習の必然性に配慮しつつ，こういった施設等の利用を促進し，地域に特有な知識や情報と適切に出会わせる工夫が求められる。また，大学等の研究機関の協力を得ることも有効である。そのことで調査研究の方法や水準が高くなり，より本格的な探究につながり，また知識や技能の深化・総合化にもつながると考えられる。

その際，見学などで施設を訪れることだけでなく，施設の担当者に学校に来てもらうことも方法の一つである。実際に来られないときには，手紙や電話，メールやテレビ会議システムなどを使って，情報を提供してもらったり，生徒の質問に答えてもらったりすることも有効である。また，生徒が主体的に取り組む中で，一定の責任をもって継続的に施設等にかかわる活動に発展することも考えられる。

その一方で，社会教育施設等を無計画に訪れるなどして，先方の業務に支障を来すことなどのないように配慮しなければならない。積極的に活用することと，無計画に利用することは異なる。また，外部人材の活用の際に，講話内容を任せきりにしてしまうことによって，自分で学び取る余地が残らないほど詳細に教えてもらったり，内容が高度で生徒に理解できなかったりする場合もある。また，特定のものの見方や個人の考え方だけが強調されることも考えられる。学習のねらいについて，事前に十分な打合せをしておくことが必要であり，外部人材に依存し過ぎることのないようにすべきである。

地域と学校の連携・協働の下，地域の住民が協力して未来を担う青少年の成長を支えるとともに，地域を創造する活動も推進されている。また，地域の住民と生徒が地域の課題に向き合い，多様な経験や技術をもつ地域の人材・企業等の協力を得ながら，課題解決に向けて協働する活動を推進している地域もある。こうした地域のもつ教育力を活用することは，この時間の目標をよりよく実現することにつながるだけでなく，更に次のような教育的効果をもたらす。一つは，学習活動を地域の中で行ったり，その成果を保護者も含めた地域の人々に公開することにより，生徒が社会の一員であることを再認識したり，生徒の学習意欲が向上したりすることになる。次には，学習活動を通して，生徒が地域の人々と親密になったり，地域の教育機関の利用に慣れたり，地域の自然や文化財等に関心をもったり，地域の伝統行事等に主体的に参加したりするようになり，生徒が地域への愛着を高め，豊かな生活を送ることにつながる。さらには，郷土を創る次世代の人材育成や持続可能な地域社会の形成にもつながるものと考えられる。

なお，地域の人々の協力や地域の教材，学習環境の活用などに当たっては，総合的な探究の時間の学習に協力可能な人材や施設などに関するリスト（人材・施設バンク）を作成したり，地域の有識者との協議の場などを設けたりする工夫も考えられる。また，地域によっては，この時間のためにコーディネーターなどの交渉窓口が設置されている場合もある。平成29年3月の社会教育法の一部改正により，学校と地域の連携・協働（地域学校協働活動）を推進するため，コーディネーター役となる地域学校協働活動推進員を置くことができることが明記された。このような制度を積極的に活用することが，充実した総合的な探究の時間の実現につながる。また，平成20年6月の社会教育法の一部改正により，学校が社会教育関係団体等の関係者の協力を得て教育活動を行う場合には，社会教育主事がその求めに応じて助言を行うことができることとすることについても，地域の実情に応じて活用を図ることが考えられる。

(10) 職業や自己の進路に関する学習を行う際には，探究に取り組むことを通して，自己を理解し，将来の在り方生き方を考えるなどの学習活動が行われるようにすること。

**職業や自己の進路に関する学習**とは，成長とともに大人に近づいていることを実感すること，自らの将来を展望すること，実社会に出て働くことの意味を考えること，どんな職業があるのかを知り，どんな職業に就きたいのか，そのためにはどうすればよいのかを考えることなどである。希望する職業に就くためには，進学先でどんな学問分野を学ぶ必要があるのかを考えることも自己の進路に関する学習になる。このように，職業や自己の進路に関する学習を行うことは，高校生にとって，とても関心の高いことであり，高校生の発達にふさわしいものである。

ここでいう進路に関する学習とは，単なる大学調べや講話を聴くことだけではなく，生徒が自己の在り方生き方を自己の進路と結び付けて具体的，現実的なものとして考える学習であり，自己の進路を力強く着実に切り拓(ひら)いていこうとするための資質・能力の育成に資する学習のことである。

高校生は，個々の個性に応じて，その力が大きく伸びるときである。様々な活動を通して，自分の限界に挑戦して，将来社会の中で生きて働く力を伸ばせる機会をもつことが期待される。また，社会のあるべき姿に関心をもち，様々な経験を通して考える機会が提供されることも大切である。こうした時期に，働くことや職業を自分との関わりで考えることや，自己の将来を展望しようとすることは，自己の在り方生き方を考えることに直接つながる重要な学習である。

その際，課題の解決や探究活動を通して行うことが欠かせない。生徒が自ら職業や自己の進路に関わる課題を設定し，自らの力で解決に取り組み，その結果として生徒一人一人が自己の在り方生き方を真剣に考える学習活動が展開されることが求められる。例えば，就業体験活動や大学・企業等の訪問などを探究の過程に位置付ける場合においても，事前に様々な職業や研究領域などを調べ，そこから生徒が見付けた課題について，体験する職場や訪問する大学・企業等を探すことなどが考えられる。さらに，体験活動や訪問先においても，そこで働く人と直接関わったり，目的と照らし合わせて考えたりすることなども大切になる。また，体験や訪問を終えた後も，単に感想を発表するだけでなく，課題や目的に照らして何を考えたのか，さらにどのような課題が生まれてきたのかなどについて，レポートや論文にまとめたり発表したりして，さらに探究が連続することが重要である。

なお，大学進学希望者が多い高等学校においても，例えば大学・大学院等での学習や研究経験を必要とする職業に焦点を当て，大学等の専門機関において実施する就業体験活動（いわゆる「アカデミック・インターンシップ」）を充実するなど，それぞれの高等学校や生徒の特性を踏まえた多様な展開が考えられるが，総合的な探究の時間に位置付けなければならない。

このような学習活動を通して，生徒が自分自身の特徴を内省的にとらえたり，周囲との関係で理解したりして，学ぶ意味や自分の将来，人生について考えることが期待される。

なお，総合的な探究の時間における就業体験活動と特別活動との関係が問題となる場合がある。これについては，第１章総則第２款の３(2)のエに「総合的な探究の時間における学習活動により，特別活動の学校行事に掲げる各行事の実施と同様の成果が期待できる場合においては，総合的な探究の時間における学習活動をもって相当する特別活動の学校行事に掲げる各行事の実施に替えることができる」との記述がある。この記述は，総合的な探究の時間として，探究の過程に適切に位置付けて就業体験活動を実施した結果，勤労の尊さや職業にかかわる啓発的な体験が得られるようにするという特別活動の学校行事の成果が期待できる場合には，特別活動の勤労生産・奉仕的行事の実施に替えてもよいことを示しているものである。特別活動の学校行事の実施が，そのまま総合的な探究の時間の実施とみなされるものではないことに，留意する必要がある。大学訪問や企業訪問等についても同様であることは言うまでもない。

# 第３節　総則関連事項

## (1) 道徳教育との関連（第１章総則第１款の２(2) の２段目）

> 学校における道徳教育は，人間としての在り方生き方に関する教育を学校の教育活動全体を通じて行うことによりその充実を図るものとし，各教科に属する科目（以下「各教科・科目」という。），総合的な探究の時間及び特別活動（以下「各教科・科目等」という。）のそれぞれの特質に応じて，適切な指導を行うこと。

高等学校における道徳教育については，各教科・科目等の特質に応じ，学校の教育活動全体を通じて，生徒が人間としての在り方生き方を主体的に探求し，豊かな自己形成ができるよう，適切な指導を行うことが求められている。

このため，各教科・科目等においても目標や内容，配慮事項の中に関連する記述があり，総合的な探究の時間の目標との関連をみると，特に次のような点を指摘することができる。

総合的な探究の時間においては，目標を「探究の見方・考え方を働かせ，横断的・総合的な学習を行うことを通して，自己の在り方生き方を考えながら，よりよく課題を発見し解決していくための資質・能力を次のとおり育成することを目指す。」と示している。

総合的な探究の時間の探究課題は，各学校で定めるものであるが，例えば，国際理解，情報，環境，福祉・健康などの現代的な諸課題に対応する横断的・総合的な課題，地域や学校の特色に応じた課題，生徒の興味・関心に基づく課題，職業や自己の進路に関する課題などが考えられる。生徒が，これらの課題をめぐって展開される学習を通して，自己の在り方生き方を考えながら，よりよく課題を発見し解決していくための資質・能力を身に付けていくことにつながっていくことになる。

また，総合的な探究の時間においては，横断的・総合的な学習や探究を行うことを通して，探究に主体的・協働的に取り組むとともに，互いのよさを生かしながら，新たな価値を創造し，よりよい社会を実現しようとする態度を養うことも重要であり，このような資質・能力の育成は道徳教育につながるものである。

## (2) 各学校の教育目標との関連（第１章総則第２款の１）

> 1　教育課程の編成に当たっては，学校教育全体や各教科・科目等における指導を通して育成を目指す資質・能力を踏まえつつ，各学校の教育目標を明確にするとともに，教育課程の編成についての基本的な方針が家庭や地域とも共有されるよう努めるものとする。その際，第４章の第２の１に基づき定められる目標との関連を図るものとする。

第１章総則第２款の１において，教育課程の編成に当たって，学校教育全体や各教科・科目等における指導を通して育成を目指す資質・能力を踏まえつつ，各学校の教育目標を明確にすることが定められた。あわせて，各学校の教育目標を設定するに当たっては，「第４章第２の１に基づき定められる目標との関連を図るものとする。」とされた。

各学校において，教育目標に照らしながら各教科等の授業のねらいを改善したり，教育課程の実施状況を評価したりすることが可能となるよう，教育目標は具体性を有するものであることが求められる。法令や教育委員会の規則，方針等を踏まえつつ，生徒や学校，地域の実態を的確に把握し，第1章総則第1款3に基づき，学校教育全体及び各教科等の指導を通じてどのような資質・能力の育成を目指すのかを明らかにしながら，そうした実態やねらいを十分反映した具体性のある教育目標を設定することが必要である。また，長期的な視野をもって教育を行うことができるよう，教育的な価値や継続的な実践の可能性も十分踏まえて設定していくことが重要である。

「社会に開かれた教育課程」の理念に基づき，目指すべき教育の在り方を家庭や地域と共有し，その連携及び協働のもとに教育活動を充実させていくためには，各学校の教育目標を含めた教育課程の編成についての基本的な方針を，家庭や地域とも共有していくことが重要である。そのためにも，例えば，学校経営方針やグランドデザイン等の策定や公表が効果的に行われていくことが求められる。

第4章総合的な探究の時間第2の1に基づき各学校が定めることとされている総合的な探究の時間の目標については，上記により定められる学校の教育目標との関連を図り，生徒や学校，地域の実態に応じてふさわしい探究課題を設定することができるという総合的な探究の時間の特質が，各学校の教育目標の実現に生かされるようにしていくことが重要である。



### (3) 学習の基盤となる資質・能力の育成(第1章総則第2款の2(1))

> (1) 各学校においては，生徒の発達の段階を考慮し，言語能力，情報活用能力（情報モラルを含む。），問題発見・解決能力等の学習の基盤となる資質・能力を育成していくことができるよう，各教科・科目等の特質を生かし，教科等横断的な視点から教育課程の編成を図るものとする。

第1章総則第2款の2の(1)においては，生徒の日々の学習や生涯にわたる学びの基盤となる資質・能力を，生徒の発達の段階を考慮し，それぞれの教科等の役割を明確にしながら，教科等横断的な視点で育んでいくことができるよう，教育課程の編成を図ることを示すとともに，「学習の基盤となる資質・能力」として，言語能力，情報活用能力（情報モラルを含む。），問題発見・解決能力等を挙げている。

総合的な探究の時間においても，教科等を越えた全ての学習の基盤となる資質・能力としては，それぞれの学習活動との関連において，言語活動を通じて育成される言語能力（読解力や語彙力等を含む。），言語活動やICTを活用した学習活動等を通じて育成される情報活用能力，問題解決的な学習を通じて育成される問題発見・解決能力などが考えられる。

これらは，他教科等でも，その教科・科目等の特質に応じて展開される学習活動との関連において育成が目指されることになる。総合的な探究の時間においては，生徒自らが課題を設定して取り組む，実社会や実生活の中にある複雑な問題状況の解決に取り組む，答えが一つに定まらない問題を扱う，多様な他者と協働したり対話したりしながら活動を展開するなど，この時間ならではの学習活動の特質を存分に生かす方向で，教科・科目等を越えた全ての学習の基盤となる資質・能力の育成に貢献することが期待されている。

### (4) 総合的な探究の時間の単位数（第1章総則第2款の3(2)ア(ｲ)）

> (ｲ) 総合的な探究の時間については，全ての生徒に履修させるものとし，その単位数は，(1) のイに標準単位数として示された単位数の下限を下らないものとする。ただし，特に必要がある場合には，その単位数を2単位とすることができる。

総合的な探究の時間は，全ての学校で教育課程上必置とされるものであり，その単位数については3～6単位を標準とされている。総合的な探究の時間が各学科に共通して全ての生徒に履修させる必要があることを踏まえ，その標準単位数は各学科に共通する各教科・科目と併せて学習指導要領第1章総則第2款の3(1)に規定するとともに，必履修教科・科目を規定している第1章総則第2款の3(2)のア(ｲ)にも全ての生徒に履修させるものであることを明示している。総合的な探究の時間については，単位数の設定に幅をもたせることにより，各学科の裁量の幅が広がり，「各学校が創意工夫を生かし，特色ある教育，特色ある学校づくりを進めること」という平成11年の教育課程の改善のねらいが一層実現しやすくなることを意図している。

ただし，総合的な探究の時間は，各学校の同じ学科内においては，原則として同じ単位数の学習活動を行うこととなる。

総合的な探究の時間については，各教科・科目やホームルーム活動の授業のように，年間35週行うことを標準とはしていない（総則第3款の3(3)ア）。したがって，卒業までの各年次の全てにおいて実施する方法のほか，特定の年次において実施する方法も可能である。また，一定の時数を週ごとに割り振り，年間35週行う方法のほか，特定の学期又は期間に行う方法を組み合わせて活用することも可能である。

また，総合的な探究の時間の単位の認定の要件については，各教科・科目と基本的に同様である。すなわち，第一に生徒が学校が定める指導計画に従って学習活動を行うこと，そして，第二に，その学習活動の成果が総合的な探究の時間の目標に照らして満足できると認められることが，単位の修得認定の要件となる。単位の修得認定に当たっては，各教科・科目と同様，総合的な探究の時間における学習活動を2以上の年次にわたって行ったときには各年次ごとに単位の修得を認定するものとし，また，学期の区分ごとに単位の修得を認定することもできる。

なお，総合的な探究の時間については，学校教育法施行規則第98条に規定する学校外活動の単位認定を行うことはできないので，必ず学校での授業時数に組み込むことが必要であり，単にレポートの提出や長期休業中の課題等として済ませることはできない。

総合的な探究の時間の標準単位数は第1章総則第2款の3の表に3～6単位と示されている。このため，各学校で総合的な探究の時間の単位数を定める場合には，原則として3単位を下回らないことが求められる。他方，第1章総則第2款の3(2)のアの(ｲ)には，「ただし，特に必要がある場合には，その単位数を2単位とすることができる」とある。これは，総合的な探究の時間の目標の実現のためには，卒業までに履修する単位数として3～6単位の確保が必要であることを前提とした上で，各教科・科目において，横断的・総合的な学習や探究が十分に行われることにより，総合的な探究の時間の単位数を2単位としても総合的な探究の時間の目標の実現が十分に可能であると考えられ，かつ，教育課程編成上，総合的な探究の時間の単位数を3単位履修させることが困難であるなど，特に必要とされる場合に限って，総合的な探究の時間を履修させる単位数を2単位とすることができるという趣旨である。例えば，学校設定教科・科目において，横断的・総合的な学習や探究が十分に行われる場合，又は他の教科・科目において，横断的・総合的な学習や探究が十分に行われる場合など，2単位とすることができるのは限定的であることに十分注意しなければならない。

生徒に履修させる総合的な探究の時間の単位数については，各学校で十分に検討した上で配当するとともに，教育課程における総合的な探究の時間の位置付けを明確にすることが必要であり，特に標準単位数を減ずる場合においては，その理由について，外部への説明責任が果たせるよう，教職員の共通理解を図るとともに，減ずることと比較して同じ程度の成果が期待できる学習活動が十分に行われることについて，各教科・科目の指導計画において課題の解決や探究活動などを明示するとともに，総合的な探究の時間の全体計画においても具体的に示すことなどが求められる。



### (5) 総合的な探究の時間と課題研究等との代替（第1章総則第2款の3(2)イ(ｳ)）

(ｳ) 職業教育を主とする専門学科においては，総合的な探究の時間の履修により，農業，工業，商業，水産，家庭若しくは情報の各教科の「課題研究」，看護の「看護臨地実習」又は福祉の「介護総合演習」（以下「課題研究等」という。）の履修と同様の成果が期待できる場合においては，総合的な探究の時間の履修をもって課題研究等の履修の一部又は全部に替えることができること。また，課題研究等の履修により，総合的な探究の時間の履修と同様の成果が期待できる場合においては，課題研究等の履修をもって総合的な探究の時間の履修の一部又は全部に替えることができること。

第1章総則第2款の3(2)のイ(ｳ)に，「職業教育を主とする専門学科においては，総合的な探究の時間の履修により，農業，工業，商業，水産，家庭若しくは情報の各教科の「課題研究」，看護の「看護臨地実習」又は福祉の「介護総合演習」（以下「課題研究等」という。）の履修と同様の成果が期待できる場合においては，総合的な探究の時間の履修をもって課題研究等の履修の一部又は全部に替えることができること。また，課題研究等の履修により，総合的な探究の時間の履修と同様の成果が期待できる場合においては，課題研究等の履修をもって総合的な探究の時間の履修の一部又は全部に替えることができる」と示している。職業教育を主とする専門学科（以下「職業学科」という。）においては，「課題研究」，「看護臨地実習」，「介護総合演習」が，各学科の原則履修科目とされているが，これら「課題研究等」の科目は，各教科に関する課題を設定し，その課題の解決を図る学習を通して，専門的な知識・技能の深化・総合化，問題解決能力の育成や自発的，創造的な学習態度などを育てる上で大きな成果をあげている。また，総合的な探究の時間が目標としているものと軌を一にしているものと言える。したがって，総合的な探究の時間の履修をもって，「課題研究等」の履修の一部又は全部に替えることができるとし，逆に，「課題研究等」の履修をもって総合的な探究の時間における履修の一部又は全部に替えることができるとしている。

ただし，相互の代替が可能とされるのは，「同様の成果が期待される場合」とされており，「課題研究等」の履修によって総合的な探究の時間の履修に代替する場合には，「課題研究等」を履修した成果が総合的な探究の時間の目標から見ても満足できる成果を期待できるような場合である。同様に，総合的な探究の時間の履修によって「課題研究等」の履修に代替する場合には，総合的な探究の時間における学習活動の成果が「課題研究等」の目標，内容等から見て満足できる成果を期待できるような場合である。

例えば，職業学科における課題研究においては，「調査，研究，実験」，「作品製作」，「産業現場等における実習」，「職業資格の取得」等の内容に関わる課題を設定し，学習を行うこととされており，その際，個人又はグループで適切な課題を設定させることとされている。総合的な探究の時間の目標から見ても満足できる成果を期待できるような場合とは，例えば，「調査，研究，実験」や「作品製作」においては，将来の進路希望や興味・関心等に基づき，研究や作品の製作を行う，「産業現場等における実習」においては，自己の適性を発見し，将来の職業の選択に役立てる実習を行う，「職業資格の取得」においては，将来の進路を踏まえた職業資格の取得に取り組むなど，総合的な探究の時間の目標である「よりよく問題を解決する資質や能力を育成する」ことや「自己の在り方生き方を考えることができるようにする」ことに資する学習活動を行う場合が考えられる。

いずれの内容においても，生徒同士の協働的な学習を位置付ける，地域や産業界で活躍する人材との交流を行うなどして，様々なものの考え方や生き方に触れ，自己の在り方生き方について考えながらよりよく課題を解決する資質・能力を身に付けることなどが期待される。

また，本規定においては，一部又は全部に替えることができるとされており，例えば，学校において総合的な探究の時間に課題研究的な学習活動と横断的・総合的な課題についての学習活動の両方を行い，課題研究的な学習活動に相当する部分のみを「課題研究等」の科目と代替するということは可能である。

なお，総合的な探究の時間の履修によって，「課題研究等」の科目の履修に替えた場合には，「課題研究等」の科目の履修そのものを行っていないことから，この場合の総合的な探究の時間の単位数を，専門学科における専門教科・科目の必修単位数（第1章総則第2款の3の(2)イ(ｱ)）に含めることはできないことに留意する必要がある。

このように第1章総則第2款の3の(2)イ(ｳ)は，「総合的な探究の時間の履修と同様の成果が期待できる場合」において適用できる規定であり，総合的な探究の時間の目標を満たすものでなければ代替することはできない。具体的には，検定試験や資格取得を主目的とした学習活動などを行う中で，生徒が主体的に課題設定や学習計画の立案，成果のまとめや発表を行うことなく，単なるスキルの習得等を目指した学習活動については，総合的な探究の時間としてふさわしくないものと言える。

### (6) 総合的な探究の時間の実施による特別活動の代替(第1章総則第2款の3(3)ケ)

ケ　総合的な探究の時間における学習活動により，特別活動の学校行事に掲げる各行事の実施と同様の成果が期待できる場合においては，総合的な探究の時間における学習活動をもって相当する特別活動の学校行事に掲げる各行事の実施に替えることができる。

総合的な探究の時間に行われる学習では，教科・科目等の枠を超えて探究する価値のある課題について，各教科・科目等で身に付けた資質・能力を活用・発揮しながら解決に向けて取り組んでいく。このような総合的な探究の時間の重要性を踏まえ，各教科・科目等との関係については，「他教科等の目標及び内容との違いに留意しつつ，第1の目標並びに第2の各学校において定める目標及び内容を踏まえた適切な学習活動を行うこと。」と記述し，各教科・科目等と連携しながら，課題の解決や探究活動を行うという総合的な探究の時間の特性を十分に踏まえた活動を展開する必要を示した。同様に，言語活動の充実との関係では，「探究の過程においては，他者と協働して課題を解決しようとする学習活動や，言語により分析し，まとめたり表現したりするなどの学習活動が行われるようにすること。その際，例えば，比較する，分類する，関連付けるなどの考えるための技法が自在に活用されるようにすること。」との規定を置いた。



これらを前提としつつ，総合的な探究の時間においては，自然体験や就業体験活動，ボランティア活動などの社会体験，ものづくり，生産活動などの体験活動を積極的に取り入れることの必要性を明らかにしつつ，その際は，体験活動を課題の解決や探究活動の過程に適切に位置付けることを求めている。

このように，総合的な探究の時間において，その趣旨を踏まえ，例えば，自然体験活動や社会体験活動，あるいは就業体験やボランティア活動を探究の過程の中で行う場合において，これらの活動は集団活動の形態をとる場合が多く，集団への所属感や連帯感を深め，公共の精神を養うなど，特別活動の趣旨も踏まえた活動とすることが考えられる。

すなわち，

・　総合的な探究の時間に行われる自然体験活動や社会体験活動は，環境や自然を課題とした探究活動，あるいは歴史や国際理解を題材とした探究活動として行われると同時に，「平素と異なる生活環境にあって，見聞を広め，自然や文化などに親しむとともに，よりよい人間関係を築くなどの集団生活の在り方や公衆道徳などについての体験を積むことができる」旅行・集団宿泊的行事と，

・　総合的な探究の時間に行われる就業体験活動やボランティア活動は，社会との関わりを考える探究活動として行われると同時に，「勤労の尊さや生産することの喜びを体得し，職場体験などの職業や進路に関わる啓発的な体験が得られるようにするとともに，共に助け合って生きることの喜びを体験し，ボランティア活動などの社会奉仕

の精神を養う体験が得られる」勤労生産・奉仕的行事と，

それぞれ同様の成果も期待できると考えられる。このような場合，総合的な探究の時間とは別に，特別活動として改めてこれらの体験活動を行わないとすることも考えられる。

なお，本項の記述は，総合的な探究の時間においてその趣旨を踏まえると同時に，特別活動の趣旨をも踏まえ，総合的な探究の時間において体験活動を実施した場合に特別活動の代替を認めるものであって，特別活動において体験活動を実施したことをもって総合的な探究の時間の代替を認めるものではない。また，総合的な探究の時間において体験活動を行ったことのみをもって特別活動の代替を認めるものでもなく，望ましい人間関係の形成や公共の精神の育成といった特別活動の趣旨を踏まえる必要があることは言うまでもない。このほか，例えば，補充学習のような専ら特定の教科・科目の知識・技能の習得を図る学習活動や体育祭のような特別活動の健康安全・体育的行事の準備などを総合的な探究の時間に行うことは，総合的な探究の時間の趣旨になじまないことは，第4章総合的な探究の時間に示すとおりである。

### (7) 理数探究基礎及び理数探究の履修による総合的な探究の時間の代替（第1章総則第2款の3(3)コ）

> コ　理数の「理数探究基礎」又は「理数探究」の履修により，総合的な探究の時間の履修と同様の成果が期待できる場合においては，「理数探究基礎」又は「理数探究」の履修をもって総合的な探究の時間の履修の一部又は全部に替えることができる。

理数科では，「数学的な見方・考え方や理科の見方・考え方を組み合わせるなどして働かせ，探究の過程を通して，課題を解決するために必要な資質・能力」を育成することを目指すものであり，総合的な探究の時間は「探究の見方・考え方を働かせ，横断的・総合的な学習を行うことを通して，自己の在り方生き方を考えながら，よりよく課題を発見し解決していくための資質・能力」を育成することを目指すものである。いずれも，複数の教科等の見方・考え方を組み合わせるなどして働かせ，探究の過程を通して資質・能力を育成するものであることから方向性は同じであると言える。そのため，理数科に属する科目である「理数探究基礎」又は「理数探究」を履修することにより，総合的な探究の時間の履修と同様の成果が期待できる場合においては，総合的な探究の時間の履修の一部又は全部に替えることができるとしている。

なお，代替が可能とされるのは，「同様の成果が期待できる場合」とされており，「理数探究基礎」又は「理数探究」の履修によって総合的な探究の時間の履修に代替するためには，「理数探究基礎」又は「理数探究」の履修の成果が，総合的な探究の時間の目標等からみても満足できる成果が期待できることが必要であり，「理数探究基礎」又は「理数探究」の履修をもって，自動的に代替が認められるものではない。

総合的な探究の時間では，「自己の在り方生き方」を考えながら，よりよく課題を発見し解決していくための資質・能力を育成することを目指しており，総合的な探究の時間において生徒が設定する課題は，自己の在り方生き方を考えながら，自分にとって関わりが深いものであることが求められる。そのため，「理数探究基礎」又は「理数探究」の履修により，「総合的な探究の時間の履修と同様の成果が期待できる」ためには，例えば，生徒が興味・関心，進路希望等自己の在り方生き方に応じて課題を設定するなどして，観察，実験，調査等や事象の分析等を行い，その過程を振り返ったり，結果や成果をまとめたりするなど，総合的な探究の時間の目標である「自己の在り方生き方を考えながら，よりよく課題を発見し解決していくための資質・能力」の育成に資する学習活動を，探究の過程を通して行うことが求められる。

### (8) 通信制の課程における特例（第1章総則第2款の5(3)）

(3) 理数に属する科目及び総合的な探究の時間の添削指導の回数及び面接指導の単位時間数については，1単位につき，それぞれ1回以上及び1単位時間以上を確保した上で，各学校において，学習活動に応じ適切に定めるものとする。

総合的な探究の時間の添削指導の回数及び面接指導の単位時間数については，1単位につき，それぞれ1回以上及び1単位時間以上を確保した上で，各学校において，学習活動に応じ適切に定めることとしている。

総合的な探究の時間における目標や内容の取扱い等については，通信制の課程においても，全日制・定時制の課程と同様，第4章の規定が適用される。したがって，問題解決能力や学び方，ものの考え方などの育成をねらいとして，観察・実験・実習，調査・研究，発表や討論などを取り入れながら，各学校の創意工夫を生かして特色ある教育活動を行うこととなる。

通信制の課程においては，これらの学習活動を添削指導及び面接指導により行うこととなる。観察・実験・実習，発表や討論などを積極的に取り入れるためには，面接指導が重要となることを踏まえ，1単位につき，それぞれ1回以上及び1単位時間以上を確保した上で，各学校において，学習活動に応じ適切に定めることが重要である。

# 第6章　高等学校における総合的な探究の時間の意義

高等学校では，学校教育法に示された教育の目的や目標の実現に向けた教育活動が展開される。一方，各高等学校は，その学校の設置目的などにより課程や学科などが多様であり，学校独自の特色ある教育課程が編成されている。特に，総合的な探究の時間では，第4章総合的な探究の時間第2の1及び2に各学校において第1の目標を踏まえて目標及び内容を定めること，また，第3の1の（1）に，生徒や学校，地域の実態等に応じて，生徒が探究の見方・考え方を働かせ，教科・科目等の枠を超えた横断的・総合的な学習や生徒の興味・関心等に基づく学習を行うなど創意工夫を生かした教育活動の充実を図ることが示されていることなどから，各学校においては，第1に示した総合的な探究の時間の目標を踏まえつつ，課程や学科をはじめとした学校の特色，生徒の特性等に応じた教育活動を行うことが求められる。

本解説第6章～第11章は，第1の目標を踏まえて設定した各学校の目標及び内容を適切に実現していくために，高等学校における総合的な探究の時間の意義，全体計画の作成，年間指導計画の作成や単元計画の作成，学習指導の進め方，評価の在り方，指導体制の整備等について，その基本的な考え方やポイントを，手順や方法，具体例などを交えて解説する。各学校においては，以下に記す本解説6章以降を参考にして，これまでの総合的な学習の時間の取組を見直すとともに，総合的な探究の時間としての具体的な改善を進めることが期待される。

この章では，まず第1節において，高等学校における総合的な探究の時間の意義について高等学校の生徒の発達の段階との関係で記述し，第2節においては，各学校で多様に編成される高等学校の教育課程についてカリキュラム・マネジメントの視点から，課程や学科の違いを踏まえた留意点を記述している。



## 第1節　高等学校における総合的な探究の時間

### 1　高等学校の生徒の発達の段階を踏まえた総合的な探究の時間の意義

高等学校の段階になると，生徒には，個人差はあるものの一般的に次のような特徴が見られると考えられる。

多くの生徒は，思春期特有の混乱した状況から脱しつつ，大人の社会を展望するようになり，自分は大人の社会でどのように生きるのかという課題に出会う。進学や就職といったそれぞれの人生を左右する重大な岐路に立って，進学を過度に意識してその準備に追われたり，実社会に出ていくことに不安を抱いたり，中には自らの将来について真剣に考えることを放棄して目の前の楽しさだけを追い求めることに陥る者もいる。大きく力が伸びる高校生の時期において，社会の中で責任をもって生きることへの目を開かせていくことが大切である。

高校生の時期は，本来，個々の生徒の個性に応じて，その力が大きく伸びるときである。

しかし 実際には，進学準備などで自他共に制約を課している面もある。様々な活動を通して，自らの限界に挑戦して，将来社会の中で生きて働く力を伸ばせる機会をもつことが期待される。また，社会の在るべき姿に関心をもち，様々な経験を通して考える機会が提供されることも大切である。

様々な国際調査によれば，日本の高校生は，「自分を価値ある人間だ」という自尊心や「自分自身に満足している」という自己肯定感を持っている割合が諸外国に比べて低く，また，「自らの参加により社会現象が変えられるかもしれない」という意識が低いことなども指摘されている。大きく力が伸びる高校生の時期は，先述したように，社会の中で責任をもって生きることに着目させることが大切であり，加えて生きることの意味について思い悩み，自分と他者や社会との関係について考えを深めていくべきなのである。

この時期において，人に尽くしたり社会に役立つことのやりがいを感じたりできるような体験をすることが重要である。人に尽くし社会に役立つことを実行することは決して簡単ではなく，様々な工夫や努力，時間などを要するが，苦労した分，やりがいがあることなどに気付かせることが大切である。また，単に「よいこと」だから行うという以上に，相手との関わりの中で喜ばれ，やりがいを感じる相互連関が生まれることが重要である。

受験準備のみに追われたり，実社会に出ていくことに不安を抱いたり，今の楽しさに流されたりすることの危機を乗り越えようとするこの時期の生徒を支えるため，自分の個性を見出し，自分は世界でたった一人のかけがえのない存在であることを自覚できる機会が得られるようにすることも重要である。他者と比較して優劣を競うのではなく，自分は独自に自分であり，自分なりにできることがあると分かることが大切であり，自分で選び，自分で発想できる時間が用意され，精一杯の自分の力を発揮できる活動を用意することが望まれる。

近年，選挙権年齢が引き下げられ，更に平成 34（2022）年度からは成年年齢が 18 歳へと引き下げられることに伴い，生徒にとって政治や社会が一層身近なものとなっていることから，全ての生徒には，社会で求められる資質・能力を自ら育み，生涯にわたって探究を深めていこうとする未来の創り手としての自覚をもつことがこれまで以上に求められている。

このような生徒の発達の段階とその状況に照らして考えれば，総合的な探究の時間は，高等学校の教育課程において，自然や社会との深いつながりや質・量ともに豊かな体験を意図的，計画的，組織的に提供し，そこで出会う教育的に価値ある諸課題の探究に，各教科・科目等で学んだ知識や技能をも活用しながら，主体的，創造的，協働的に取り組む機会を得られることからも極めて重要な意義を有する。これにより，生徒には，人間としての在り方を理念的に希求し，それを将来の進路実現や社会の一員としての生き方の中に具現すべく模索するとともに，学校での学習を自己の在り方生き方との関わりにおいて深化，総合化することが期待されている。

## 2　高等学校の生徒の発達の段階と総合的な探究の時間の目標と内容

生徒の発達の段階を踏まえ，高等学校の総合的な探究の時間は次のような特徴を有する。

まず，第1の目標において，小・中学校では「自己の生き方」であったところが，高等学校では「自己の在り方生き方」となっている点が重要である。

高等学校の段階の生徒は，自分の人生をどう生きればよいか，生きることの意味は何かということについて思い悩む時期である。また，自分自身や自己と他者との関係，さらには，広く国家や社会について強い関心をもち，人間や社会の在るべき姿について考えを深める時期でもある。それらを模索する中で，生きる主体としての自己を確立し，自らの人生観，世界観ないし価値観など，自分なりの種々のものの見方や考え方を形成し，主体性をもって生きたいという意欲を高めていく。

自然や社会との深いつながりや豊富な体験を契機に様々な問題と出会い，その解決に取り組む学習が，自己の在り方生き方をより深く内省的に捉えていくことにもつながるものと考えられる。

また，目標では，生徒が自己の在り方生き方を考えながら，「よりよく課題を発見し解決していく」ことを示している点も高等学校の生徒の発達の段階を考えたときに重要である。

本解説第3章でも述べたとおり，総合的な探究の時間に育成する資質・能力については，自己の在り方生き方を考えながら，よりよく課題を発見し解決していくためと示されている。このことは，総合的な探究の時間は，自己の在り方生き方と一体的で不可分な課題を自ら発見し，解決していくような学びを展開していくことを明示している。実社会や実生活には，解決すべき問題が多方面に広がって複雑に絡み合っており，その問題は，複合的な要素が入り組んでいて，容易には解決に至らないことが多い。しかし，高等学校の生徒は，実社会や実生活との関わりの中で，人間としての在り方生き方についてより深く内省的に考え，このような問題にも向き合うようになっている。そうした複雑な問題と向き合って，自分で取り組むべき課題を見いだすことは，自己の在り方生き方を模索していこうとすることでもある。

さらに，各学校において内容を設定する際の参考として第4章総合的な探究の時間第2の3の(5)に例示された探究課題，すなわち，現代的な諸課題に対応する横断的・総合的な課題，地域や学校の特色に応じた課題，生徒の興味・関心に基づく課題，職業や自己の進路に関する課題なども，高等学校の生徒の発達の段階と深く関わっている。

これまで述べてきたように，この時期の生徒は，人間としての在り方や将来の生き方について，理想的，理念的に深く考えることを求めているとともに，就職や進学を控え，現実的，実際的に検討することを迫られてもいる。職業や自己の進路について，この両面から思う存分，納得がいくまで探究する機会を提供し，自己の中で統合できるまでに導くことは，生徒の人間的成熟や安定の確保，自己の将来を力強く着実に切り開いていこうとする資質・能力の育成において，極めて重要である。職業や自己の進路に関する課題とは，このような高等学校の生徒の発達の段階に応えるべく，例示された課題である。

また，生徒が希求する人間としての在り方は，進路実現のような個人的な生き方としての具現化に加えて，社会の一員としてどう生きていくかという側面においても具現化されることが求められる。国際理解，情報，環境，福祉・健康などの現代的な諸課題に対応する横断的・総合的な課題とは，このようなことを踏まえ例示された課題である。したがって，これらを取り上げて探究課題を設定し，あるいは学習指導を行う場合には，小・中学校のように，各課題について実際的な課題の解決や探究活動に取り組むだけでなく，さらに進んで，それらを自己の在り方生き方との関わりにおいて考え，深めることが大切である。

さらに，生徒が人間としての在り方を模索し，それを将来の進路実現や社会の一員としての生き方の中に具現化するためには，実社会，実生活とのつながりを感じながら学ぶことがより一層重要であり，各教科・科目等における学習をより発展させていくことが大切である。

地域や学校の特色に応じた課題，生徒の興味・関心に基づく課題は，このような考えの下，設定されたものである。そして，各学科に共通する各教科（以下「共通教科」という。），専門教科の双方における学習の進展に応じて生徒が興味・関心を抱いた課題や，学習を契機に進路について具体的に考える中で必要性を感じて設定した課題について，社会とのつながりの中で探究を深め，知識や技能の深化，総合化を図ることを目指している。こうして，学ぶことの意義を実感し，高等学校の生徒としての日々の生活を充実させるとともに，生涯にわたって学ぶことと生きることとを結び付けていけるようになることを意図して例示された課題である。



これらからもわかるように，高等学校の総合的な探究の時間は，生徒の発達の段階を踏まえて，自然や社会とのつながりの中で人間としての在り方を真摯に希求することをその基底に据えている。そして，そのような理想的，理念的な在り方が，職業選択や進路実現に関わる模索や横断的・総合的な課題を解決しようとする取組を通して個人的な生き方として，あるいは社会の一員としての生き方として具現化されていくことを目指している。さらに，学校での各教科・科目等の学習を社会とのつながりにおいて深化，総合化することで，学ぶ意義を実感し，高校生としての今をより充実させることも目指している。

## 3　総合的な探究の時間と進路実現，学力育成

高等学校の総合的な探究の時間では，人間としての在り方を真摯に希求することを基底に据えながら，自分の個性の伸長や自己実現などとの関連から，進学や就職などに関わる個人としての生き方や現代社会の諸課題に関わる社会の一員としての生き方などについて考えることが大切である。このように自己の在り方生き方を考えることは，社会とのつながりを求める高校生にとっては欠かすことのできない重要な学習である。

例えば，生徒一人一人が自己の希望する進路に沿った就業体験を中心として，課題の解決や探究活動を展開することが考えられる。ここでは，自己の希望する進路について，近隣の大学・専門学校等を訪問したり，関係施設・機関等で就業体験をしたりするなどして，当該進路について調査し，さらに他の生徒とそれぞれの希望する進路に関して調査した内

容について意見交換するなどして，理解を深めていくことが考えられる。こうした学習では，友達も含め様々な人との関わりを通じて，自己の将来や就職に対する目標が明らかになり，大きく成長していくことが期待できる。

また，地球規模の環境と地域の身近な自然環境を対象に，課題の解決や探究活動を展開することも考えられる。ここでは，フィールドワークによる調査や地域の環境保全の取組などに参画することも考えられる。こうした学習に取り組むことで，地域に限らず地球規模の環境問題をより深く学び，環境問題の解決に寄与したいと願い，自らの進学先を決定していくことも期待できる。

このように，実社会や実生活との関わりを重視した総合的な探究の時間に真剣に取り組むことは，生徒一人一人の進路意識を明確にさせるものと考えられる。その結果として，自らの関心事，自分自身の適性，身に付けた知識や技能などに応じて進路実現を果たそうとする生徒の育成が期待できる。このことは，第１章総則第５款の１の(3)に「生徒が自己の在り方生き方を考え主体的に進路を選択することができるよう，学校の教育活動全体を通じ，組織的かつ計画的な進路指導を行うこと」と示されたこととも軌を一にする。

これまでも述べてきたが，総合的な探究の時間を通して，生徒に学習に対して自ら前向きに取り組み，積極的に解決を図ろうとする態度を育成することが求められている。また，総合的な探究の時間における課題の解決や探究活動では，各教科・科目で身に付けた知識や技能が繰り返し活用される。すなわち，総合的な探究の時間では生徒が学ぶ意義を実感し意欲的に取り組むとともに，探究の過程において，知識や技能を確実に習得していくことにもつながる。このことは，一方で知識や技能を，実社会や実生活において活用できるものとしていくことにもなる。

また，課題の解決や探究活動の過程で育成される資質・能力は，就職先や進学先においても極めて重要であり，そうした資質・能力の育成がこれからの社会において強く求められている。

なお，総合的な探究の時間では，生徒が自ら設定した学習課題や学習対象などを，自分と切り離すのではなく，自分や自分の生活との関わりの中で捉えるとともに，人や社会，自然をそれぞれがつながり合い関係し合うものとして捉え，主体的に学習を進めていくことを期待しているものであり，変化の激しい時代においてますます重要な役割を果たすものである。

# 第２節　高等学校のカリキュラム・マネジメントと総合的な探究の時間

## 1　カリキュラム・マネジメントと総合的な探究の時間

総合的な探究の時間は，生徒が探究の見方・考え方を働かせながら横断的・総合的な学習に取り組むことにより，自己の在り方生き方を考えながら，よりよく課題を発見し解決していくための資質・能力を育成するものであり，変化の激しい社会においてますます重要な役割を果たす。そのためには，総合的な探究の時間を教育課程の中核に据えて，学習の効果の最大化を図るカリキュラム・マネジメントを確立することが大切である。

第１章総則第２款の１において，教育課程の編成に当たって，学校教育全体や各教科等における指導を通して育成を目指す資質・能力を踏まえつつ，各学校の教育目標を明確にすることが定められた。あわせて，各学校の教育目標を設定するに当たっては，「第４章第２の１に基づき定められる目標との関連を図るものとする。」とされた。各学校における教育目標には，地域や学校，生徒の実態や特性を踏まえ，主体的・創造的に編成した教育課程によって実現を目指す生徒の姿等が描かれることになる。各学校における教育目標を踏まえ，総合的な探究の時間の目標を設定することによって，総合的な探究の時間が，各学校の教育課程の編成において，特に教科等横断的なカリキュラム・マネジメントという視点から，極めて重要な役割を担うことが今まで以上に鮮明となった。これは，各教科等を含めた全教育活動における総合的な探究の時間の位置付けを明確にすることであり，それぞれが適切に実施され，相互に関連し合うことで教育課程は機能を果たすこととなる。すなわち，学校の教育目標を教育課程に反映し具現化していくに当たっては，これまで以上に総合的な探究の時間を教育課程の中核に位置付けるとともに，各教科・科目等との関わりを意識しながら，学校の教育活動全体で資質・能力を育成するカリキュラム・マネジメントを行うことが求められる。

特に高等学校は，生徒の実情や地域から期待される役割などにおいて非常に多様であり，総合的な探究の時間においてどのような資質・能力の育成を目指すのかということがその高等学校のいわばミッションを体現するものとなるべきであり，学校全体で教職員が連携してその実現に向かっていくことが必要である。

今回の改訂では，総合的な学習の時間の名称が総合的な探究の時間に変更されただけではなく，古典探究や地理探究，日本史探究，世界史探究，理数探究基礎及び理数探究の科目が新設された。これらは，当該の教科・科目における理解をより深めるために，探究を重視する方向で見直しが図られたものである。総合的な探究の時間については，これらの科目において行われる探究との違いを踏まえる必要がある。実社会や実生活における課題を探究する総合的な探究の時間と，教科の系統の中で行われる探究の両方が教育課程上にしっかりと位置付き，それぞれが充実することが豊かな教育課程の実現につながる。

## 2　各課程と総合的な探究の時間

高等学校には，全日制の課程，定時制の課程及び通信制の課程があるが，特に定時制の課程においては，教育活動を行う時間帯が，夕方から夜間という場合が多く，体験活動を円滑に行うためには，関係施設や各種団体等とのより一層緊密な連携を図っておくことが期待される。また，定時制や通信制の課程の中には，いろいろな経験や特技，知識・技能をもった生徒も在籍していることから，そのような生徒の経験を生かすなどして，互いに学び合う授業展開も考えられる。

さらに，通信制の課程においては，体験的な学習の機会が少なくなりがちであると考えられることから，可能な範囲で体験活動を積極的に位置付けるなど，社会と関わり，社会において自立的に生きるために必要な力を育む学習として総合的な探究の時間を計画することが大切である。

また，通信制の課程における総合的な探究の時間では，自ら課題を設定し，自学自習で課題の解決を進めていく個人研究の学習形態となることが多いと考えられるが，そこでは，生徒が一人で課題の設定をすることが難しい状況も想定されることから，過去の個人研究における課題をまとめた冊子などを用意し，課題について十分な検討を行うことも考えられる。個人研究では，協働的に学習を行うことが難しい状況も想定されることから，面接指導や学校行事の際に協働的に学習する場面を設定したり，地域の人との関わりを通して協働的に学習活動が進められるよう配慮したりすることも考えられる。特に，面接指導においては，観察・実験・実習，発表や討論などを積極的に取り入れることが重要である。



## 3　各学科と総合的な探究の時間

高等学校には，普通科，専門学科及び総合学科がある。これらの別を問わず全ての学科に，総合的な学習の時間が創設されて以来，この時間において自己の在り方生き方や進路について考察する学習の充実に取り組んできた。例えば，普通科では，職業に関する学科や総合学科において原則履修科目とされている「課題研究」のような，生徒が主体的に設定した課題について知識・技能の深化・総合化を図る学習や，総合学科において原則履修科目とされている，自己の在り方生き方や進路について考察する学習である「産業社会と人間」などの取組も参考にしながら，一層の充実に向けて実践を重ねてきている。

また，専門学科においては，総合的な探究の時間について課題研究等により代替している場合も多いと考えられるが，共通教科を含め様々な教科に関わる横断的・総合的な学習を総合的な探究の時間として位置付けて取り組むことも考えられる。

さらに，総合学科においては，産業社会における自己の在り方生き方について考えさせ，社会に積極的に寄与し，生涯にわたって学習に取り組む意欲や態度を養うといったことをねらいとする「産業社会と人間」を全ての生徒に原則として入学年次に履修させることとされているが，この「産業社会と人間」の目標，内容は，総合的な探究の時間と共通する面を有していると考えられる。したがって，総合的な探究の時間においては，「産業社会と人間」と総合的な探究の時間を関連付け，キャリア教育の柱として意図的計画的な指導を行うことも考えられる。

なお，第3の1（8）に，「総合学科においては，総合的な探究の時間の学習活動として，原則として生徒が興味・関心，進路等に応じて設定した課題について知識や技能の深化，総合化を図る学習活動を含むこと」としていることにも十分配慮する必要がある。

# 第7章　総合的な探究の時間の指導計画の作成

本章から第11章までにおいては，各学校で定めた目標及び内容を適切に実施していくための全体計画の作成，年間指導計画や単元計画の作成，評価の在り方，学習指導の進め方，指導体制の整備等について，その基本的な考え方やポイントを，手順や方法，具体例などを交えて解説する。各学校においては，本章以降を参考にして，これまでの総合的な学習の時間の取組を見直すとともに，総合的な探究の時間としての具体的な改善を進めることが期待される。

## 第1節　総合的な探究の時間における指導計画

### 1　指導計画の要素

教育課程には，その学校における教育活動の計画が，全領域，全学年にわたって記される。指導計画とは，この教育課程の部分計画であり，例えば，第1学年の指導計画，国語科の指導計画，4月の指導計画といった具合に，教育課程を構成する特定の部分について，その教育活動の計画を必要に応じて示したものである。総合的な探究の時間も教育課程を構成する一部であるから，その指導計画は当然必要である。第4章総合的な探究の時間第3の1の(2)「全体計画及び年間指導計画の作成に当たっては，学校における全教育活動との関連の下に，目標及び内容，学習活動，指導方法や指導体制，学習の評価の計画などを示すこと」が，このことを明確に示している。

この記述にあるように，総合的な探究の時間の指導計画の作成に際しては，以下の六つについて考える必要がある。

(1) この時間を通してその実現を目指す「目標」。

(2)「目標を実現するにふさわしい探究課題」及び「探究課題の解決を通して育成を目指す具体的な資質・能力」からなる「内容」。

(3)「内容」との関わりにおいて実際に生徒が行う「学習活動」。これは，実際の指導計画においては，生徒にとって意味のある課題の解決や探究活動のまとまりとしての「単元」，さらにそれらを配列し，組織した「年間指導計画」として示される。

(4)「学習活動」を適切に実施する際に必要とされる「指導方法」。

(5)「学習の評価」。これには，生徒の学習状況の評価，教師の学習指導の評価，(1)～(4)，(5) の適切さを吟味する指導計画の評価が含まれる。

(6) (1)～(5) の計画，実施を適切に推進するための「指導体制」。

本章以下では，本解説第6章までを踏まえ，各学校においてどのように指導計画の作成を進めていくべきかについて，これら六つの事項に即して，より具体的，実践的に解説を加えていく。その際，(1)，(2) については本章で，(3) については第8章で，(4) については第9章で，(5) については第10章で，(6) については第11章で主に解説する。

## 2 全体計画と年間指導計画

第４章総合的な探究の時間第３の１の(2) では，総合的な探究の時間の指導計画のうち，学校として全体計画と年間指導計画の二つを作成する必要があること，及びその作成に当たっての要素を示している。

全体計画とは，指導計画のうち，学校として，この時間の教育活動の基本的な在り方を示すものである。具体的には，各学校において定める目標，「目標を実現するにふさわしい探究課題」及び「探究課題の解決を通して育成を目指す具体的な資質・能力」で構成する内容について明記するとともに，学習活動，指導方法，指導体制，学習の評価等についても，その基本的な内容や方針等を概括的・構造的に示すことが考えられる。

一方，年間指導計画とは，全体計画を踏まえ，その実現のために，どのような学習活動を，どのような時期に，どのように実施するか等を示すものである。具体的には，１年間の時間的な流れの中に単元を位置付けて示すとともに，学校における全教育活動との関連に留意する観点から，必要に応じて他教科等における学習活動も書き入れ，総合的な探究の時間における学習活動との関連を示すことなどが考えられる。このように，全体計画を単元として具体化し，１年間の流れの中に配列したものが年間指導計画であり，年間指導計画やそこに示された個々の単元の成立のよりどころを記したものが全体計画であり，この二つは関連し対応する関係にある。したがって，各学校においては，それぞれを立案するとともに，二つの計画が関連をもつように，十分配慮しながら作成に当たる必要がある。以上のことからも分かるように，指導計画を構成する上記六つの要素については，指導計画のどこかで示していればよく，したがって全体計画と年間指導計画の少なくとも一方において明示することで足りると考えられる。

なお，指導計画を構成する上記六つの要素のうち，(1) については，学校を単位として設定するものとするが，(2)～(6) については，学校を単位として設定する場合のほか，課程や学科ごとに設定することも考えられる。(2)～(6) を課程や学科ごとに設定する場合には，全体計画についても，課程や学科ごとの作成を要する。

〈目標と内容と学習活動の関係〉

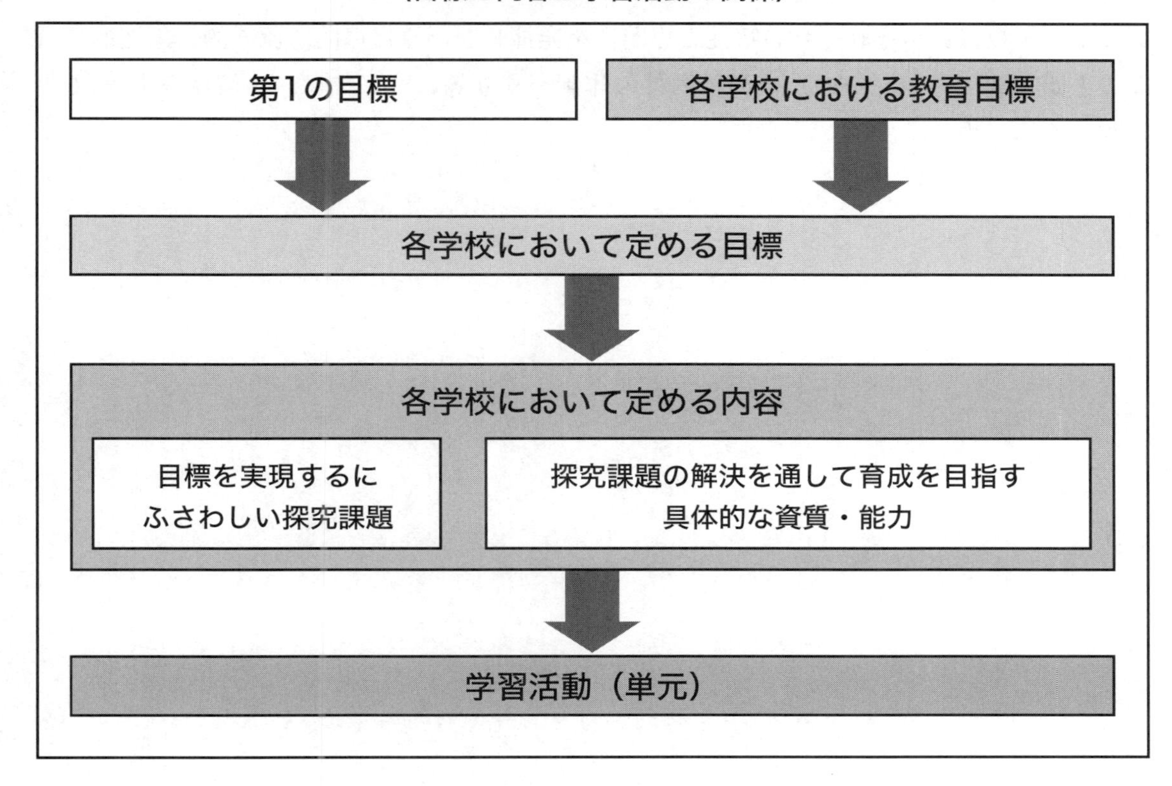


また，本章及び第8章で主に扱う上記（1）「目標」，（2）「内容」，（3）「学習活動（単元）」の相互の関係については，上図のように示すことができる。この図にあるように，各学校は，まず第1の目標を踏まえるとともに，各学校における教育目標を踏まえ，学校の総合的な探究の時間の目標を設定する。

次に，それらを踏まえ，内容として，「目標を実現するにふさわしい探究課題」及び「探究課題の解決を通して育成を目指す具体的な資質・能力」を設定する。

本解説第4章でも述べた通り，各学校の「目標を実現するにふさわしい探究課題」の設定に際しては，第2の3の(5) に示された四つの課題が参考になる。また，「探究課題の解決を通して育成を目指す具体的な資質・能力」の設定に際しては，第2の3の(6) に示された三つの柱，すなわち，「知識及び技能」，「思考力，判断力，表現力等」，「学びに向かう力，人間性等」に配慮して設定する。その際，第2の3の(2) に示された，各学校において定める目標及び内容については，各教科・科目等の目標及び内容との違いに留意しつつ，各教科・科目等で育成を目指す資質・能力との関係を重視することが望まれる。さらに，第2の3の(7) に示す通り，「目標を実現するにふさわしい探究課題」及び「探究課題の解決を通して育成を目指す具体的な資質・能力」については，教科・科目等を越えた全ての学習の基盤となる資質・能力が育まれ，活用されるものとなるように配慮することが大切である。

この「目標を実現するにふさわしい探究課題」及び「探究課題の解決を通して育成を目指す具体的な資質・能力」の二つをよりどころとして，実際に教室で日々展開される学習活動，すなわち単元が，計画，実施される。

なお，指導計画を作成する際には，責任者としての校長の指導ビジョンとリーダーシップの下，全教職員がそれぞれの特性と専門性を発揮しながら自律的，協働的，創造的に行うことが重要である。そのための校内外の体制づくり等については，本解説第 11 章で更に詳しく解説する。

# 第２節　各学校において定める目標の設定

各学校においては，第１の目標を踏まえ，各学校の総合的な探究の時間の目標を定め，その実現を目指さなければならない。この目標は，各学校が総合的な探究の時間での取組を通して，どのような生徒を育てたいのか，また，どのような資質・能力を育てようとするのかなどを明確にしたものである。

各学校において総合的な探究の時間の目標を定めるに当たり，「第１の目標を踏まえ」とは，本解説第３章で解説した第１の目標の趣旨を適切に盛り込むということである。

具体的には，第１の目標の構成に従って，以下の２点を踏まえることが必要となる。

(1)「探究の見方・考え方を働かせ，横断的・総合的な学習を行うことを通すこと」，「自己の在り方生き方を考えながら，よりよく課題を発見し解決していくための資質・能力を育成すること」という，目標に示された二つの基本的な考え方を踏襲すること。

(2) 育成を目指す資質・能力については，「育成すべき資質・能力の三つの柱」である「知識及び技能」，「思考力，判断力，表現力等」，「学びに向かう力，人間性等」の三つのそれぞれについて，第１の目標の趣旨を踏まえること。

各学校において定める総合的な探究の時間の目標は，第１の目標を適切に踏まえて，この時間全体を通して，各学校が育てたいと願う生徒像や育成を目指す資質・能力，学習活動の在り方などを表現したものになることが求められる。

各学校においては，第１の目標の趣旨をしっかりと踏まえつつ，地域や学校，生徒の実態や特性を考慮した目標を，創意工夫を生かして独自に定めていくことが望まれている。

その際，第１章総則第２の１にあるように各学校における教育目標を踏まえることが極めて重要になる。教育目標を資質・能力の三つの柱を視点に分析することによって育てたいと願う生徒像を明らかにし，その姿の実現に向けた資質・能力を構造的に位置付けることなどが求められる。

上記の点を適切に反映した上で，これまで各学校が取り組んできた経験を生かして，各目標の要素のいずれかを具体化したり，重点化したり，別の要素を付け加えたりして目標を設定することが考えられる。

目標の記述の仕方については決まった型があるわけではないが，例えば，以下のような示し方が考えられる。

【設定例】

探究の見方・考え方を働かせ，地域や社会の人，もの，ことに関わる総合的な学習を通して，自己の在り方生き方を考えながら，適切で論理的な課題の発見と解決ができるようにするために，以下の資質・能力を育成する。

(1) 地域や社会の人，もの，ことに関わる探究の過程において，課題の解決に必要な知識及び技能を身に付けるとともに，地域や社会の特徴やよさに気付き，それらが人々の関わりや協働によって支えられていることに気付く。

(2) 地域や社会の人，もの，ことと自分自身との関わりから問いを見いだし，その解決に向けて仮説を立てたり，調査して得た情報を基に分析したりする力を身に付けるとともに，論理的にまとめ・表現する力を身に付ける。
(3) 地域や社会の人，もの，ことについての探究活動に主体的・協働的に取り組むとともに，互いのよさを生かしながら，持続可能な社会を実現するために行動し，社会に貢献しようとする態度を育てる。

この例では，「地域や社会の人，もの，ことに関わる」ことを明記することで，目標の具体化を図っている。

また，第1の目標における「よりよく課題を発見し解決していく」について，その中身を「適切で論理的な課題の発見と解決」として重点化している。同様に (2) においても，「仮説を立てたり」や「分析したり」及び「論理的にまとめ・表現する力を身に付ける」と対応した重点化が図られている。

さらに，(1) では，第1の目標における「課題に関わる概念を形成し，探究の意義や価値を理解するようにする」を「地域や社会の特徴やよさに気付き，それらが人々の関わりや協働によって支えられていることに気付く」と具体化している。

また，(3) では，「学びに向かう力，人間性等」について，「持続可能な社会を実現するために行動し，社会に貢献しようとする態度を育てる」を付加している。

各学校における目標の設定に際しては，既に各学校において機能している目標については，第1の目標及び各学校における教育目標を踏まえ検討するところから始めることも考えられる。どちらにしても，各学校における実践の成果を発展させるという姿勢で取り組むことが大切である。実際の作業を進めていく中で多くの学校が直面するのは，詳しく書こうとすればするほど文章が長くなってしまい，全体としての意味の把握が難しくなるという問題である。重要なことは，適切な分量の中で各学校が大切にしたいことを，分かりやすい表現で盛り込むように工夫することである。そのためにも，具体的な生徒の姿をイメージしながら，各学校の実態に応じた目標の記述となるよう，校内での議論を尽くしていくことが重要である。

ここまで述べてきた目標を作成する作業に先立って，各学校においては，総合的な探究の時間で育成したいものを明確化する必要がある。具体的には，各学校における教育目標ないしは育てたい生徒像のうち，他教科等で実現を目指している部分を確認した上で，総合的な探究の時間で育てたい生徒の姿を明らかにしていく。

その際，以下の点について考慮することが重要である。

- 生徒の実態
- 地域，社会の実態
- 学校の実態
- 生徒の成長に寄せる保護者の願い
- 生徒の成長に寄せる地域の願い
- 生徒の成長に寄せる教職員の願い

これらは既に校内で明らかにされ，学校教育目標や育てたい生徒像の中に盛り込まれているはずである。今回の改訂により，改めて示された目標の趣旨を踏まえて，その観点から検討し直す必要がある。

# 第３節　各学校が定める内容の設定

## 1　各学校が定める内容とは

本解説第４章でも述べた通り，この時間の内容は，「目標を実現するにふさわしい探究課題」及び「探究課題の解決を通して育成を目指す具体的な資質・能力」を各学校が定める。つまり，「何を学ぶか」とそれを通して「どのようなことができるようになるか」ということを各学校が具体的に設定するということであり，他教科等にない大きな特徴の一つである。このことはこれまでの総合的な学習の時間の考え方を転換するものではないが，今回の改訂全体として，「何ができるようになるか（育成を目指す資質・能力）」と，そのために「何を学ぶか（学習の内容）」と「どのように学ぶか（学習方法）」のいずれもが重要であることを明示したことを受け，総合的な探究の時間の内容の設定においてもその趣旨を明確にしたものである。

各学校が設定する内容は，探究課題としてどのような対象と関わり，その探究課題の解決を通して，どのような資質・能力を育成するのかを記述する。このように，両者は互いに関係していると同時に，両者がそろって初めて，各学校が定める目標の実現に向けて指導計画は適切に機能する。

## 2　目標を実現するにふさわしい探究課題

目標を実現するにふさわしい探究課題とは，目標の実現に向けて学校として設定した，生徒が探究に取り組むためのものであり，従来「学習対象」と説明してきたものに相当する。生徒が課題について探究することを通して学ぶという学習過程も重要であることを明確にするために，今回の改訂では「探究課題」として示した。

目標を実現するにふさわしい探究課題については，本解説第４章第３節で解説したように，学校の実態に応じて，例えば，国際理解，情報，環境，福祉・健康などの現代的な諸課題に対応する横断的・総合的な課題，地域や学校の特色に応じた課題，生徒の興味・関心に基づく課題，職業や自己の進路に関する課題など，横断的・総合的な学習としての性格をもち，探究の見方・考え方を働かせて学習することがふさわしく，それらの解決を通して育成される資質・能力が，自己の在り方生き方を考えながら，よりよく課題を発見し解決していくことに結び付いていくような，教育的に価値のある諸課題であることが求められる。探究の見方・考え方を働かせて学習することがふさわしいということは，一つの決まった正しい答えがあるわけでなく，様々な教科・科目等で学んだ見方・考え方を総合的・統合的に活用しながら，様々な角度から捉え，考えることができるものであることが求められるということである。

しかし，それぞれの課題はあくまでも例示であり，各学校が探究課題を設定する際の参考として示したものである。これらの例示を参考にしながら，各学校の総合的な探究の時間の目標や，生徒，学校，地域の実態に応じて，探究課題を設定することが求められる。

例示されたこれらの課題は，生徒の発達の段階において，第1の目標から導かれる以下の三つの要件を適切に実施するものとして考えられ，示されている。

(1) 探究の見方・考え方を働かせて学習することがふさわしい課題であること

(2) その課題をめぐって展開される学習が，横断的・総合的な学習としての性格をもつこと

(3) その課題を学ぶことにより，自己の在り方生き方を考えながら，よりよく課題を発見し解決していくことに結び付いていくような資質・能力の育成が見込めること

以下に，例示した課題の特質について示す。

### 現代的な諸課題に対応する横断的・総合的な課題

国際理解，情報，環境，福祉・健康などの現代的な諸課題に対応する横断的・総合的な課題とは，社会の変化に伴って切実に意識されるようになってきた現代社会の諸課題のことである。そのいずれもが，持続可能な社会の実現に関わる課題であり，現代社会に生きる全ての人が，これらの課題を自分のこととして考え，よりよい解決に向けて行動することが望まれている。また，これらの課題については正解や答えが一つに定まっているものではなく，従来の各教科・科目等の枠組みでは必ずしも適切に扱うことができない。したがって，こうした課題を総合的な探究の時間の探究課題として取り上げ，その解決を通して具体的な資質・能力を育成していくことには大きな意義がある。

これらを参考に探究課題を設定する場合，例えば，以下のようなことが考えられる。

- 国際理解：外国人の生活者とその人たちの多様な価値観
- 情報：情報化の進展とそれに伴う経済生活や消費行動の変化
- 環境：自然環境とそこに起きているグローバルな環境問題
- 福祉：高齢者の暮らしを支援する福祉の仕組みや取組
- 健康：心身の健康とストレス社会の問題　など

一方，ここに示した課題を全て取り上げる必要はない。地域や学校，生徒の実態に応じて，取り組みやすい課題や特に必要と考えられる課題に重点的に取り組むことも考えられる。あるいは，生徒の多様な意識を生かすことも大切である。なお，課題の設定に際しては，持続可能な開発目標（SDGs）の17の目標を参考にすることも考えられる。また，例示以外の課題についての学習活動を行うことも考えられる。例えば，以下に示すように，資源エネルギーや食のほか，科学技術，理科，数学，美術教育などを横断的・総合的に取り扱った課題を設定することなども考えられる。

- 資源エネルギー：社会生活の変化と資源やエネルギーの問題
- 食：食の問題とそれに関わる生産・流通過程と消費行動
- 科学技術：科学技術の発展と社会生活や経済活動の変化　など

### 地域や学校の特色に応じた課題

地域や学校の特色に応じた課題とは，町づくり，伝統文化，地域経済，防災，都市計画，

観光など，各地域や各学校に固有な諸課題のことである。全ての地域社会には，その地域ならではのよさがあり特色がある。古くからの伝統や習慣が現在まで残されている地域，地域の気候や風土を生かした特産物や工芸品を製造している地域など，様々に存在している。これらの特色に応じた課題は，よりよい郷土の創造に関わって生じる地域ならではの課題であり，生徒が地域における自己の在り方生き方との関わりで考え，よりよい解決に向けて地域社会で行動していくことが望まれている。また，これらの課題についても正解や答えが一つに定まっているものではなく，既存の各教科・科目等の枠組みでは必ずしも適切に扱うことができない。しかも，生徒にとっては，自分自身の取組が地域や社会を変え，社会に参画・貢献していることを実感できる課題でもある。したがって，こうした課題を総合的な探究の時間の探究課題として取り上げ，その解決を通して具体的な資質・能力を育成していくことには大きな意義がある。

これらを参考に探究課題を設定する場合，例えば，以下のようなことが考えられる。

- 町づくり：地域活性化に向けた特色ある取組
- 伝統文化：地域の伝統や文化とその継承に取り組む人々や組織
- 地域経済：商店街の再生に向けて努力する人々と地域社会
- 防災：安全な町づくりに向けた防災計画の策定　など

### 生徒の興味・関心に基づく課題

生徒の興味・関心に基づく課題とは，生徒がそれぞれの発達段階に応じて興味・関心を抱く課題のことである。個々の生徒が，日常の生活はもちろん各教科・科目等における学習の進展に応じて興味・関心を抱いたり，各教科・科目等の学習を契機に生起したりすることも期待できる課題である。これらの課題は，一人一人の生活と深く関わっており，生徒が自己の在り方生き方との関わりで考え，よりよい解決に向けて行動することが望まれている。

総合的な探究の時間は，生徒が自己の在り方生き方を考えながら，自ら学び，自ら考えることを目指した時間であり，生徒の主体的な学習態度を育成する時間である。その意味からも，総合的な探究の時間において，生徒の興味・関心に基づく探究課題を取り上げ，その解決を通して具体的な資質・能力を育成していくことは重要なことである。

なお，生徒の興味・関心に基づく課題については，横断的・総合的な学習として，探究の見方・考え方を働かせ，学習の質的高まりが期待できるかどうかを，教師が十分に判断する必要がある。たとえ生徒が興味・関心を抱いた課題であっても，総合的な探究の時間の目標にふさわしくない場合や十分な学習の成果が得られない場合には，適切に指導を行うことが求められる。

これらを参考に探究課題を設定する場合，例えば，以下のようなことが考えられる。

- 文化の創造：文化や流行の創造や表現
- 教育・保育：変化する社会と教育や保育の質的転換
- 生命・医療：生命の尊厳と医療や介護の現実　など

### 職業や自己の進路に関する課題

職業や自己の将来に関する課題とは，自己の在り方に関する思索を自身の進路に結び付け，自己の生き方について現実的，実際的に検討する上で必要となる諸課題のことである。本解説第６章第１節でも述べたように，この時期の生徒は，人間としての在り方や将来の生き方について，理想的，理念的に深く考えることを求めているとともに，就職や進学を控え，現実的，実際的に検討することを迫られてもいる。職業や自己の進路について，この両面から思う存分，納得がいくまで探究する機会を提供し，自己の中で統合できるまでに導くことは，生徒の人間的成熟や安定の確保，自己の将来を力強く着実に切り開いていこうとする資質・能力の育成において，極めて重要である。

これらを参考に探究課題を設定する場合，例えば，以下のようなことが考えられる。

・　職業：職業の選択と社会貢献及び自己実現
・　勤労：働くことの意味や価値と社会的責任

なお，参考として示した四つの課題は，互いにつながり合い，関わり合っている課題であり，それぞれの学習活動の広がりと深まりによって，しばしば関連して現れてくるものである。

各学校において，横断的・総合的な課題，地域や学校の特色に応じた課題の趣旨を踏まえて内容を設定する場合には，それぞれの地域における現実の生活との関わりにおいて，各課題がどのような具体的な現れ方をしているか，また各課題に関わって人々や機関がどのように考え，あるいはどのように行動しているか，その実態を幅広く正確に把握する必要がある。その際，客観的な把握と同時に，それらが生徒にとってどのように映っているか，生徒の実感や興味・関心の観点からも捉えておく必要がある。

また，生徒の興味・関心に応じた課題，職業や自己の進路に関する課題の趣旨を踏まえて内容を設定する場合には，各課題に関わって生徒が何を感じ，どのように考え，あるいはどのように行動しているか，その実態を幅広く正確に把握する必要がある。

各学校においては，以上のような検討を踏まえて，何が内容として適切であるかを判断することになる。この時，扱いたいと考える内容はどうしても多くなりがちだが，限られた時数の中で適切に扱うことが可能な内容には，おのずと限界がある。各学校で定めた目標や生徒の実態等に配慮し，全体としてのバランスをとりながら，優先順位を考え取捨選択することで，質と量の双方において適切な内容を選定することになる。

ここまで述べてきたように，探究課題とは，生徒が探究的に関わりを深める人・もの・ことを示したものであり，例示された課題を更に具体化したものである。

| 四つの課題 | 探究課題の例 |
|---|---|
| 横断的・総合的な課題（現代的な諸課題） | 外国人の生活者とその人たちの多様な価値観（国際理解）<br>情報化の進展とそれに伴う経済生活や消費行動の変化（情報）<br>自然環境とそこに起きているグローバルな環境問題（環境）<br>高齢者の暮らしを支援する福祉の仕組みや取組（福祉）<br>心身の健康とストレス社会の問題（健康）<br>社会生活の変化と資源やエネルギーの問題（資源エネルギー）<br>食の問題とそれに関わる生産・流通過程と消費行動（食）<br>科学技術の発展と社会生活や経済活動の変化（科学技術）<br>など |
| 地域や学校の特色に応じた課題 | 地域活性化に向けた特色ある取組（町づくり）<br>地域の伝統や文化とその継承に取り組む人々や組織（伝統文化）<br>商店街の再生に向けて努力する人々と地域社会（地域経済）<br>安全な町づくりに向けた防災計画の策定（防災）<br>など |
| 生徒の興味・関心に基づく課題 | 文化や流行の創造や表現（文化の創造）<br>変化する社会と教育や保育の質的転換（教育・保育）<br>生命の尊厳と医療や介護の現実（生命・医療）<br>など |
| 職業や自己の進路に関する課題 | 職業の選択と社会貢献及び自己実現（職業）<br>働くことの意味や価値と社会的責任（勤労）<br>など |



## 3　探究課題の解決を通して育成を目指す具体的な資質・能力

探究課題の解決を通して育成を目指す具体的な資質・能力とは，各学校において定める目標に記された資質・能力を各探究課題に即して具体化したものであり，生徒が各探究課題の解決に取り組む中で，教師の適切な指導により実現を目指す資質・能力のことである。したがって，探究課題の解決を通して育成を目指す具体的な資質・能力には，各学校の目標が実現された際に現れる望ましい生徒の成長の姿が示されることになる。各学校において定める目標と，探究課題の解決を通して育成を目指す具体的な資質・能力の二つにより，この時間の教育活動を通して「どんな子供を育てたいか」を明示することになる。

これまでは，総合的な学習の時間において「育てようとする資質や能力及び態度」として，育成を目指す資質・能力・態度としては，「学習方法に関すること」，「自分自身に関すること」，「他者や社会との関わりに関すること」の三つの視点を参考にして例示されていた。この視点は，全国の実践事例を整理する中で見いだされてきたものであるとともに，OECDが示した主要能力（キー・コンピテンシー）にも符合している。各学校においては，三つの視点を参考にして「育成を目指す資質・能力」を明らかにし，その育成に向けて取り組み，成果を挙げてきた。

今回の改訂では，こうした趣旨を受け継ぎつつ，資質・能力の三つの柱に沿って，この時間における探究課題の解決を通して育成を目指す具体的な資質・能力について各学校で明らかにしていく。

### (1) 知識及び技能

探究の過程において，それぞれの課題についての事実的知識や技能が獲得される。この「知識及び技能」は，各学校が設定する内容に応じて異なる。このため，学習指導要領においては，習得すべき知識や技能については示していない。一方，事実的知識は探究のプロセスが繰り返され，連続していく中で，何度も活用され発揮されていくことで，構造化され生きて働く概念的な知識へと高まっていく。

総合的な探究の時間では，各教科・科目等の枠を超えて，知識や技能の統合がなされていくことにより，概念的な知識については，教科や分野などを越えて，より一般化された概念的なものを学ぶことができる。

例えば，

- それぞれには特徴があり，多種多様に存在している（多様性）
- それぞれに違いがあり，個別のよさをもっている（独自性）
- 互いに関わりながらよさを生かしている（相互性）
- 力を合わせ，目的の実現に向けて取り組む（協働性）
- 物事には終わりがあり，限りがある（有限性）
- 新しいものを創り出し，生み出していく（創造性）

などである。探究の過程により，どのような概念的な知識が獲得されるかということについては，何を探究課題として設定するか等により異なる。例えば，「外国人の生活者とその人たちの多様な価値観」を探究課題として設定した場合は，

- 「世界各地には，それぞれの文化や伝統があり，それを大切にして生活していること（独自性）」
- 「文化的背景の多様性を受け入れつつ，様々な立場の人が支え合い，協力し合っていること（協働性）」
- 「文化や伝統，生活様式の違いを生かした新しい価値を生み出していること（創造性）」

などが考えられる。また，「自然環境とそこに起きているグローバルな環境問題」を探究課題として設定した場合は，

- 「生物はそれぞれに異なる生態的特徴をもっており，それは生育環境に影響を受けていること（多様性）」
- 「自然環境は互いに関わり関係しながら，国を越えて地球規模でつながっているこ

と（相互性）」

・「自然環境は様々な要因で変化する可能性があり，限りがあること（有限性）」

などが考えられる。

この例では，直接的に学習で関わる対象は「外国人の生活者とその暮らしや価値観」「自然環境とその変化や現状」であるが，それを探究することを通して獲得される概念は，対象に限定された概念だけではなく，広く持続可能な社会づくりに関わる様々なテーマについて考える際にも使うことができる概念的な知識となりうる。各学校が目標や内容を設定するに当たっては，どのような概念的な知識が形成されるか，どのように概念的な知識を明示していくかなどについても検討していくことが重要である。

技能についても，探究のプロセスが繰り返され，連続していく中で，何度も活用され発揮されていくことで，自在に活用できる技能として身に付いていく。各学校においては，探究の過程に必要な技能の例を明示していくことなども考えられる。

### (2) 思考力，判断力，表現力等

「思考力，判断力，表現力等」の育成については，課題の発見と解決に向けて行われる横断的・総合的な学習や探究において，①課題の設定，②情報の収集，③整理・分析，④まとめ・表現の探究のプロセスが繰り返され，連続することによって実現される。この探究の過程では，「探究の見方・考え方」を働かせながら，それぞれのプロセスで期待される資質・能力が育成される。

この資質・能力については，これまで各学校で設定する「育てようとする資質や能力及び態度」の視点として「学習方法に関すること」としていたことに対応している。

こうした探究の過程において必要となる資質・能力を育成することは，総合的な探究の時間が，各教科・科目等の学習過程の質的向上に資することを意味する。

重要なことは，課題の発見と解決に向けて必要となる「思考力，判断力，表現力等」は，実際に課題の解決に向けた学習をする中で，探究のプロセスの各段階において必要となる「思考力，判断力，表現力等」を実際に使うような学習を行うことで，成長していくものであるということである。総合的な探究の時間において育成することを目指す「思考力，判断力，表現力等」を，探究のプロセスの各段階で整理すると次のようになる。

こうした「思考力，判断力，表現力等」は，この探究課題ならばこの力が育まれるといったような対応関係があるものではなく，複数の単元を通して，さらには学年や学校段階をまたいで，探究の過程を行うことで，時間をかけながら徐々に育成していくものである。

このため，それぞれの探究の過程で育成される資質・能力について，生徒の発達の段階や，課題の解決や探究活動への習熟の状況，その他生徒や学校の実態に応じた設定をしていくことが重要である。

| 探究の過程における思考力，判断力，表現力等の深まり（例） | | | |
|---|---|---|---|
| ①課題の設定 | ②情報の収集 | ③整理・分析 | ④まとめ・表現 |
| より複雑な問題状況<br>確かな見通し，仮説<br>↑<br>例）<br>■複雑な問題状況の中から適切に課題を設定する<br>■仮説を立て，検証方法を考え，計画を立案する<br>など | より効率的・効果的な手段<br>多様な方法からの選択<br>↑<br>例）<br>■目的に応じて手段を選択し，情報を収集する<br>■必要な情報を収集し，類別して蓄積する<br>など | より深い分析<br>確かな根拠付け<br>↑<br>例）<br>■複雑な問題状況における事実や関係を把握し，自分の考えをもつ<br>■視点を定めて多様な情報を分析する<br>■課題解決を目指して事象を比較したり，因果関係を推測したりして考える<br>など | より論理的で効果的な表現<br>内省の深まり<br>↑<br>例）<br>■相手や目的，意図に応じて論理的に表現する<br>■学習の仕方や進め方を振り返り，学習や生活に生かそうとする<br>など |

例えば，課題の設定については，生徒の課題の解決や探究活動への習熟が高まるにつれて，問題状況を単純なものからより複雑なものへとしたり，解決の手順等について教師があらかじめ示すことを段々と少なくし，生徒自身が見通しや仮説を立てることに比重を移したりして，質を高めていくことが考えられる。

同じように，情報の収集においては，多様な方法からより効率的・効果的な手段を選択できるようにしたり，整理・分析においては，より深く分析したり，より確かな根拠付けが行われるよう質を高めていくことが考えられる。

まとめ・表現については，相手や目的に応じてより分かりやすく伝わるように，より論理的で効果的な表現を工夫したり，学習を振り返る中で，より物事や自分自身に関して深い気付きとなるよう内省的な考え方が深まるようにしたりしていくことが考えられる。



### (3) 学びに向かう力，人間性等

「学びに向かう力，人間性等」は，本解説第3章で解説したとおり，今回の改訂では，第4章総合的な探究の時間第2の3の(6) において，「学びに向かう力，人間性等については，自分自身に関すること及び他者や社会との関わりに関することの両方の視点を踏まえること」と示した。

自分自身に関することとしては，自己理解や主体性，将来展望などに関わる心情や態度，他者や社会との関わりに関することとしては，他者理解や協働性，社会参画などに関わる心情や態度が考えられる。

一方，自分自身に関することと他者や社会との関わりに関することとは截（せつ）然と区別されるものではなく，例えば，社会に参画することや社会への貢献のように，それぞれは，積極的に社会参画をしていこうという態度を育むという意味においては他者や社会との関わりに関することである。また，探究を通して学んだことと他者理解とを結び付けながら自分の将来や進路について夢や希望をもとうとすることは，自分自身に関することとも深く

関わることであると考えることもできる。

重要なことは，自分自身に関することと他者や社会との関わりに関することの二つのバランスをとり，関係を意識することである。主体性と協働性とは互いに影響し合っているものであり，自己の理解なくして他者を深く理解することは難しい。

このように，各学校において育成を目指す「学びに向かう力，人間性等」を設定するに当たっては，従来，各学校が定めることとされてきた自分自身に関することと他者や社会との関わりに関することを参考に，両者のつながりを検討することも大切になる。

| 学びに向かう力，人間性等 | | | |
|---|---|---|---|
| | 例）自己理解・他者理解 | 例）主体性・協働性 | 例）将来展望・社会参画 |
| 自分自身に関すること | 探究を通して，自己を見つめ，自分の個性や特徴に向き合おうとする | 自分の意思で真摯に課題に向き合い，解決に向けた探究に取り組もうとする | 探究を通して，自己の在り方生き方を考えながら，将来社会の理想を実現しようとする |
| 他者や社会との関わりに関すること | 探究を通して，異なる多様な意見を受け入れ尊重しようとする | 自他のよさを認め特徴を生かしながら，協働して解決に向けた探究に取り組もうとする | 探究を通して，社会の形成者としての自覚をもって，社会に参画・貢献しようとする |

総合的な探究の時間において育成を目指す「学びに向かう力，人間性等」は，「思考力，判断力，表現力等」にも増して，様々な学習活動を通して，時間を掛けながらじっくりと養い育んでいくものと考えることができる。すなわち，確かに育んでいこうとする心情や態度を，学年や学校段階に応じて，段階的かつ明確に設定しようとすることは難しい。そうした特性を踏まえた上で，学年が上がったり，難易度の高い探究活動を行ったりする中で，「学びに向かう力，人間性等」は，例えば，以下のような視点と方向性で高まりながら，ゆっくりと着実に育んでいくことが期待される。

一つは，より複雑な状況や多様で異なる他者との間においても発揮されるようになることである。例えば，他者理解という視点で言えば，異なる立場，異なる考え方をもつ相手のことを認め，理解しようとすることができるようになることであり，自己理解については，様々に困難な状況に挑戦する中で自分を客観的に見つめ，自分らしさを発揮できるようになることなどが考えられる。状況や場面が変わる中でも，それらは確かに発揮できるように育成されることが期待される。

二つは，より自律的で，しかも安定的かつ継続的に発揮されるようになることである。自らの意志で自覚的に，しかも粘り強く発揮し続けられるようになることが期待される。

三つは，「自分自身に関すること」，「他者や社会との関わりに関すること」は互いにつながりのあるものとなり，両者が一体となった資質・能力として発揮され，育成されるようになることである。

このように，各学校において育成を目指す「学びに向かう力，人間性等」を設定するに当たっては，学年や実施する探究活動に応じて，先に記した視点を参考に，ゆるやかな高まりを意識することも考えられる。

「学びに向かう力，人間性等」は，「知識及び技能」や「思考力，判断力，表現力等」と切り離して育てられるものではない。探究課題に主体的かつ協働的に取り組む中で，様々に思考したり，概念的知識を獲得したりする中でこそ，確実に身に付けていくことができるものと考える。

## 4　考えるための技法の活用

本解説第5章で解説したように，今回の改訂では，「探究の過程においては，他者と協働して問題を解決しようとする学習活動や，言語により分析し，まとめたり表現したりするなどの学習活動が行われるようにすること。その際，例えば，比較する，分類する，関連付けるなどの「考えるための技法」が自在に活用されるようにすること。」とした。本項では，この「考えるための技法」の活用について，その意義と具体的な例を紹介する。

### (1) 考えるための技法を活用する意義

物事を比較したり分類したりすることや，物事を多面的に捉えたり多角的に考えたりすることは，様々な形で各教科・科目等で育成することを目指す資質・能力やそのための学習の過程に含まれている。例えば，地理歴史科では，白鳳文化と天平文化の違いを比較しながら追究したり，理科では，採集した土壌動物を分類して分析したりする。家庭科では，食生活と消費活動や流通を関連付けて考え，自ら生活の有り様を見つめ直していく。こうした過程においては，対象を何らかの視点に基づいて分類し，気付きを得たり理解を深めたりするという思考が行われていることについては共通している。

「考えるための技法」とは，この例のように，考える際に必要になる情報の処理方法を，「比較する」，「分類する」，「関連付ける」のように具体化し，技法として整理したものである。総合的な探究の時間が，各教科・科目等を越えて全ての学習における基盤となる資質・能力を育成することが期待されている中で，こうした教科・科目等横断的な「考えるための技法」について，探究の過程の中で学び，実際に活用することも大切であると考えられる。

「考えるための技法」を活用するということは，自分が普段無意識のうちに立っていた視点を明確な目的意識の下で自覚的に移動するという課題解決の戦略が，同じ事物・現象に対して別な意味の発見を促し，より本質的な理解や洞察を得るという学びである。この共通性に生徒が気付き，対象や活動の違いを超えて，視点の移動という「考えるための技法」を身に付け，その有効性を感得し，様々な課題解決において適切かつ効果的に活用できるようになることが望まれる。

とりわけ，他教科等と異なり，総合的な探究の時間では，どのような「考えるための技法」が課題解決に有効であるのかが，あらかじめ見えていないことが多い。他教科等の特質に応じて存在している「考えるための技法」を生徒がより汎用的なものとして身に付け，実社会・実生活の課題解決において課題の特質に応じて「考えるための技法」を自在に活用できるようになるには，総合的な探究の時間において，どのような対象なり場面の，どのような課題解決に，どのような理由で，どのような「考えるための技法」が有効なのかを考え，実際に試し，うまくいったりいかなかったりする経験を積むことが大切になってくる。そのためには，他教科等で育成を目指す資質・能力を押さえ，そこでの「考えるための技法」との関連を意識して，総合的な探究の時間の目標及び内容の設定を工夫することが重要になってくる。例えば，「考えるための技法」を中心に資質・能力を関連付け，教科・科目等を横断した学習を実現することが可能となる。こうした形で，総合的な探究の時間は，教科・科目等横断的なカリキュラム・マネジメントにおいて重要な役割を果たしていくのである。

総合的な探究の時間において，「考えるための技法」を活用することの意義については，大きく三つの点が考えられる。

一つ目は，探究の過程のうち，特に，情報の「整理・分析」の過程における思考力，判断力，表現力等を育てるという意義である。情報の整理・分析においては，集まった情報をどのように処理するかという工夫が必要になる。「考えるための技法」は，こうした分析や工夫を助けるためのものである。

二つ目は，協働的な学習を充実させるという意義である。「考えるための技法」を使って情報を整理，分析したものを黒板や紙などに書くことによって，可視化され生徒間で共有して考えることができるようになる。

三つ目は，総合的な探究の時間が，各教科・科目等を越えた全ての学習の基盤となる資質・能力を育成すると同時に，各教科・科目等で学んだ資質・能力を実際の問題解決に活用するという特質を生かすという意義である。「考えるための技法」を意識的に使えるようにすることによって，各教科・科目等と総合的な探究の時間の学習を相互に往還する意義が明確になる。



### (2) 考えるための技法の例と活用の仕方

学習指導要領においては，「考えるための技法」がどのようなものか具体的に列挙して示すことはしていない。各学校において，総合的な探究の時間だけでなく，各教科・科目等において，どのような「思考力，判断力，表現力等」を養いたいかということを踏まえつつ，生徒の実態に応じて活用を図ることが期待される。

ここでは，学習指導要領において，各教科・科目等の目標や内容の中に含まれている思考・判断・表現に係る「考えるための技法」につながるものを分析し，概ね中学校段階において活用できると考えられるものを例として整理した。高等学校においては，こうした「考えるための技法」が自在に活用できるものとして身に付くことが期待されている。

これらはあくまで例示であると同時に，漏れなく重なりなく列挙するものではなく，関わり合うものである。例えば，複数の対象同士を比較する場合には，一旦共通点のあるもの同士を分類した上で比較することになる。また例えば，最初は共通点が見いだせなかった対象同士について，それぞれを「多面的に見て」複数の特徴を書き出していく中で，関連付けることが可能になるということもある。なお，ここでいう対象は，具体的な物や事象であったり，知識や情報であったり，探究の過程の中で出てくる考えであることもある。

○　順序付ける

・　複数の対象について，ある視点や条件に沿って対象を並び替える。

○　比較する

・　複数の対象について，ある視点から共通点や相違点を明らかにする。

○　分類する

・　複数の対象について，ある視点から共通点のあるもの同士をまとめる。

○　関連付ける

・　複数の対象がどのような関係にあるかを見付ける。

・　ある対象に関係するものを見付けて増やしていく。

○　多面的に見る・多角的に見る

・　対象のもつ複数の性質に着目したり，対象を異なる複数の角度から捉えたりする。

○　理由付ける（原因や根拠を見付ける）

・　対象の理由や原因，根拠を見付けたり予想したりする。

○　見通す（結果を予想する）

・　見通しを立てる。物事の結果を予想する。

○　具体化する（個別化する，分解する）

・　対象に関する上位概念・規則に当てはまる具体例を挙げたり，対象を構成する下位概念や要素に分けたりする。

○　抽象化する（一般化する，統合する）

・　対象に関する上位概念や法則を挙げたり，複数の対象を一つにまとめたりする。

○　構造化する

・　考えを構造的（網構造・層構造など）に整理する。



これらの「考えるための技法」により思考が深まる中で，生徒は，例えば複数の軸で順序付け，比較，分類ができるようになったり，より多様な関連や様々な性質に着目できるようになったり，対象がもつ本質的な共通点や固有の性質に気付いたりできるようになるなど，「考えるための技法」を用いて効果的に思考することができるようになっていくと考えられる。特に，比較したり分類したりする際に，どのような性質等に着目するかという，視点の設定ができるようになることが一つのポイントであると考えられる。最初は教師が視点の例（例えば，地域の文化財を「有形のもの」，「無形のもの」で分類するという視点）を示しつつ，生徒の習熟の状況に応じて，生徒自身が試行錯誤しながら視点を考えるようにしていくということが考えられる。このように，どのような視点に着目して比較したり分類したりするかを生徒が自在に考えることができるようになるということは，総合的な探究の時間が，各教科・科目等の見方・考え方を総合的・統合的に活用するものであることと深く関わっていると言える。

これらの「考えるための技法」を意識的に使えるようにするためには，生徒の習熟の状況等を踏まえながら，教師が声掛けをしたり，紙などに書いて可視化したりするような活動を取り入れることが有効である。例えば，「比較する」や「分類する」を可視化する方法としては，事柄を一つずつカードや付箋紙に書き出し，性質の近いものを一カ所に集めるという手法などがある。共通する性質を見いだすことは「抽象化する」ことにつながる。「分類する」については，生徒の発達の段階や習熟の状況に応じて，縦軸と横軸を設定して4象限に書き込んだりすることも考えられる。また，「関連付ける」を可視化する方法として，例えば，ある事柄を中央に置き，関連のある言葉を次々に書き出し，線でつないでいくという方法（いわゆるウェビング）などが考えられる。

このように「考えるための技法」を紙の上などで可視化することで，いわば道具のように意図的に使えるようになる。生徒の思考を助けるためにあらかじめワークシートの形で用意しておくことも考えられる。「考えるための技法」を可視化して使うことには次のような意義があると考えられる。

一つには，教科・科目等を越えて，生徒の思考を助けることである。抽象的な情報を扱うことが苦手な生徒にとっては，それを書き出すことで思考がしやすくなる。例えば，各学校で共通のワークシート等を使用することが，各教科・科目等における思考力，判断力，表現力等を育成する上でも有効であると考えられる。

二つには，協働的な学習，対話的な学習がしやすくなるということである。紙などで可視化することにより，複数の生徒で情報の整理，分析を協働して行いやすくなる。

三つには，学習の振り返りや指導の改善に活用できるということである。一人一人の生徒の思考の過程を可視化することにより，その場で教師が助言を行ったり，生徒自身が単元の終わりに探究の過程を振り返ったりすることに活用できる。

あわせて，こうしたツールを活用すること自体が目的化しないようにするということも重要である。「考えるための技法」を使うことを生徒に促すことは，学習の援助になる一方で，授業が書く作業を行うことに終始してしまったり，生徒の自由な発想を妨げるものになってしまったりすることもある。活用の目的を意識しなければ，かえってねらいを達成できないことも考えられる。学習の過程において，どのような意図で，どのように使用するかを計画的に考える必要がある。「考えるための技法」を用いて思考を可視化するということは，言語活動の一つの形態であり，言語活動の様々な工夫とあわせて効果的に活用することが望まれる。



## 5 内容の設定と運用についての留意点

内容の設定において，次のような点に十分配慮しなければならない。それは，内容を生徒の興味・関心や必要感に関わりなく形式的に網羅し，要素的に一つ一つ学び取らせていくことにならないようにすることであり，この時間の学習活動が，教師による一方的な体験や活動の押し付け，要素的な「知識及び技能」の習得のみに終止することのないようにしなければならない。

総合的な探究の時間では，この時間で取り上げられる個々の学習対象について何らかの知識を身に付けることや，課題を解決することそのものに主たる目的があるのではない。生徒が自己の在り方生き方を考えながら，個々の探究課題に主体的に関わる中で生じる様々な気付きや認識の深まり，豊かな経験の広がりを通して，目標にある資質・能力が育成されることを目指している。そのためにも，内容の設定と運用に際しては，次の２点について十分に留意することが望まれる。

第１に，生徒にとって必然性のある学習活動の中で具体的な対象と関わり，主体的な課題の解決や探究の過程において育成を目指す具体的な資質・能力を身に付けていくよう，単元の展開や指導の在り方を工夫することが重要である。そうすることにより，「知識及び技能」は，相互に関連付けられ，社会の中で生きて働くものとなり，「思考力，判断力，表現力等」は，未知の状況においても活用できるものとして身に付けられるようになり，「学びに向かう力，人間性等」は，学びを人生や社会に生かされるものとして涵（かん）養される。このことは内容の設定とともに，単元構成や学習指導の在り方に関わっていることであり，本解説第８章及び第９章でも詳しく述べる。

第２に，内容については，それらを確実に取り扱うことが望ましいことはもちろんであるが，必要に応じて，目標の実現に向けて指導計画を柔軟に運用することも考えられる。

これは，内容の設定と運用における，総合的な探究の時間ならではの特質である。実社会や実生活に関わることを取り上げるに当たって，計画時点と実施時点で様々な事情が変わるということは十分に考えられるし，学習活動の展開において生徒の興味・関心を重視することや，事前の計画に必要以上に縛られない柔軟で闊（かっ）達な授業展開，個に応じた指導内容の工夫といった，この時間の学習活動に顕著な特質も，このことと深く関係している。

この考えに立つならば，各学校において定めた目標の実現が図られる限りにおいて，例えば，同じ学年やホームルームでも，個人によって取り扱われる内容に若干の違いが出ることも十分にあり得る。また，年度によって若干の変化が生じることも，学校の判断と責任において許容される。こうした措置を講じる場合には，生徒や保護者等に対して，その趣旨が十分に理解されるよう，説明責任と結果責任を果たす必要がある。あわせて，個々の学級，個々の年度，個々人，個々の小集団が結果的に取り組んだ学習経験において著しい偏りや重複，逆転が生じないようにすることは極めて重要である。

各学校においては，この時間の教育活動が，地域や学校，生徒の実態等に応じた，創意工夫を生かしたものとなり，それによってこの時間の目標が十分に実現されるよう，以上の２点にも留意しつつ適切な実践を行うことが求められている。

## 第４節　全体計画の作成

全体計画とは，指導計画のうち，学校として，総合的な探究の時間の教育活動の基本的な在り方を示すものである。今回の改訂で，総合的な探究の時間の目標は，その学校の教育目標と直接つながるものである趣旨が示されたところである。

具体的には，各学校において定める目標，及び内容について明記するとともに，学習活動，指導方法，指導体制，学習の評価等についても，その基本的な内容や方針等を概括的・構造的に示すことが考えられる。すなわち，全体計画に盛り込むべきものとしては，**①必須の要件として記すもの，②基本的な内容や方針等を概括的に示すもの，③その他，各学校が自分の学校の全体計画を示す上で必要と考えるもの，**の三つに分けて考えられる。

**①　必須の要件として記すもの**

・　各学校における教育目標
・　各学校において定める目標
・　各学校において定める内容（目標を実現するにふさわしい探究課題，探究課題の解決を通して育成を目指す具体的な資質・能力）

**②　基本的な内容や方針等を概括的に示すもの**

・　学習活動
・　指導方法
・　指導体制（環境整備，外部との連携を含む）
・　学習の評価

**③　その他，各学校が全体計画を示す上で必要と考えるもの**

具体的には，例えば，以下のような事項等が考えられる。
・　年度の重点・地域の実態・学校，課程，学科の実態・生徒の実態・保護者の願い・地域の願い・教職員の願い
・　各教科・科目等との関連・地域や大学との連携・小学校や中学校との連携・高等学校間の連携　など

①に示す三つの事項については，本章で述べてきた通りである。

②の概括的に示す四つの事項については，本解説第８章から第11章までを参考に，各学校として，この時間の教育活動の基本的な在り方を示すのに必要な内容や方針に絞って，数点を箇条書きにするなど簡潔な記述となるよう工夫する必要がある。

参考として，記述の一例を以下に示す。あくまで一例であり，各学校はこれにとらわれることなく，生徒や学校，地域の実態等に応じて工夫が求められることは言うまでもない。

**［学習活動］**

・　１年生は環境，福祉，２年生は進路，健康，３年生は国際理解，情報から探究課題

を設定する

- 1年間1テーマでの取組を基本とする
- 1年生はホームルームでの研究，2年生はグループ研究，3年生は個人研究
- 奉仕体験は年間を通しての帯単元として実施する
- 10月の中間発表会と2月の最終発表会を節目とした単元展開を工夫する　など

**[指導方法]**

- 生徒の課題意識を連続的に発展し，深化させる支援
- 個に応じた指導の工夫
- 諸感覚を駆使する体験活動の重視
- 協働的な学習活動の充実
- 教科・科目等との関連的な指導の重視
- 対話を中心とした個別支援の徹底
- 言語活動による体験の意味の自覚化と深化　など

**[指導体制]**

- 運営委員会における校内の連絡調整と支援体制の確立
- カリキュラム管理室を拠点とした情報の集積と活用
- 広範な学習支援者や地域学校協働活動推進員等のコーディネーターとの連携体制
- 地域教育力の人材バンクへの登録と効果的運用
- ティーム・ティーチングの日常化
- ワークショップ研修の重視
- 担任外の教職員による支援体制の樹立
- メディアセンターとしての余裕教室の整備・充実　など

**[学習の評価等]**

- ポートフォリオを活用した評価の充実
- 観点別学習状況を把握するための評価規準の設定
- 個人内評価の重視
- 指導と評価の一体化の充実
- 学期末，学年末における指導計画の評価の実施
- 授業分析による学習指導の評価の重視
- 学校運営協議会における教育課程に対する評価の実施　など

③のその他，各学校が必要と考える事項については，②の概括的に示す四つの事項と同じく，この時間の教育活動の基本的な在り方を示すのに必要な内容や方針に絞って，箇条書きにするなど簡潔な記述となるよう工夫する必要がある。全体計画の書式については，学校として，この時間の教育活動の基本的な在り方を概括的・構造的に示すという趣旨か

ら，基本的には各要素の関係が分かるよう簡潔に示すことが求められる。また，盛り込まれた事項相互の関係が容易に把握できるよう，記述や表現を工夫することも必要である。

# 第８章　総合的な探究の時間の年間指導計画及び単元計画の作成

本章では第４章第３の１の(2) に示された指導計画を構成する六つの要素のうち，主に学習活動に関する事項について述べる。本章第１節では，年間指導計画及び単元計画の基本的な考え方を示す。第２節では，年間指導計画の作成に当たっての考え方と配慮事項，第３節では，単元計画の具体的な考え方や進め方を示し，第４節では，運用に際しての留意事項を示す。

## 第１節　年間指導計画及び単元計画の基本的な考え方

年間指導計画及び単元計画は，全体計画とは異なり，生徒が日々取り組む学習活動の指導計画である。生徒の実態を踏まえ，学校や地域のもつ特色を生かし，現代的な諸課題につながるなどして探究するための計画である。１年間を通して一つの単元で構成される場合においても，複数の単元で構成される場合でも，育成を目指す資質・能力を中心に計画を立てることが大切である。

年間指導計画とは，１年間の流れの中に単元を位置付けて示したものであり，どのような学習活動を，どのような時期に，どのくらいの時数で実施するのかなど，年間を通しての学習活動に関する指導の計画を分かりやすく示したものである。総合的な探究の時間における年間指導計画は，各学校で作成した総合的な探究の時間の全体計画を踏まえ，学年や学級において，その年度の総合的な探究の時間の学習活動の見通しをもつために，１年間にわたる生徒の学習活動を構想して示すものである。

単元計画とは，課題の解決や探究活動が発展的に繰り返される一連の学習活動のまとまりである単元についての指導計画である。単元は，目標を実現するにふさわしい探究課題及び探究課題の解決を通して育成を目指す具体的な資質・能力をよりどころとして計画され，実施される。

年間指導計画及び単元計画の作成に当たっては，前年度に教育課程の見直しを行っておくことが必要である。前年度の学習活動の様子と，校内をはじめとする当該学年の過去の実践事例を基に，全体計画を参照し，学習活動や育成を目指す資質・能力の実現を中心に計画を立案し，見通しをもって４月を迎えることが大切である。年間指導計画と単元計画は相互に関連しており，その作成作業の実際においては，両者を常に視野に入れ，それぞれの計画を作成することが大切である。

実際に生徒を目の前にし，生徒と話し合いながら総合的な探究の時間における学習活動を決めたい，という考え方もある。また，４月から一定の時間を掛けて生徒と共に学習活動の計画を立てていくこと自体を重要な学習の機会と位置付け，適切に実施する中で，資質・能力を育成してきた事例もある。

こうした場合においても，前年度の学習活動の様子や校内をはじめとする当該学年の過去の実践事例を基に，育成を目指す資質・能力を中心に計画を立案し，見通しをもって４月を迎えることが大切である。例えば，学年の進行に応じて，生徒の課題に対する意識は多様になり，一人一人の意識に違いがあるのも事実である。

先に例示した，生徒とともに学習活動を計画してきた学校でも，実際には指導する教師が計画を作成し，十分な見通しをもって生徒と向かい合っている。そうであるからこそ，生徒の自発的な意見交換の中から，成果が期待できる学習活動を生み出せるのである。各学校においては，周到な計画や十分な見通しをもつことで，目の前の生徒の思いや願いに丁寧かつ迅速に対応できる。

なお，複数の学科をもつ学校では，各学科の特色等に応じて，それぞれに年間指導計画や単元計画を作成することも考えられる。

# 第２節　年間指導計画の作成

## 1　年間指導計画の在り方

年間指導計画は，学年の始まる４月から翌年３月までの１年間における生徒の学びの変容を想定し，時間の流れに沿って具体的な学習活動を構想し，単元を配列したものである。年間指導計画における単元の配列には，１年間を通して一つの単元を行う場合や，複数の単元を行う場合などがある。いずれにおいても，学習活動や生徒の意識が，連続し発展するように配列することが大切である。

特に，今回の改訂により，第４章総合的な探究の時間第３の１の(1) において，「年間や，単元などの内容や時間のまとまりを見通して，その中で育む資質・能力の育成に向けて，生徒の主体的・対話的で深い学びの実現を図るようにすること。その際，生徒や学校，地域の実態等に応じて，生徒が探究の見方・考え方を働かせ，教科・科目等の枠を超えた横断的・総合的な学習や生徒の興味・関心等に基づく学習を行うなど創意工夫を生かした教育活動の充実を図ること。」とされたことを踏まえることが重要である。ここで各教科・科目等と異なり，単元の見通しだけでなく年間という視点が入れられているのは，他の教科・科目等との関連を意識して主体的・対話的で深い学びの実現を図るためには，年間を見通すということが大変重要であるという，総合的な探究の時間の特質を踏まえたものである。

年間指導計画に記載される主たる要素としては，単元名，各単元における主な学習活動，活動時期，予定時数などが考えられる。さらに，各学校が実施する教育活動の特質に応じて必要な要素を盛り込み，活用しやすい様式に工夫することが考えられる。例えば，他の教科・科目等や他学年との関連を示す表を作成し，共有することは，全校体制でこの時間の学習活動を適切に行うための共通理解を図り，連携を図ることにつながる。

１年間の学習活動の展開を構想する際には，地域や学校の特色に加えて，各学校において積み重ねてきたこれまでの実践を振り返り，その成果を生かすことで，事前に準備を進めることができる。これまでの活動について，実施時期は適切であったか，時数の配当に過不足はないか，などについて，育成を目指す資質・能力を中心に，生徒の学習状況を適切に把握しながら必要に応じた計画の見直しを適宜行うことが考えられる。



## 2　作成及び実施上の配慮事項

以下，年間指導計画の作成及び実施に当たって配慮すべき四つの点について述べる。

### (1) 生徒の学習経験に配慮すること

年間指導計画を作成するに当たっては，当該学年までの生徒の学習経験やその経験から得られた成果について事前に把握し，その経験や成果を生かしながら年間指導計画を立てる必要がある。また，課程や学科，進路の希望など生徒の特性に応じた計画とすることも必要である。第１学年にあっては中学校の，第２学年以降にあっては当該学年までの生徒の学習経験について把握するとともに，これから行う総合的な探究の時間の学習活動の関連性についてもあらかじめ確認しておくことが大切である。

例えば，中学校段階で高齢者の福祉施設を訪問し，交流活動を行ってきた生徒の場合は，様々な立場から地域の高齢者の福祉について考え，現実の中に起きている福祉の現状と問題点，さらには政府の政策や自治体の取組などについてより深く理解していく。そこでは，幅広く多面的に高齢者の生活やそれを支える人々について考えたり，福祉をめぐる今後の課題について，行政の取組などと関連させて，自己の在り方生き方を考えたりしながら探究することなどが考えられる。このように類似の活動を繰り返す場合には，学ぶことが期待される内容が高等学校の生徒の発達段階などに合致しているか，繰り返し取り組むことによる学習の質的な高まりがあるか，などについて十分な検討を行うことが必要である。高等学校では，一般に複数の中学校から生徒を受け入れるため，小・中学校の学習との連続性をもたせることが困難な場合が多い。そこで，年間指導計画の作成に当たっては，中学校までの学習経験の有無や学習の深まりについて十分に把握しつつ，学校の特色や生徒の特性等を十分に踏まえることが重要である。

また，発達段階に応じた経験の有無が，後の学習活動の成否を左右することもあり，注意を要する。例えば，フィールドワークや地域社会の活動への参加などを段階的な積み上げがないまま実施しようとしても，うまく展開できないことがある。それまでにどのような交流の経験を積み重ねておくかに十分配慮しなければならない。また，体験の積み重ねが不足している場合には，その状況に応じた活動となるよう配慮することが必要である。

### (2) 実社会や実生活との接点を生み出すこと，季節や地域の行事など適切な活動時期を生かすこと

年間指導計画の作成においては，生徒の発達の特性から，実社会や実生活と自らの行為とのつながりを自覚するとともに，実社会や実生活との接点が生み出せるように総合的な探究の時間を行うよう配慮することが大切である。例えば，地域で取り組む環境保全の活動に参加し生活を改善すること，身近にいる障がい者に関心をもち福祉施設でボランティア活動に取り組むこと，地域活性化のためのイベントを自ら企画し実行することなどは，実社会に働きかけ，自ら社会に貢献することを実感することが期待できる。



また，年間指導計画の作成においては，１年間の季節や行事の流れを生かすことが重要である。季節の変化，地域や校内の行事等について，時期と内容の両面から，総合的な探究の時間の展開に関連付けることかできるかを，あらかじめ検討することが大切である。

地域の伝統行事や季節に応じた生産活動，地域で開催が予定されているイベント，歴史的・国際的な記念日など，学習活動が特定の時期に集中することで効果が高まったり，適切な時期を逃してしまうことで効果が薄くなったりすることがある。例えば，地域の伝統行事やイベントが開催される日程，それに関わる関係者の準備等の活動の展開を把握しておくことで，生徒が行事等を参観するだけでなく，行事等の実現を目指す地域の人々と協力し，企画・実行する過程で，行事等の背景や地域の人々の思いや願いについて直接触れ

たり，感じたりすることができる。さらに，自分たちで考え実行した活動が，地域の人々や地域を訪れた人々などにどのような効果を及ぼしたか，あるいはどのような支援となったのかについて，直接，評価をしてもらい，自ら検証することもできる。

歴史的な記念日や国際的な記念日をきっかけに，課題の解決や探究活動を展開する際にも，同様の事が考えられる。例えば，世界環境デーや国際平和デーなどの国際デーは，国際連合などの国際機関によって定められた記念日であり，毎年決められた日や週などに特定の問題に関して関心を高めたり，問題の解決を呼びかけたりしている。国際デーが近づくと報道などでその内容が紹介されることも多い。このような機会をとらえて，新聞やテレビなどから得られた資料を紹介するなどして関心を呼び起こし，地域で行われる活動に生徒が参画したり，専門家を教室に招いて話を聞いたりする，さらには，校内や地域で，独自にその記念日の趣旨に基づく活動を企画して実行することへと発展することもできる。社会的な関心の高まりを生かした学習活動を行うことによって，生徒の学習は一層深まるものと考えることができる。

### (3) 他教科等との関連を明らかにすること

第４章総合的な探究の時間第３の１の(4) に示した通り，年間指導計画の作成に当たっては，各教科・科目等との関連的な指導を行うことが求められている。また，関連的な指導は，各教科，総合的な探究の時間及び特別活動の全てにおいて大切にしているが，横断的・総合的な学習を行う観点から，総合的な探究の時間において最も数多く，幅広く行われることが予想される。こうした特性を踏まえて，第３の１の(4) に各教科・科目等との関連付けを明記し，この時間において特に重視している。

具体的には，各教科・科目等で身に付けた資質・能力を十分に把握し，組織し直すことで，改めて現実の生活に関わる学習において活用されることが期待されている。そうした資質・能力を適切に活用することが，総合的な探究の時間における探究活動を充実させることにつながる。

例えば，地理歴史科や公民科の資料活用の方法を生かして現地調査やインタビュー，文献調査などをして情報を収集すること。数学科や情報科の統計の手法でデータを整理して効果的な図表などに示すこと。国語科で学習した複数の文章や資料を基に必要な情報を関連付けて自分の考えを広げたり深めたりすることを生かして論述し議論すること。また，文章の書き方を生かして相手や目的に応じて論理の構成や展開，文章の形態や文体，語句などを工夫して，説得力のある企画書や報告書，案内状や御礼状，レポート等を書くこと。あるいは，理科で学習した生物の多様性と生態等に関することを生かして，自然の事物・現象の変化とその要因とを関係付け，変化の要因を考えながら観察，実験などを計画的に行いつつ，地域の生態系の保全計画を立てること。ほかにも，地域のイベントへの参画において，芸術科で学んだ手法を生かしてポスター，イラスト，マスコットなどを制作すること。外国語科の学習を外国人観光客への案内，掲示やパンフレットの作成などで生かすことなども考えられる。このように他教科等で学んだことを総合的な探究の時間に生かすことで，生徒の学習は一層の深まりと広がりを見せる。

総合的な探究の時間で行われた学習活動によって，各教科・科目等での学習のきっかけが生まれ意欲的に学習を進めるようになったり，各教科・科目等で学習していることの意味やよさが実感されるようになったりすることも考えられる。例えば，総合的な探究の時間で行った体験活動を生かして国語科で論文やレポート，プレゼンテーションやポスターセッション，Web上の動画やテキスト等，様々な表現を通して自分の思いや考えをまとめるなど，総合的な探究の時間での体験活動が各教科・科目等における学習の素材となることも考えられる。また，総合的な探究の時間で食と健康や，消費に関心をもった生徒は，家庭科における食の安全に配慮した献立や調理，自立した消費者としての意思決定や行動に関する学習に前向きに取り組む姿が想像できる。保健体育科における学習でも総合的な探究の時間で福祉・健康について学んだことの成果を生かして，学習に深まりと広がりを生み出すことが期待できる。

上記のような各教科・科目等との関連を明示した書式を工夫することも考えられる。例えば，学年の全教育活動を視野に入れることができるように，総合的な探究の時間における単元と，各教科・科目等の単元を配置することに加え，相互の関連を線で結べば，1年間の流れの中で各教科・科目等との関連を見通した年間指導計画（単元配列表）を作成することができる。特に，単元名や学習活動だけでなく，育成を目指す資質・能力が記され，それらが相互に関連することが示されれば，それぞれの学習活動は一層充実し，資質・能力が確かに育成される。総合的な探究の時間において，各教科・科目等で育成された資質・能力が発揮されたり，逆に総合的な探究の時間で育成された資質・能力が各教科・科目等の学習活動で活用されたりといったことを生徒が経験することによって，身に付けた資質・能力は汎用的な資質・能力として育成される。

### (4) 外部の教育資源の活用及び異校種・他校との交流を意識すること

総合的な探究の時間を効果的に実践するためには，保護者や地域の人，研究者や大学院生をはじめとする専門家などの多様な人々の協力，社会教育施設，社会教育団体，企業，NPOなど，様々な教育資源を活用することが大切である。このことは，第4章総合的な探究の時間第3の2の(9) に示した通りである。年間指導計画の中に生徒の学習活動を支援してくれる団体や個人を想定し，学習活動の深まり具合に合わせていつでも連携・協力を求められるよう日頃から関係づくりをしておくことが望まれる。学校外の教育資源の活用は，この時間の学習活動を一層充実したものにしてくれるからである。

また，総合的な探究の時間の年間指導計画の中に，幼稚園，認定こども園，保育所，小学校，中学校，特別支援学校，大学等との連携や，幼児・児童・生徒が直接的な交流を行う単元を構成することも考えられる。また，数校が合同しての生徒による学習成果発表会などを開催することも考えられる。異校種・他校との連携や交流活動を行う際には，生徒にとって交流を行う必要感や必然性があること，交流を行う相手にも教育的な価値のある互恵的な関係であることなどに十分配慮しなければならない。教師，保育者が互いに目的をもって計画的・組織的に進めることが大切である。

なお，学校外の多様な人々の協力を得たり，異校種・他校との連携や交流活動を位置付けたりして学習活動を充実させるには，綿密な打ち合わせを行うことが不可欠である。そのための適切な時間や機会の確保は，充実した学習活動を実施する上で配慮すべき事項である。

2
年間指導計画の作成

# 第３節　単元計画の作成

## 1　単元計画の基本的な考え方

単元とは，課題の解決や探究活動が発展的に繰り返される一連の学習活動のまとまりという意味である。単元計画の作成とは，教師が意図やねらいをもって，このまとまりを適切に生み出そうとする作業にほかならない。単元づくりは，教師の自律的で創造的な営みである。学校として既に十分な実践経験が蓄積され，毎年実施する価値のある単元計画が存在する場合でも，改めて目の前の生徒の実態に即して，単元づくりを行う必要がある。

単元計画を立てるに当たっては，今回の改訂により，第４章総合的な探究の時間第３の１の(1)において「年間や，単元など内容や時間のまとまりを見通して，その中で育む資質・能力の育成に向けて，生徒の主体的・対話的で深い学びの実現を図るようにすること。その際，生徒や学校，地域の実態等に応じて，生徒が探究の見方・考え方を働かせ，教科・科目等の枠を超えた横断的・総合的な学習や生徒の興味・関心等に基づく学習を行うなど創意工夫を生かした教育活動の充実を図ること。」とされたことを踏まえることが重要である。

総合的な探究の時間の学習活動については，探究であることを重要な要件の一つとしている。したがって，総合的な探究の時間では，生徒にとって意味のある課題の解決や探究活動のまとまりとなるように単元を計画することが大切である。生徒は，自分を取り巻く人，もの，ことについて，様々な興味・関心を抱いている。教師は，その中から教育的に見て価値のあるものを捉え，それを適切に生かして学習活動を組織する。学習活動の展開においては，育成を目指す資質・能力が育成されるように，生徒が自分で課題を設定し解決する過程を想定して単元の計画を立てる。

このようにして生み出された単元は，生徒の興味・関心をよりどころとするため，生徒の活動への意欲は高い。また，そこでの学習も真剣なものとなりやすく，学んだ内容も生きて働くものとなることが多い。その一方で，生徒が主体的に進める活動の展開においては，教師が意図した内容を生徒が自ら学んでいくように単元を構成する点に難しさがある。この点がうまくいかないと，単なる体験や活動に終始してしまったりする場合もある。いわゆる「活動あって学びなし」とは，このような状況に陥った実践を批判した表現である。

高等学校においては，生徒の興味・関心が多様であることから，生徒が立てる課題も多様になり，進度に違いが生じることも考えられる。そのため，個人で探究する場合においても，報告会や中間発表会などの相互評価をする活動を位置付け，それぞれの探究の過程を質的に高め，目指す資質・能力の育成が期待できるような単元計画を作成することが大切である。

総合的な探究の時間の単元計画作成に際しては，次の二つの重要なポイントがある。一つは，生徒にとって意味のある課題の解決や探究活動を生み出すには，生徒の興味や疑問を重視し，適切に取り扱うことである。もう一つは，課題の解決や探究活動の展開において，いかにして教師が意図した学習を効果的に生み出していくかである。

以下，この二つのポイントに沿って単元計画を作成する際の要点を解説する。

### (1) 生徒の興味・関心等に基づく単元の構想

総合的な探究の時間では，生徒の興味・関心や疑問等が単元計画を作成する際の出発点である。では，生徒の関心や疑問をどのように捉え，単元計画につなげていけばよいか。そこには，三つの留意すべき点がある。

第1に，生徒の関心や疑問は，その全てを本人が意識しているとは限らず，無意識の中に存在している部分も多いと捉えることである。

生徒にとって意味のある課題の解決や探究活動を生み出すには，その出発点である生徒の関心や疑問が本人にとって切実なものであることが重要である。しかし，何が自分にとっての関心や疑問であるか，生徒が十分に自覚できていなかったり，適切に言語化できていなかったりすることも多い。興味・関心をもっていること，取り組んでみたいことなどについて，生徒が話したことや書いたことのみを頼りに単元を計画してもうまくいかないのは，このためである。

単元計画の作成に際しては，生徒の関心や疑問は何かを丁寧に見取り，把握することが求められる。具体的には，他教科等での学習や日常生活の中での語りやつぶやき，ノートや生活の記録など，生徒の関心や疑問がうかがえる各種の資料を収集し，精査することが考えられる。あるいは，生徒との面談や日常の何げない機会を捉え，生徒と丁寧に会話する機会を設ける工夫なども有効である。会話の中で自分の考えや思いを語り，無自覚だった関心や疑問を生徒自身が自覚することもある。

第2に，生徒の関心や疑問とは，生徒の内に閉ざされた固定的なものではなく，環境との相互作用の中で生まれ，変化するものと捉えることである。今現在，生徒が抱いている関心や疑問は，過去や現在における生徒を取り巻く環境との相互作用の中で生まれてきたものである。そして，今後も様々な相互作用を通して変化していく。

このように考えると，事前に生徒が抱いている関心や疑問だけで単元計画を構想する必要はない。教師の働きかけなどにより，新たな関心や疑問が芽生える可能性も十分あるからである。そうやって新たに生まれた関心や疑問をよりどころに活動を組織し，単元を生み出すことも含めて考えることで，単元計画の選択肢は広がる。

例えば，体験を通して生徒に新たな関心や疑問が生じることは十分考えられるし，それを意図して特定の体験を設定することは，教師の意図的で計画的な指導の一環である。あるいは，自校の生徒による前年度までの探究の成果と課題を提示したり，具体的な活動を複数提案して生徒自身が問いをもつように促したりしてもよい。生徒だけでは思い付かないが，教師に提案されれば是非ともやってみたいと思う活動もあり得る。

第3に，生徒にとって切実な関心や疑問であれば何を取り上げてもよいというわけではなく，総合的な探究の時間において価値ある学習に結び付く見込みのあるものを取り上げ，単元を計画することである。

教師が選択して取り上げるという点について，生徒の関心や疑問に十分に応えることにならないのではないか，との疑念をもつかもしれない。しかし，総合的な探究の時間において，生徒の関心や疑問を大切にし，それをよりどころとして学習活動を生み出すのは，その先で価値ある学習を実現するためである。そのためには，何でもよいというわけにはいかない。

また，生徒の興味・関心は一つではない。第２の留意点で述べた通り，尋ねれば生徒は一つの関心事を挙げるかもしれないが，それが唯一の関心でも，興味の全てでもない。今現在，生徒が興味をもつことや関心を寄せるものなどはたくさんあり，さらに周囲の環境との相互作用の中で新たな関心や疑問は生まれてくるものである。大切なのは，教師が教育的な意図で選択して取り上げたものが，生徒にとっての関心や疑問につながっていることである。

このように，生徒一人一人が自分で課題を発見し探究する単元とするためには，生徒の興味・関心等に応じたものであると同時に，生徒が自分にとって価値のある課題であると認識できるものにすることが大切である。

### (2) 意図した学習を効果的に生み出す単元の構成

生徒の興味・関心等に基づく生徒主体の学習活動の中で，意図する学習を効果的に生み出し，資質・能力を育成するためには，教師による意図的な単元構成が欠かせない。単元を構成するに当たっては，次の２点に留意することが大切である。

一つは，学習の展開における生徒の意識や活動の向かう方向を的確に予測することである。そのための方策としては，まず，生徒の立場で考えること。次に，複数の教師で予測を行い，意見が異なった点については慎重に検討すること。また，タイプの異なる生徒を想定し，「この生徒であればこの場面ではどう考えるのだろうか」，「この課程や学科で学んでいる生徒であればこう考えを広げていくのではないか」などと可能な限り具体に即して予測することが考えられる。

もう一つは，十分な教材研究である。総合的な探究の時間においては探究課題における教材の意味や教材の活用方法を検討したり，教材を取り巻く状況を把握したりすることが大切である。それは，探究をより質の高いものにしていくために，教師が生徒に寄り添い，場面に応じて適切な支援をしていくためである。教材研究によって，生徒が探究の中でつまずきそうな場面やより思考を深めるようにしたい場面を想定し，課題への迫り方，情報の調べ方，分析の方法などを考え，適宜提供できるようにしておくことが大切である。

なお，総合的な探究の時間においては，生徒にとって意味のある問題の解決や探究活動のまとまりを基に単元を構成するため，その活動の過程において取り扱う内容は一つとは限らない。一つの単元の中で複数の内容が見込まれることも考えられる。

したがって，教材研究においても，できるだけ幅広く，拡散的に思考を巡らせていくことが重要である。

これらの留意点は，具体的には次のような指導や生徒の姿に結び付く。

ここでは，「自然環境とそこに起きているグローバルな環境問題」を探究課題とする単元計画を作成することを考える。

まず，その関心や疑問から，生徒はどのような活動を求め，展開していくだろうか，と考える。生徒は，地域や地球上で起きている環境問題について他教科等やメディア，書籍等から情報を得たり，小・中学校などで学習した経験があったりすることから，環境問題への関心や知識をもっているであろう。そうした生徒は，自然環境がどのように変化し，それがどのような環境問題となっているかを調べたり，自分がもっている知識や認識が正しいのか確かめたりしようとする。この場面では，地域の自然環境の変化，国内や世界の環境問題，環境が人間に与える影響などの課題を設定し，調査したり，情報を集めたりする。地域の自然環境の変化であれば，市史や昔の写真との比較，住民へのインタビュー調査，地域の状況に詳しい専門家へのインタビューなどを行うであろう。国内や世界の環境問題が人間に与える影響であれば，書籍や調査研究のデータを収集したり，専門家へのインタビューをしたりするであろう。ここで，集めた情報を整理・分析し，互いに交流する場を設ける。そうすると，地球温暖化は世界規模の問題でもあり自分たちの地域の問題でもあることや，大気汚染や水環境，食糧の安全性など，人間への影響が大きいことを再認識すると同時に，このような問題に対して人間がどのように関わっていけばいいのかという疑問をもつようになる。そこで，今も続く環境問題として被害者の話を聞く場を設定する。被害者の話を聞いた生徒は，被害者の苦しみに心を寄せ，現状に憤りを感じるであろう。そうした生徒は，さらに，環境問題の被害者や加害者はどんな人で，今現在その関係はどのような状況にあるのかを知りたいと思うであろう。また，被害者はどのような思いで暮らし，問題の改善のためにどのようなことに取り組んでいるのか，被害者ではない周りの大勢の人はその問題や被害者，加害者に対してどのような思いをもっているのか，日本の政府はどのような取組をしているのか，世界的にはどのような取組をしているのか等の問いをもつであろう。それぞれの問いや疑問から「環境問題が社会に与える影響は何か」，「世界の環境問題と私が住む地域の環境との関連」などの新たな課題を設定し，課題解決の情報を得ようと動き出すであろう。例えば，水俣病を手がかりに探究していく生徒であれば，原因物質であるメチル水銀や神経病理学についての論文や発展途上国と水銀汚染の関係に関する論文を読むであろう。また，国連環境計画（UNEP）の報告書や「水銀に関する水俣条約」外交会議の取組を調べたりもするであろう。

さらに，調査結果やまとめたことを交流することにより，自分を含めた人間が加害者にも被害者にもなり得るという視点や，持続可能な社会を実現するという視点をもちながら議論をし，考えを深めていく。

このように，環境問題を人権，経済，エネルギー，生物多様性などの側面から深く，あるいは多様に探究していくことで，持続可能な社会づくりの概念的知識が形成され，探究の見方・考え方を働かせながら，資質・能力を獲得していくような深い学びを実現させていくことができる。

例を挙げて述べてきたように，生徒の視点で丁寧に単元を構想する中で，各学校が設定した目標及び内容が，確かに実現するかどうかを判断していかなければならない。特に，教師はどこでどのような意図的な働きかけをする必要があるのか，またその際に留意すべき事柄は何かなども，具体的に明らかにすべきである。

## 2　単元計画としての学習指導案

先に記した単元の計画を具体的に表現するには，例えば，次に示す項目を学習指導案に位置付けることが考えられる。以下にその項目を記す。

**①　単元名**

総合的な探究の時間において，どのような学習が展開されるかを一言で端的に表現したものが単元名である。総合的な探究の時間の単元名については，例えば，次の点に配慮することが大切である。一つ目は，生徒の学習の姿が具体的にイメージできる単元名にすることである。二つ目は，学習の高まりや目的が示唆できるようにすることである。

**②　単元目標**

どのような学習を通して，生徒にどのような資質・能力を育成することを目指すのかを明確に示したものが単元目標である。各学校の目標や内容を視野に入れ，中核となる学習活動を基に構成することが考えられる。なお，目標の表記については，一文で示す場合，箇条書きにする場合などが考えられる。

**③　生徒の実態**

単元を構想し，構成する際には，生徒の実態を明確に把握する必要がある。特に，目標を実現するにふさわしい探究課題，探究課題の解決を通して育成を目指す具体的な資質・能力について，どのような実態であるかを把握しておくことが欠かせない。また，中核となる学習活動について，どのような経験をもっているのかも明らかにする必要がある。

**④　教材について**

教材とは，生徒の学習を動機付け，方向付け，支える学習の素材のことである。単元計画の中に教材について記すに当たっては，教材の紹介にとどまらず，生徒がその教材に出会うことによって学ぶことが期待できる学習事項や育成が期待できる資質・能力について分析し，教材のどこに価値があるのかを具体的に記すことが大切である。

**⑤　単元の展開**

単元の展開では，目標を実現するにふさわしい探究課題，探究課題の解決を通して育成を目指す具体的な資質・能力，生徒の興味・関心を基に中核となる学習活動を設定する。

単元の学習を通して，どのような概念的な知識を生徒に獲得してほしいのか，どのような思考力，判断力，表現力等や学びに向かう力，人間性等の伸長を期待しているのかを明確にし，生徒の興味・関心から始まる学習活動の連続が，探究活動となるよう単元を構想しなければならない。この段階では，具体的な時数や学習環境なども視野に入れ，単元の展開を具体化することが求められる。

# 第４節　年間指導計画・単元計画の運用

年間指導計画，及び単元計画の運用に当たっては，学習活動の展開や生徒の取組や願いを随時把握し，育てたい資質・能力と照らし合わせながら，年度当初に作成した計画について必要に応じて適宜見直していく柔軟かつ弾力的な姿勢をもつことが大事である。

総合的な探究の時間では，いかに周到に単元計画を作成しても，教師が想定した以上の生徒らしい発想や追究の姿が見られることがある。また，生徒の探究の方向性や課題の捉え方に教師の想定とのずれが生じて，計画通りに展開しない場合や育成を目指す資質・能力の高まりが見られない場合がある。あるいは，生徒の取組や思考が停滞して，次の段階へ進むことが困難になることもある。

そこで，生徒の探究の様子や意識の流れ等を常に捉え，当初作成した年間指導計画や単元計画を見直し，修正をしていくことが必要になる。その際，次のような点に留意することが考えらえる。

一つは，生徒とともに計画の見直しを行うことである。高校生は，自分の探究活動がどのような状況にあり，今後何をすべきかについて自己評価できる。そこで，教師が一方的に活動の見直しや修正を行うのではなく，生徒の意見を取り入れながら計画を修正していく。生徒は，これまでの探究活動を踏まえて，再調査が必要であると考えたり，最終的な発表会の前にもう一度予備的な発表会を行いたいと考えたりするであろう。教師は，可能な範囲で生徒の意見を取り入れ，時間配分や学習活動を変更することなどが考えられる。

もう一つは，報告会や中間発表会などの様々な節目を活用して計画の見直しを行うことである。中間発表会であれば，その時点での生徒全員の探究活動の状況を把握することができる。およそ計画通りに進んでいればそのまま進めていくことになるであろうし，教師が想定した展開になっていなければ，その原因を探るとともに，計画を修正することになる。生徒の探究活動の状況や育成を目指す資質・能力などから考えて，柔軟に学習活動やそのための時数等を変更していくことが必要である。

次に，総合的な探究の時間ではその目標を実現するためには，生徒の学習活動が主体的に連続していくように，適宜，可能な指導や支援を想定し，授業を実施する。つまり生徒の思考や活動がなるべく中断されずに，自己の学びを振り返ることができるような場面を見極めていく必要がある。そのためには，単位時間の設定においてはその活動目的に応じた弾力化が求められる。

ほかにも，活動の目的や方法，内容が変更された場合には年間指導計画を見直し，改めて関連する教科・科目等の内容が無いかを検討し，生徒の学びの必要感や必然性に基づいて位置付けたり，新たに生徒の思考や活動を深める専門家や関連機関等との連携も視野に入れて教材を研究し直したりすることが必要になる。このような単元の見直し等をしっかりと記録し，年間指導計画を修正しながら学校全体で共有することで，次年度以降の単元づくりに多くの示唆を与えることになる。

# 第9章　総合的な探究の時間の学習指導

本章では，総合的な探究の時間において，どのような学習指導を行うことが求められているのかを記していく。まず，本章第1節では，学習指導の基本的な考え方を「生徒の主体性の重視」，「適切な指導の在り方」「具体的で発展的な教材」，の三つから記述していく。そして，本章第2節では，総合的な探究の時間における「主体的・対話的で深い学び」について述べる。さらに，本章第3節では，これらの考え方を受け，学習指導の際のポイントを「探究の過程」に沿って具体的に解説していく。

## 第1節　学習指導の基本的な考え方

### 1　生徒の主体性の重視

総合的な探究の時間の学習指導の第1の基本は，学び手としての生徒の有能さを引き出し，生徒の発想を大切にし，育てる主体的，創造的な学習活動を展開することである。

生徒は本来，知的好奇心に富み，自ら課題を見付け，自ら学ぶ意欲をもった存在である。生徒は，具体的な事実に直面したり様々な情報を得たりする中で，対象に強い興味や関心をもつ。また，実際に体験したり調査したりして，繰り返し対象に働きかけることで，対象への思いを膨らませていく。

さらに，生徒は未知の世界を自らの力で切り拓(ひら)く可能性を秘めた存在である。興味ある事象についての学習活動に取り組む生徒は，納得するまで課題を追究し，本気になって考え続ける。この学習の過程において，生徒は自己の在り方生き方を考えながら，よりよく課題を発見し解決していくための資質・能力を育んでいく。

こうした生徒がもつ本来の力を引き出し，それを支え，伸ばすように指導していくことが大切であり，そうした肯定的な生徒観に立つことが欠かせない。しかし，生徒の主体性を重視するということは，教師が生徒の学習に対して積極的に関わらないということを意味するものではない。

例えば，生徒の主体性が発揮されている場面では，生徒が自ら変容していく姿を見守ることが大切である。また，生徒の取組が停滞したり迷ったりしている場面では，適切な指導が必要である。そのようにして，生徒のもつ潜在的な力が発揮されるような学習指導を行うことが大切である。



### 2　適切な指導の在り方

学習指導の第2の基本は，探究課題に対する考えを深め，資質・能力の育成につながる探究活動となるように，教師が適切な指導をすることである。

第1の基本に示したように，原則としては生徒のよさや可能性を引き出し，それを支え，伸ばすことが重要である。そこでは，生徒の主体的な取組を重視する。しかし，それだけでは学習の広がりや深まりは期待できない。そこで，3で述べる適切な教材が用意されていることが大切であり，さらに，探究として展開していくように，教師が指導性を発揮することが重要である。どのような体験活動を仕組み，どのような話合いを行い，どのように考えを整理し，どのようにして表現し発信していくかなどは，まさに教師の指導性にかかる部分であり，生徒の学習を活性化させ，発展させるためには欠かせない。こうした教師の指導性と生徒の自発性・能動性とのバランスを保ち，それぞれを適切に位置付けることが豊かで質の高い総合的な探究の時間を生み出すことにつながる。

そのためには，生徒の状況や教材の特質に応じて，教師がどのような意図をもって展開していくかが問われる。学習を展開するに当たって，教師自身が明確な考えをもち，期待する学習の方向性や望ましい変容の姿を想定しておくことが不可欠である。学習活動のイメージをもつことで，どのような場面でどのように指導するのかが明らかになる。また，生徒の望ましい変容の姿を想定しておくことで，学習状況に応じた適切な指導も可能になる。

なお，高等学校において総合的な探究の時間の授業は，学年や学科ごとに作成された年間指導計画に基づき，学年単位・学科単位で同時展開される例が多く見られる。この場合，ホームルーム担任が自分のホームルームを直接指導する方法や，学年内や学科内の教師が指導を分担し生徒の興味・関心などを基に学習集団を組織する方法などがとられている。また，学校によっては，教師全体で指導を分担し，学年や学科の枠も外して課題別の学習集団を構成する例も見られる。

## 3　具体的で発展的な教材

学習指導の第3の基本は，具体的な教材，発展的な展開が期待される教材を用意することである。

総合的な探究の時間では，生徒の自主性や自発性を重視し，生徒の思いや願いを大切にすることを記してきた。しかし，充実した学習活動を展開し，学習を深め，生徒が探究課題の解決を通して育成を目指す具体的な資質・能力を身に付けていくためには，適切な教材（学習材）が用意されていることが欠かせない。

教材は，質の高い探究活動が展開されるように，生徒の学習を動機付けたり，方向付けたり，支えたりするものであることが望まれる。生徒の興味・関心をこれまで以上に重視しながら，実社会や実生活と自己との関わりの中にある問題や事象を適切に取り上げ，生徒にとって学ぶ価値のある教材としていくことが重要である。

総合的な探究の時間の教材には，以下の特徴があることが求められる。

一つには，実社会や実生活の中にあり，観察したり調査したりするなど，直接体験をしたり繰り返し働きかけたりすることのできる具体的な教材であることである。総合的な探究の時間は，探究の過程に体験活動を適切に位置付けることが重要であり，そうした中で行われる全身を使った対象の把握と情報の収集が欠かせない。総合的な探究の時間においては，間接的な体験による二次情報も必要ではあるが，より優先すべきは，実物に触れたり，実際に行ったりするなどの直接体験であることは言うまでもない。

二つには，生徒の学習活動が豊かに広がり，発展していく教材であることである。生徒は，実社会や実生活とのつながりのある具体的な活動や体験を行うことによって意欲的で前向きな姿勢となる。そのため，一つの対象から，次々と学習活動が展開し，自然事象や社会事象へと多様に広がり，学習の深まりが生まれることが大切である。また，生活の中にある教材であっても，そこから広い世界が見えてくるなど，身近な事象から現代社会の課題等に発展していくことが期待される。

このように，総合的な探究の時間における教材は，実社会や実生活と自己との関わりの中にある問題や事象を取り上げることが効果的である。例えば，貧困の問題を取り上げたとしても，そこから，社会構造や社会福祉の問題，世界の紛争や開発と支援の問題，そして，それらの問題と自分との関係などが見えてくる。

三つには，実社会や実生活と自己との関わりについて多面的・多角的に考えることができる教材であることである。総合的な探究の時間で取り扱う課題には，様々な捉え方や考え方ができるものがあり，それらについて特定の立場や見方に偏った取扱いがされているような教材は適切ではない。

## 第２節　総合的な探究の時間における「主体的・対話的で深い学び」

本解説第３章第２節で示したように，探究とは，日常生活や社会に生起する複雑な問題について，その本質を探って見極めようとする学習のことであり，問題解決的な活動が発展的に繰り返されていく一連の学習活動のことである。前回の改訂では，この時間を探究とするために，「課題の設定」，「情報の収集」，「整理・分析」，「まとめ・表現」の学習過程が繰り返される中で，生徒の資質・能力が育ち，学習が更に高まっていくことが重要であることが示された。そして，その過程の中で，実社会や実生活と関わりのある学びに主体的に取り組んだり，異なる多様な他者との対話を通じて考えを広めたり深めたりする学びを実現することが大切にされてきた。したがって，総合的な探究の時間において「主体的・対話的で深い学び」の視点による授業改善を重視することは，探究の過程をより一層質的に高めていくことにほかならない。

なお，今回の改訂で重視される「主体的な学び」，「対話的な学び」，「深い学び」の三つの視点は，生徒の学びとしては一体として実現されるものであり，また，それぞれ相互に影響し合うものでもある。単元のまとまりの中で，それぞれのバランスに配慮しながら学びの状況を把握し改善していくことが求められる。以下，探究の過程における「主体的・対話的で深い学び」の実現について具体的に解説する。

### 1　「主体的な学び」の視点

「主体的な学び」とは，学習に積極的に取り組ませるだけでなく，学習後に自らの学びの成果や過程を振り返ることを通して，次の学びに主体的に取り組む態度を育む学びである。総合的な探究の時間においては，学習したことをまとめて表現し，そこからまた新たな課題を見付け，更なる問題の解決を始めるといった学習活動を発展的に繰り返していく過程を重視してきた。

こうした学習過程の中で生徒が主体的に学んでいく上では，課題設定と振り返りが重要となる。課題設定については，生徒が実社会や実生活と自己との関わりから問いを見いだし自分で課題を立てることが大切である。また，学習活動の見通しを明らかにし，学習活動のゴールとそこに至るまでの道筋を鮮明に描くことができるような学習活動の設定を行うことも大切になる。

一方，振り返りについては，自らの学びを意味付けたり，価値付けたりして自覚し，他者と共有したりしていくことにつながる。振り返りを通して，自分の人生や将来について考え，学んだことを自己のキャリア形成の方向性と関連付けることが求められる。まとめの段階として，言語によりまとめたり表現したりする学習活動として，論文やレポート，活動報告書等に書き表したり，口頭で報告したりすることなどを行うことが考えられる。特に，文字言語によってまとめることは，学習活動を振り返り，体験したことと収集した情報や既有の知識とを関連させ，自分の考えとして整理する深い理解につながっていく。なお，振り返りは必ずしも単元の最後に行うとは限らない。時には探究の過程において，途中で一旦立ち止まって振り返って考え直してみるということも，主体的な学びという視点からは意義があるものと考えられる。例えば，最終段階の一歩手前に発表の場面を設定し，発表を聞いている人からの質問に答えることで理解が深まり，実践報告書に反映することができる。

## 2 「対話的な学び」の視点

「対話的な学び」とは，他者との協働や外界との相互作用を通じて，自らの考えを広げ深めるような学びである。以前より，他者とともに探究に取り組むことを大切にしてきたように，探究の過程を質的に高めていくためには，引き続き異なる多様な他者と力を合わせて課題の解決に向かうことが欠かせない。

ここで行われる異なる多様な他者と対話することには，次の三つの価値が考えられる。一つは，他者への説明による情報としての知識や技能の構造化である。生徒は身に付けた知識や技能を使って相手に説明して話すことで，つながりのある構造化された情報へと変容させていく。二つは，他者からの多様な情報収集である。多様な情報が他者から供給されることで，構造化は質的に高まるものと考えられる。三つは，他者とともに新たな知を創造する場の構築と課題解決に向けた行動化への期待などである。実際の授業場面では，情報の質と量，再構成の方法等に配慮して具体的な学習活動や学習形態，学習環境として用意する必要がある。例えば，「考えるための技法」を自在に活用していくことなどは，対話的な学びを確かに実現していくものと期待できる。なぜなら，情報が「可視化」され「操作化」されることで，生徒が自ら学び共に学ぶ姿が具現化されるからである。こうした授業改善の工夫により，思考を広げ深め，新たな知を創造する生徒の姿が生まれると考えられる。

一方で，協働的な学習はグループとして結果を出すことが目的ではなく，その過程を通じて，一人一人がどのような資質・能力を身に付けるかということが重要である。グループとして考えるだけでなく，一人一人が学習の見通しをもったり，振り返ったりすることが求められる。

なお，「対話的な学び」は，学校内において他の生徒と活動を共にするということだけではなく，一人でじっくりと自己の中で対話すること，先人の考えなどと文献で対話すること，離れた場所をICT機器などでつないで対話することなど，様々な対話の姿が考えられる。

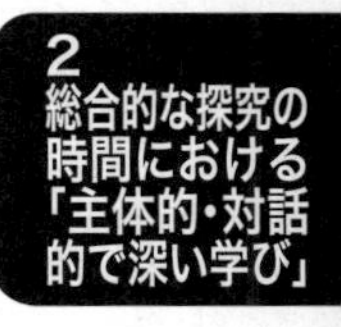


## 3 「深い学び」の視点

「深い学び」については，探究の過程を一層重視し，これまで以上に学習過程の質的向上を目指すことが求められる。探究の過程では，各教科で身に付けた「知識及び技能」，「思考力，判断力，表現力等」の資質・能力を活用・発揮する学習場面を何度も生み出すことが期待できる。それにより，各教科で身に付けた「知識及び技能」は関連付けられて概念化し，「思考力，判断力，表現力等」は活用場面と結び付いて汎用的なものとなり，多様な文脈で使えるものとなることが期待できる。

また，このように充実した学習の過程において，生徒は手応えをつかみ前向きで好ましい感覚を得ることが期待できる。そのことが，更なる学習過程の推進に向かう安定的で持続的な意志を涵(かん)養していく。

総合的な探究の時間における探究の過程が充実することにより，各教科・科目等で育成された資質・能力は繰り返し活用・発揮される。そのことによって，生きて働く知識及び技能として習得され，未知の状況にも対応できる思考力，判断力，表現力等が育成され，学びを人生や社会に生かそうとする学びに向かう力，人間性等の涵(かん)養につながるのである。

探究の各段階において，「深い学び」の視点を意識するために大切と考えられるポイントは次節において解説する。

## 第３節　総合的な探究の時間における指導のポイント

今回の改訂においては,「横断的・総合的な学習」を，探究の見方・考え方を働かせて行うことを通して，自己の在り方生き方を考えながら，よりよく課題を発見し解決していくための「資質・能力」を育成することを目指している。本解説第３章第１節で述べたように，この「探究の見方・考え方」とは，各教科・科目等における見方・考え方を総合的・統合的に活用して，広範で複雑な事象を多様な角度から俯瞰(ふかん)して捉え，実社会・実生活の課題を探究し，自己の在り方生き方を問い続けることであると言える。この探究の見方・考え方は，各教科・科目等の見方・考え方を活用することに加えて,「俯瞰(ふかん)して対象を捉え，探究しながら自己の在り方生き方を問い続ける」という，総合的な探究の時間に特有の物事を捉える視点や考え方である。つまり，探究の見方・考え方を働かせるということは，これまでのこの時間において大切にしてきた課題の解決や探究活動の一層の充実が求められていると考えることができる。

本節においては，今回の改訂の趣旨を実現するための具体的な学習指導のポイントを，次の二つに分けて示していく。一つは,「学習過程を探究の過程にすること」とし，探究の過程のイメージを明らかにしていく。もう一つは,「他者と協働して取り組む学習活動にすること」とし，探究の過程の更なる充実に向けた方向性を明らかにしていく。

### １　学習過程を探究の過程にすること

学習過程を探究の過程とするためには，以下のようになることが重要である。

① **【課題の設定】** 体験活動などを通して，課題を設定し課題意識をもつ

② **【情報の収集】** 必要な情報を取り出したり収集したりする

③ **【整理・分析】** 収集した情報を，整理したり分析したりして思考する

④ **【まとめ・表現】** 気付きや発見，自分の考えなどをまとめ，判断し，表現する

なお，ここで言う情報とは，判断や意思決定，行動を左右する全ての事柄を指し，広く捉えている。言語や数字など記号化されたもの，映像や写真など視覚化されたものによって情報を得ることもできるし，具体物との関わりや体験活動など，事象と直接関わることによって情報を得ることもできる。

もちろん，こうした探究の過程は，いつも①～④が順序よく繰り返されるわけではなく，順番が前後することもあるし，一つの活動の中に複数のプロセスが一体化して同時に行われる場合もある。およその流れのイメージであるが，このイメージを教師がもつことによって，探究を具現するために必要な教師の指導性を発揮することにつながる。また，この探究の過程は何度も繰り返され，高まっていく。

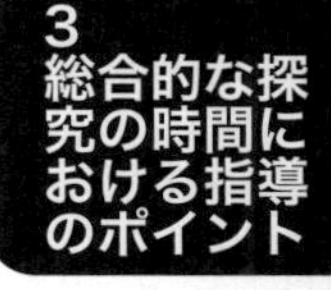


例えば，まちの年齢別人口の推移に着目し，少子高齢化や人口流出が進行していくことを予測した生徒は,「どうしたら地域を活性化できるか」という課題を設定する（①課題の設定)。その課題をもとに，今ある自分の知識や経験から話し合いをしていくうちに，そもそもなぜ，若い人が地域から出て行ってしまうのか知りたくなる。そこで実際に町に

出てインタビューする（②情報の収集）。収集した情報を整理・分析していく中で，人口流出は，雇用や福祉など複数の要因が複雑に絡み合っている現状に起因することに気付く（③整理・分析）。次に生徒は考えられる要因から焦点を絞り，より一層詳しく調査活動を行い，活性化に向けた新たな考えをもつ（②情報の収集）。そして友達と討論しながらもう一度「地域の活性化」に向けた話合いを行う（④まとめ・表現）。

生徒は話合いから，「地域には他にはない確かな魅力があり，その魅力を発信したい。地域で文化を大切にしている人々の思いや願いを知り，自分たちも活性化に貢献できるイベントを企画したい」という，新たな課題「まちおこしにつながるイベントを企画しよう」を立てて，更なる課題の解決を始める。初めの課題「どうしたら地域を活性化できるか」に比べ，次の課題「まちおこしにつながるイベントを企画しよう」では，課題がより具体的かつ，自分との関係が深まったものとなっていく。このように，生徒の疑問や考えなどから課題がどんどん高まり繰り返されていくように教師は単元を構想したり支援したりしていく。

以下に，それぞれのプロセスごとの学習活動のイメージと，そこで行われる具体的な教師の学習指導のポイントを記す。

### ①　課題の設定

総合的な探究の時間にあっては，生徒が実社会や実生活と自己との関わりから，自ら課題意識をもち，その意識が連続発展することが欠かせない。しかし，生徒が自ら課題をもつことが大切だからといって，教師は何もしないでじっと待つのではなく，教師が意図的な働きかけをすることが重要である。例えば，人，社会，自然に直接関わる体験活動においても，学習対象との関わり方や出会わせ方などを，教師が工夫する必要がある。その際，事前に生徒の発達や興味・関心を適切に把握し，これまでの生徒の考えとの「ずれ」や「隔たり」を感じさせたり，対象への「あこがれ」や「可能性」を感じさせたりする工夫をしなくてはならない。

生徒は，対象やそこに存在する問題状況に直接出会うとき，現実の状況と自ら抱く理想の姿との対比などから問いを見出し，その状況を改善するための課題意識を高めることが多い。例えば，生徒は，「地球温暖化やエネルギーの問題から自分の生活を見直そう」のテーマの下，国際的な問題となっている地球温暖化の現象やエネルギーに関する様々な問題事象を資料などから把握する。そして，地球温暖化が多くの地域の気候に影響を及ぼし始めていることや，そのことが生態系を破壊し始めていることなどに気付く。また，その中で獲得した知識を生かして，自分自身の日々の生活や身の回りの環境を見つめ直したり，環境保全に対する企業活動や市民運動などに目を向けたりする。このように，図や写真，グラフや表などの様々な資料から，現代社会に起きている様々な問題状況をつかみ，そのことと日常生活や社会との関わりを明確にすることで，生徒は解決すべき身に迫った課題として設定していくようになる。

自分との関わりから問いを見いだし自分で設定した課題であるからこそ，その取組は真剣なものになる。したがって，生徒がどれだけ切実な必要感のある課題を設定するかが大切になってくる。

このため，各自の課題の設定には十分な時間をかけてよい。必要に応じて，単元の総時数の３分の１程度を当てることも考えられる。十分な時間をかけて一人一人の生徒にとって価値のある適切な課題を設定することが大切である。ここで言う適切な課題とは，その課題を解決することの意味や価値を自覚できる課題である。また，どのようなことを調べ，どのようなことを行うかなど，学習活動の展開が具体的に見通せる課題である。そのような課題となるよう，十分な時間を用いて課題を検討し合うことが大切である。課題の設定に向けて十分な吟味がなされていく過程で，その課題が現実的に解決可能か，どのような方法により解決するのか，解決する価値はあるのか，などが繰り返し検証されることにもなる。

なお，課題の設定については，本解説第５章第２節（3）「課題の設定においては，生徒が自分で課題を発見する過程を重視すること」を踏まえることが大切である。

### ②　情報の収集

課題意識や設定した課題を基に，生徒は，観察，実験，見学，調査，探索，追体験などを行う。こうした学習活動によって，生徒は課題の解決に必要な情報を収集する。情報を収集する活動は，そのことを生徒が自覚的に行う場合と無自覚的に行っている場合とがある。目的を明確にして調査したりインタビューしたりするような活動や条件を制御して行う実験などでは，自覚的に情報を収集していることになる。一方，体験活動に没頭したり，体験活動を繰り返したりしている時には，無自覚のうちに情報を収集していることが多い。そうした自覚的な場と無自覚的な場とは常に混在しているものの，課題の解決や探究活動の過程においては，生徒が自覚的に情報を収集する学習活動が意図的に展開されることが望ましい。

例えば，環境やエネルギーの問題を考えるために，IPCC（気候変動に関する政府間パネル）の発表したデータを収集したり，各種発電施設の二酸化炭素排出量や化石資源の埋蔵量を調査したりすることなどが考えられる。意識が二酸化炭素の排出とエネルギーに向き始めたら，家庭生活において直接的にエネルギーを消費している実態や間接的にエネルギーを消費している実態を具体的に調べることなどができる。また，昔の暮らしと現代の暮らしをインタビューして比べながら，エネルギーに依存している現代社会の生活の様子を実感することなども考えられる。

こうした場面では，幾つかの配慮すべき事項がある。

一つ目は，収集する情報は多様であり，それは学習活動によって変わるということである。例えば，家庭での電力使用量を調査したり，タービンのモデルを使って発電実験をしたりすれば数値化した情報を収集することができる。インターネットや文献で調べたり，インタビューをしたりすれば言語化した情報も手に入れることができる。実際に体験談を聞けば「便利になったんだ」「もったいないことをしているな」といった主観的で感覚的な情報の獲得が考えられる。どのような学習活動を行うかによって収集する情報の種類が違うということであり，その点を十分に意識した学習活動が

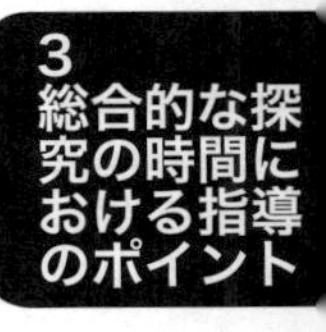

行われることが求められる。特に，総合的な探究の時間では，体験を通した主観的で感覚的な情報だけでなく，数値化された客観的な情報などを幅広く多様に収集することが大切であり，そうした情報が生徒の課題の解決や探究活動を質的に高めていく。

二つ目は，課題解決のための情報収集を自覚的に行うことである。具体的な体験活動が何のための学習活動であるのかを自覚して行うことが望ましい。体験活動自体の目的を明確にし，そこで獲得される情報を意識的に収集し蓄積することが大切である。そのことによって，どのような情報を収集するのか，どのような方法で収集するのか，どのようにして蓄積するのか，などの準備が整うことになる。

三つ目は，収集した情報を適切な方法で蓄積することである。数値化した情報，言語化した情報などは，デジタルデータをはじめ様々な形のデータとして蓄積することが大切である。その情報がその後の探究活動を深める役割を果たすからである。収集した場所や相手，期日などを明示して，ポートフォリオやファイルボックス，コンピュータのフォルダなどに蓄積していく。その際，個別の蓄積を基本とし，必要に応じてホームルームやグループによる共同の蓄積方法を用意することが考えられる。一方，適切な方法で蓄積することが難しいのは感覚的な情報である。体験活動を行ったときの感覚，そのときの思いなどは，時間の経過とともに薄れていき，忘れ去られる。しかし，そうした情報は貴重なものであり，その後の課題解決に生かしたい情報である。したがって，体験活動を適切に位置付けていくだけではなく，体験で獲得した情報を作文やカードなどで言語化して，対象として扱える形で蓄積することにも配慮が必要である。

また，こうした情報の収集場面では，各教科・科目等で身に付けた知識や技能を発揮することで，より多くの情報，より確かな情報が収集できる。例えば，国語科で身に付けた目的や場に応じて，効果的に話したり的確に聞き取ったりする資質・能力を生かして，老人から昔の生活の様子を聞き取ることが考えられる。また，理科で学んだエネルギー利用に関する内容や地理歴史科で学んだ資源の埋蔵量や分布に関する内容を関連付けて考えることで，調査対象を深めたり絞り込んだりすることも考えられる。

なお，情報の収集に際しては，必要に応じて教師が意図的に資料等を提示することも考えられる。



### ③ 整理・分析

②の学習活動によって収集した多様な情報を整理したり分析したりして，思考する活動へと高めていく。収集した情報は，それ自体はつながりのない個別なものである。それらを種類ごとに分けるなどして整理したり，細分化し因果関係を導き出したりして分析する。それが思考することであり，そうした学習活動を位置付けることが重要である。

例えば，地球の気温変化の推移と産業革命などによる生活の変化を時間軸で整理し関連付けたり，季節による電力使用量やインタビュー結果の分類を統計的手法で分析したりすることなどが考えられる。また，未来のエネルギー源について，持続可能な社会の構築をテーマに論理的に話し合っていくことなども考えられる。

このような学習活動を通して，生徒は収集した情報を比較したり，分類したり，関連付けたりして情報内の整理を行う。このことこそ，情報を活用した活発な思考の場面であり，こうした学習活動を適切に位置付けることが重要である。その際には，以下の点に配慮したい。

一つは，どのような情報が，どの程度収集されているかを把握することである。数値化した情報と言語化した情報とでは扱い方が違ってくる。また，学習対象として扱う情報の分量によっても学習活動は変わってくる。

二つは，どのような方法で情報の整理や分析を行うのかを決定することである。数値化された情報であれば，統計的な手法でグラフにすることが考えられる。グラフの中にも，折れ線グラフ，棒グラフ，円グラフ，ヒストグラムなど様々な方法が考えられる。また，標本調査の考え方を利用して母集団の傾向を探ったり，表計算ソフトを使って情報を処理したりすることも考えられる。言語化された情報であれば，カードにして整理する方法，出来事を時間軸で並べる方法，調査した結果をマップなどの空間軸に整理する方法などが考えられる。あるいは，複数の整理された情報を関連付けることなども考えられる。情報に応じて適切な整理や分析の方法が考えられるとともに，その学習活動によって，どのように考えさせたいのかが問われる。

ここでは，本解説第４章第３節及び第７章第３節の情報を整理・分析するということを意識的に行うために，比較して考える，分類して考える，序列化して考える，類推して考える，関連付けして考える，原因や結果に着目して考える，などの「考えるための技法」を意識することがポイントとなる。何を，どのように考えさせたいのかを意識し，「考えるための技法」を用いた思考を可視化する思考ツールを活用することで，整理・分析場面の学習活動の質を高め，全ての生徒に資質・能力を確かに育成していくことが求められている。

なお，ここでも，国語科や数学科，情報科などをはじめ様々な教科での学習成果が生かされる。また，適宜，課題の解決や探究活動の過程を振り返り，自分の取組と設定した課題との整合性を点検することも忘れてはいけない。

#### ④　まとめ・表現

情報の整理・分析を行った後，それを他者に伝えたり，自分自身の考えとしてまとめたりする学習活動を行う。そうすることで，それぞれの生徒の既存の経験や知識と，学習活動により整理・分析された情報とがつながり，一人一人の生徒の考えが明らかになったり，課題がより一層鮮明になったり，新たな課題が生まれたりしてくる。このことが学習として質的に高まっていくことであり，表面的ではない深まりのある探究活動を実現することにつながる。

「まとめ・表現」は，調査結果を論文やレポート，活動報告書としてまとめ表現したり，ポスター形式でまとめディスカッションしたり，写真やグラフ，図などを使っ

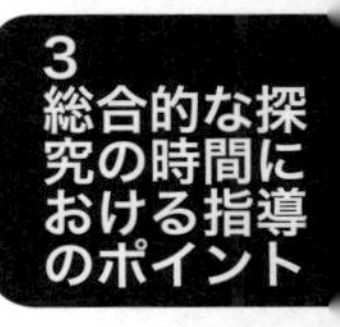

たプレゼンテーションとして表現したりすることなどが考えられる。このとき，相手を意識して，目的を明確にして伝えたいことを論理的に表現することで，自分の考えは一層確かになっていく。

こうした場面では，次の点に配慮したい。

一つは，相手意識や目的意識を明確にしてまとめたり，表現したりすることである。だれに伝え，何のためにまとめるのかによって，まとめや表現の手法は変わり，生徒の思考の方向性も変わるからである。二つは，まとめたり表現したりすることが，情報を再構成し，自分自身の考えや新たな課題を自覚することにつながるということである。三つは，伝えるための具体的な手順や作法を適切に身に付けることである。例えば，論文やレポートなどは，研究テーマのもと，「目的」「方法」「実験や調査の結果」「考察」「参考文献」などの項目を設けて論理的にまとめることが大切である。四つは，目的に応じて選択して使えるようにすることである。例えば，論文やレポート，活動報告書，ポスター，プレゼンテーションソフトなどの手法を使って，探究活動によって分かったことや考えたことを，ホームルームの友達や保護者，地域の人々などに分かりやすく伝える，といったことである。ここでは，各教科・科目等で獲得した表現方法を積極的に活用することが考えられる。文章表現はもちろん，図表やグラフ，絵画や音楽を使う，それらを組み合わせていく総合表現なども考えられる。

このように，表現するに当たっては各教科・科目で身に付けた力が発揮されることが予想できる。

なお，①～④の探究活動は，単元において何度となく繰り返して行われる。その中では，中心的な課題の解決に向けて，複数の下位の課題が生成し，それぞれの解決に向けた探究活動が行われる。各課題の解決を通して，学習は質的に高まりを見せながら，当初設定した課題の解決へと向かっていく。

例えば，地域の人たちから自生のヤマユリが見られなくなったという声を聞き，「地域にヤマユリを増やそう」という課題を設定し解決に向けて取り組む次のような事例が考えられる。

ア　昔と比較して地域のヤマユリは少なくなったのか

イ　地域の人たちはヤマユリを増やすことを願っているのか

ウ　ヤマユリを短期間で増殖するための技術はあるのか

エ　どのような方法でヤマユリの増殖に取り組むのか

ア～エの課題は，「地域にヤマユリを増やそう」という課題を解決しようとする際に生成する，複数の下位の課題である。このように一連の探究の過程には，複数の探究活動が含まれ，そこでは各課題の解決を通して，学習が質的に高まることが期待できる。

アは，課題解決の正当性を明確にするための課題である。

イは，課題の社会的な価値を明確にするための課題である。アやイの課題を明確にしなければ，課題解決の意義を自覚して取り組むことはできない。そこで，地域の高齢者で，昔から住んでおり，しかも農業などを行っている人にヤマユリの自生の変化について聞き取り調査やアンケート調査を実施することなどが考えられる。収集した情報から，地図を使ってどこにどの程度自生していたのかを整理し，昔と現在を比較した分布図を作成したり，ヤマユリに関する思いや願いについても情報収集し，そのデータをカード化して整理したり，傾向を数値化したグラフにまとめたりするなどの学習活動を行うことが考えられる。

ウは，課題解決が現実的に達成可能であることを明確にするための課題である。増殖技術が存在し，その技術を身に付けなければ，課題の実現の可能性は低くなる。そこで，増殖技術が存在するのか，どのような機関が増殖技術を所有しているのか，その技術を高校生が使いこなすことはできるのか，などの複数の下位の課題に分けて調査活動を行うことが考えられる。具体的には，県の園芸試験場や地元の大学の農学部に問い合わせ，増殖のためのバイオ技術が使用されていることを明らかにすることなどを行うことが考えられる。

エは，課題解決を完成させるための最終的な課題である。たとえ技術を習得したとしても，増殖の活動を地域で実行することができなければ，その技術を活かすことはできない。地域でヤマユリを増やすために，人々の間にどのようなシステムを構築することが必要なのか，また，そのシステムをどのようにして機能させるのか，地域の人たちにどのように協力を依頼するのかなど，さらに複数の下位の課題が考えられる。実際には，「ヤマユリの里親」を募ったり，地域の人たち向けの説明会を学校で開いたり，定期的に巡回して生育を確認したりするなどの活動を行うことが考えられる。

ここまで，①**【課題の設定】**，②**【情報の収集】**，③**【整理・分析】**，④**【まとめ・表現】**の探究のプロセスに沿って学習過程を具体的にイメージしてきた。こうした学習活動をスパイラルに繰り返していくことが，質の高い探究の過程を実現することにつながる。

## 2　他者と協働して主体的に取り組む学習活動にすること

平成28年12月の中央教育審議会答申では，主体的に学ぶこと，協働的に学ぶことの意義を説明するに当たり，人工知能にない人間の強みについて以下のように言及している。「人工知能がいかに進化しようとも，それが行っているのは与えられた目的の中での処理である。一方で人間は，感性を豊かに働かせながら，どのような未来を創っていくのか，どのように社会や人生をよりよいものにしていくのかという目的を自ら考え出すことができる。多様な文脈が複雑に入り交じった環境の中でも，場面や状況を理解して自ら目的を設定し，その目的に応じて必要な情報を見いだし，情報を基に深く理解して自分の考えをまとめたり，相手にふさわしい表現を工夫したり，答えのない課題に対して，多様な他者と協働しながら目的に応じた納得解を見いだしたりすることができるという強みを持っている。」

総合的な探究の時間においては，目標にも明示されているように，特に，異なる多様な他者と協働して主体的に課題を解決しようとする学習活動を重視する必要がある。それは，多様な考え方をもつ他者と適切に関わり合ったり，社会に積極的に参画したり貢献したりする資質・能力の育成につながるからである。また，協働的に学ぶことにより，探究活動

として，生徒の学習の質を高めることにつながるからである。そしてその前提として，何のために学ぶのか，どのように学ぶのかということを生徒自身が考え，主体的に学ぶ学習が基盤にあることが重要である。

協働的に学ぶことの意義の一つ目は，多様な情報の収集に触れることである。同じ課題を追究する学習活動を行っていても，収集する情報は協働的な学習の方が多様であり，その量も多い。情報の多様さと多さは，その後の整理や分析を質的に高めるために欠くことのできない重要な要件である。二つ目は，異なる視点から検討ができることである。整理したり分析したりする際には，異なる視点や異なる考え方があることの方が，深まりが出てくる。一面的な考え方や同じ思考の傾向の中では，情報の整理や分析も画一的になりやすい。三つ目は，地域の人と交流したり友達と一緒に学習したりすることが，相手意識を生み出したり，学習活動のパートナーとしての仲間意識を生み出したりすることである。共に学ぶことが個人の学習の質を高め，同時に集団の学習の質も高めていく。

特に，高等学校においては，一人一人の学習の質を高めるために，生徒同士による学び合いや地域の大人との関わりを活用することが有効である。

このように協働的に取り組む学習活動を行うことが，生徒の学習の質を高め，課題の解決や探究活動を実現することにもつながる。具体的には，以下のような場面と生徒の姿が想定できる。

### (1) 多様な情報を活用して協働的に学ぶ

体験活動では，それぞれの生徒が様々な体験を行い多様な情報を手に入れる。それらを出し合い，情報交換しながら学級全体で考えたり話し合ったりして，課題が明確になっていく場面が考えられる。

例えば，町の福祉の現状について調査した後に，発見したことを出し合い，それをホワイトボードに整理し，「それぞれの調査結果の中で，共通点や相違点はないだろうか」などと発問する。このことで生徒は，町の福祉の現状に関する調査で得られた情報を改めて見つめ直し，共通点や相違点に気付いたり，互いの発見の関連性を見付けたりする。「詳しく調べてみたいということはないだろうか」と更に問いかけることで，「また調査に出かけて詳しく調べてみたい」「今度は別の場所を調べてみたい」「誰もが心地よく暮らすためのユニバーサルデザインの考え方で工夫がされていることがわかったので，関わった方々からお話を伺いたい」などと新たに目的や課題を明確にしていくことができる。



ホームルームという集団での協働的な学習を有効に機能させ，多様な情報を適切に活用することで，探究の質を高めることが可能となる。

### (2) 異なる視点から考え協働的に学ぶ

物事の決断や判断を迫られるような話合いや意見交換，議論を行うことは，収集した情報を比較したり，分類したり，関連付けたりして考えることにつながる。そのような場面では，異なる視点からの意見交換，議論が行われることで，互いの考えは深まる。

例えば，食品の在り方について話し合う場面が考えられる。食品をめぐる状況を調査していくと，食品添加物の入っていない自然食品を好んで選択する消費者がいる一方で，食品の保存期間を伸ばし食品を適切に加工する役目を果たすことから食品添加物を必要最小限で使用している生産者の存在に気付く。また，流通に目を向けると，賞味期限間近の食品が廃棄され，運搬や処理に係るコストが生じていることなどにも気付いていく。話し合いでは，生産者や消費者，流通業者といった異なる視点からの意見が出され，互いの考えを深めることにつながっていく。このことにより，食品添加物の使用がどのような理由で行われているのか，そのことが生産や流通，ひいては世界の食糧事情と深く関わっていることなど，生徒の幅広い理解と思考の深まりを生む。

また，例えば，探究課題に基づいて探究を進める過程において，あらかじめ一つの決まった答えがないテーマについて，一面的な視点からだけで正解を求めようとするのではなく，自由な発想で意見を出し合ったり議論したりしながら，多様な視点から課題の解決の糸口を見いだし，考えを深めていく取組を積極的に導入することも，生徒の幅広い理解と思考の深まりを生むことにつながっていく。その際には，こうした取組を生徒同士で行うのみならず，地域などの大人との関わりを活用しながら行うことも有効である。

このように異なる視点を出し合い，検討していくことで，事象に対する認識が深まり，探究活動を質的に高めていくことが考えられる。

そのために，それぞれ異なる個性，興味・関心をもっている生徒同士で学ぶことには大きな意義がある。家業が農業であったり親戚に食品加工業従事者がいたりする生徒，食についての安全性に関心がある生徒，食について深く考えたことはないがスポーツを通して健康に関心のある生徒，外国での生活経験がある生徒など，異なる興味・関心や経験がある生徒同士が学ぶことにより異なる視点からの考えを出し合いやすくなることが考えられる。またそうした学習を通して，互いのよさや可能性を尊重し合う態度の育成にもつながっていく。

### (3) 力を合わせたり交流したりして協働的に学ぶ

一人でできないことも集団で実現できることは多い。生徒同士で解決できないことも地域の人や専門家などとの交流を通じて学んだことを手掛かりに学ぶこともできる。また，地域の大人などとの交流は，生徒の社会参画の意識を目覚めさせる。

例えば，自分たちの生活する地域のよさを見いだし，その地域のよさを核にして地域活性化に取り組む学習活動が考えられる。生徒は地域のよさを調査した上で案を構想し，地域の人や行政機関に提案しようとする。その際，ホームルームの友達と力を合わせたり分担したりして構想を練り，一人ではできなかったことも，仲間がいることで成し遂げられることを実感する。また，そこでは，地域の魅力を地域の人に確認しようとしたり，地域活性化の提案を分かりやすく伝えようとしたりして，真剣に活動に取り組む。こうした調査や交流の場面では，友達や専門家からの助言，地域の大人からの激励や指摘を受ける場面を設定することができる。生徒は地域活性化の提案活動を通して，力を合わせて取り組むことの大切さや地域の社会活動に参画し，地域社会に貢献する喜びなどを実感していく。

ただし，地域活性化について提案することだけが目的ではなく，地域のよさを感じ取っ

たことを常に意識させながら活動をすることが大切である。こうした探究活動に協働的に取り組むことを通して，生徒は協働的な学習のよさや意義を学ぶことができる。協働的に学ぶことは総合的な探究の時間だけでなく，学校教育全体で進めていくものであるが，あらかじめ一つの決まった答えのない課題の解決や探究活動だからこそ協働的な学習のよさが見えやすいという面がある。

### (4) 主体的かつ協働的に学ぶ

本項の(1)から (3) までに示したように，協働的に取り組む学習活動においては，「なぜその課題を追究してきたのか（目的)」，「これを追究して何を明らかにしようとしているのか（内容)」，「どのような方法で追究すべきなのか（方法)」などの点が生徒の中で繰り返し問われることになる。このことは，生徒が自らの学習活動を振り返り，その価値を確認することにもつながる。協働して学習活動に取り組むことが，生徒の課題の解決や探究活動を持続させ発展させるとともに，一人一人の生徒の考えを深め，自らの学習に対する自信と自らの考えに対する確信をもたせることにもつながる。学級集団や学年集団を生かすことで，個の学習と集団の学習が互いに響き合うことに十分配慮し，質の高い学習を成立させることが求められる。

生徒が社会に出たときに直面する様々な問題のほとんどは，一人の力だけでは解決できないもの，協働することでよりよく解決できるものである。しかし，問題を自分のこととして受け止め，よりよく解決するために自分が取り組もうとする主体性がなければ，協働は成り立たない。

総合的な探究の時間は，協働的な学習を基盤とする。しかし，その目指すところは，目標に明示したように一人一人が自己の在り方生き方を考えながら，よりよく課題を発見し解決していくための資質・能力を養うことにある。指導計画の作成の段階，学習活動を行う段階，学習評価を行う段階のいずれにおいても，このことを意識しておきたい。

協働的に学ぶということはそれぞれの個性を生かすということでもある。学級は，全ての生徒が社交的，開放的であるとは考えられないし，内省を好む生徒もいれば，他者との関わりに困難さを感じる生徒もいて当然である。全ての生徒を同じ方向に導くということではなく，それぞれの生徒なりに主体的に学ぶこと，協働的に学ぶことのよさを実感できるように工夫が必要である。そのためにも，協働性と主体性の両方をバランスよく意識したい。第1の目標の中に探究に主体的・協働的に取り組むことが明示されたこと，各学校が育成を目指す資質・能力を設定するに当たり「学びに向かう力，人間性等については，自分自身に関すること及び他者や社会との関わりに関することの両方の視点を踏まえること。」とされたこと，「両方の視点を踏まえた学習を行う際には，これらの視点を生徒が自覚し，内省的に捉えられるよう配慮すること。」とされた趣旨は，こうした主体的であることと協働的であることの両方が重要であるとしたことによるものである。

なお，従来「協同的」としてきたものを今回の改訂で「協働的」と改めた趣旨は，意図するところは同じであるが，ここまで述べたような，異なる個性をもつ者同士で問題の解決に向かうことの意義を強調するためのものである。

# 第10章 総合的な探究の時間の評価

## 第1節 学習評価の充実

学習評価は，学校における教育活動について，生徒の学習状況を評価するものである。「生徒にどのような力が身に付いたか」という学習の成果を的確に捉えた上で，教師が指導の改善を図るとともに，生徒が自らの学びを振り返って次の学びに向かうことができるようにすることが求められる。そのためには，学習評価の在り方が極めて重要であり，教育課程や学習・指導方法の改善と一貫性をもった形で改善を進めることが求められる。

総合的な学習の時間の評価については，この時間の趣旨，ねらい等の特質が生かされるよう，教科のように数値的に評価することはせず，活動や学習の過程，報告書や作品，発表や討論などに見られる学習の状況や成果などについて，生徒のよい点，学習に対する意欲や態度，進歩の状況などを踏まえて適切に評価することとし，例えば指導要録の記載においては，評定は行わず，所見等を記述することとしてきた。

第1章総則第3款2においては，「学習評価の実施に当たっては，次の事項に配慮するものとする。(1) 生徒のよい点や進歩の状況などを積極的に評価し，学習したことの意義や価値を実感できるようにすること。また，各教科・科目等の目標の実現に向けた学習の状況を把握する観点から，単元や題材など内容や時間のまとまりを見通しながら評価の場面や方法を工夫して，学習の過程や成果を評価し，指導の改善や学習意欲の向上を図り，資質・能力の育成に生かすようにすること。(2) 創意工夫の中で学習評価の妥当性や信頼性が高められるよう，組織的かつ計画的な取組を推進するとともに，学年や学校段階を越えて生徒の学習の成果が円滑に接続されるように工夫すること。」と示された。

また，第4章総合的な探究の時間の第3の1の（2）においては，「学校における全教育活動との関連の下に，目標及び内容，学習活動，指導方法や指導体制，学習の評価の計画などを示すこと。」と示されている。

総合的な探究の時間における生徒の学習評価については，総合的な探究の時間の特質を踏まえた上で，教師や学校が創意工夫の中で学習評価の妥当性や信頼性が高められるよう，組織的かつ計画的な取組を推進するとともに，学年や学校段階を越えて生徒の学習の成果が円滑に接続されるように工夫することが重要である。

# 第2節　生徒の学習状況の評価

生徒の学習状況を評価することで，生徒一人一人が，どのように成長しているか，資質・能力が確かに育成されているかどうかを捉えていくことになる。加えて，教師が生徒のよい点や進歩の状況などを積極的に評価することにより，生徒自身が学習したことの意義や価値を実感し，自己の在り方生き方に自信をもち一層高めていけるようになることが肝要である。

## 1「目標に準拠した評価」に向けた評価の観点の在り方

総合的な探究の時間の評価については，各学校が自ら設定した観点の趣旨を明らかにした上で，それらの観点のうち，生徒の学習状況に顕著な事項がある場合などにその特徴を記入する等，生徒にどのような資質・能力が身に付いたかを文章で記述することとしている。

今回の改訂においても，学習指導要領が定める目標（第1の目標）を踏まえて各学校が目標や内容を設定するという総合的な探究の時間の特質から考えると，各学校が観点を設定するという枠組みは維持する必要がある。学習指導要領に示された総合的な探究の時間の目標（第1の目標）を踏まえ，各学校の目標，内容に基づいて定めた観点による観点別学習状況の評価を基本とすることが考えられる。

各学校においては，第1の目標を踏まえ，各学校が総合的な探究の時間の目標を定める。この目標を実現するにふさわしい探究課題と探究課題の解決を通して育成を目指す具体的な資質・能力を示した内容が設定される。この目標と内容に基づいた観点を，各学校において設定することが考えられる。

ここでは，特に，探究課題の解決を通して育成を目指す具体的な資質・能力について，第4章総合的な探究の時間第2の3の（6）において，

ア　知識及び技能については，他教科等及び総合的な探究の時間で習得する知識及び技能が相互に関連付けられ，社会の中で生きて働くものとして形成されるようにすること。

イ　思考力，判断力，表現力等については，課題の設定，情報の収集，整理・分析，まとめ・表現などの探究の過程において発揮され，未知の状況において活用できるものとして身に付けられるようにすること。

ウ　学びに向かう力，人間性等については，自分自身に関すること及び他者や社会との関わりに関することの両方の視点を踏まえること。

とされていることに配慮することが大切である。

## 2 評価規準の設定と評価方法の工夫改善

総合的な探究の時間における生徒の学習状況の評価に当たっては，これまでと同様に，ペーパーテストなどの評価の方法によって数値的に評価することは，適当ではない。

具体的な評価については，各学校が設定する評価規準を学習活動における具体的な生徒の姿として描き出し，期待する資質・能力が発揮されているかどうかを把握することが考えられる。その際には，具体的な生徒の姿を見取るに相応しい評価規準を設定し，評価方法や評価場面を適切に位置付けることが欠かせない。特に，総合的な探究の時間においては，年間や単元など内容や時間のまとまりを見通しながら評価場面や評価方法を工夫し，指導の改善や生徒の学習意欲の向上を図り，資質・能力の育成に生かすようにすることが重要である。

評価規準を設定する際の基本的な考え方や作業手順は以下のように考えることができる。

まず，各学校の全体計画や単元計画を基に，単元で実現が期待される育成を目指す資質・能力を設定する。本解説第3章で説明したように，総合的な探究の時間の目標や内容について各学校が設定する際には，年間や単元を通してどのような資質・能力を育成することを目指すかを設定することとしている。このため，評価規準については，年間や単元を通して育成したい資質・能力をそのまま当てはめることができる。そして，各観点に即して実現が期待される生徒の姿が，特に実際の探究の場面を想起しながら，単元のどの場面のどのような学習活動において，どのような姿として実現されるかをイメージする。

総合的な探究の時間における生徒の具体的な学習状況の評価の方法については，信頼される評価の方法であること，多面的な評価の方法であること，学習状況の過程を評価する方法であること，の三つが重要である。

第1に，信頼される評価とするためには，教師の適切な判断に基づいた評価が必要であり，著しく異なったり偏ったりすることなく，およそどの教師も同じように判断できる評価が求められる。例えば，あらかじめ指導する教師間において，評価の観点や評価規準を確認しておき，これに基づいて生徒の学習状況を評価するなどが考えられる。この場合には，各学校において定められた評価の観点を，一単位時間で全て評価しようとするのではなく，年間や，単元などの内容のまとまりを通して，一定程度の時間数の中において評価を行うように心がける必要がある。

第2に，生徒の成長を多面的に捉えるために，多様な評価方法や評価者による評価を適切に組み合わせることが重要である。多様な評価の方法としては，例えば次のようなものが考えられる。いずれの方法も，生徒が総合的な探究の時間を通して資質・能力を育てることができているかどうかを見ることが目的である。成果物の出来映えをそのまま総合的な探究の時間の評価とすることは適切ではなく，その成果物から，生徒がどのように探究の過程を通して学んだかを見取ることが大事である。

- プレゼンテーションやポスター発表，総合芸術などの表現による評価
- 討論や質疑の様子などの言語活動の記録による評価
- 学習や活動の状況などの観察記録による評価

- 論文・報告書，レポート，ノート，作品などの制作物，それらを計画的に集積したポートフォリオ（小学校中学校からの蓄積があると望ましい）による評価
- 課題設定や課題解決能力をみるような記述テストの結果による評価
- 評価カードや学習記録などによる生徒の自己評価や相互評価
- 保護者や地域社会の人々等による第三者評価 など

第3に，学習状況の結果だけではなく過程を評価するためには，評価を学習活動の終末だけではなく，事前や途中に適切に位置付けて実施することが大切である。学習活動前の生徒の実態の把握，学習活動中の生徒の学習状況の把握と改善，学習活動終末の生徒の学習状況の把握と改善という，各過程に計画的に位置付けられることが重要である。また，全ての過程を通して，生徒の実態や学習状況を把握したことを基に，適切な指導に役立てることが大切である。

なお，総合的な探究の時間では，生徒に個人として育まれるよい点や進歩の状況などを積極的に評価することや，それを通して生徒自身も自分のよい点や進歩の状況に気付くようにすることも大切である。グループとしての学習成果に着目するのではなく，一人一人の学びや成長の様子を捉える必要がある。そうした個人内評価を行うためには，一人一人が学習を振り返る機会を適切に設けることが重要である。

今後は，積極的に教師一人一人が，生徒の学習状況を的確に捉えることが求められる。そのためには，評価の解釈や方法等を統一するとともに，評価規準や評価資料を検討して妥当性を高めること（モデレーション）などにより，学習評価に関する力量形成のための研修等を行っていくことも考えられる。

## 3 評価結果の単位の認定

第1章総則第4款の1の（2）で「学校においては，生徒が学校の定める指導計画に従って総合的な探究の時間を履修し，その成果が第4章の第2の1に定める目標からみて満足できると認められる場合には，総合的な探究の時間について履修した単位を修得したことを認定しなければならない」としている。すなわち，各学校には，総合的な探究の時間の目標を踏まえ，生徒の学習状況に対して，満足できる成果があったかどうかを適切に判断する責任がある。そのためにも，例えば，総合的な探究の時間の担当者で単位の認定にかかわる会議をもち，評価結果によって生徒の学習が満足できるものであったか十分に検討した上で，校長が単位を認定することが考えられる。

この単位の認定の要件は，各教科と基本的に同様である。まず，生徒が学校が定める指導計画に従って学習活動を行うこと，そして，次に，その学習活動の成果が総合的な探究の時間の目標に照らして満足できると認められることが要件となる。

また，生徒には自らの成長を評価結果等から実感させることが大切であり，生徒一人一人のよい点や可能性に着目する個人内評価についても充実を図る必要があると同時に，保護者にも学習状況等を説明する必要がある。そこで，例えば，学期ごとに通知表等で，学習活動に対する評価結果を文章で通知することなどが考えられる。

単位の計算方法は，各教科と同様であり，3～6単位が標準となる。標準時数と同様に，同じ学科においては，原則として同じ単位数の修得が認定されることとなる。また，学校がある単位数を定めた場合には，基本的には，その単位数が認定されるか，全く認定されないかのいずれかになるものであり，生徒の学習の成果によって，単位数が多く認定されたり，少なく認定されたりするということはない。

ただし，各教科と同様，総合的な探究の時間における学習活動についても，単位の修得の認定を学期の区分ごとに行うことができる。また，2以上の年次にわたって学習活動を行ったときは，年次ごとに単位の修得を認定するものとしている。これらの場合には，一部の単位数の修得にとどまるということはあり得る。なお，例えば，特定の年度における授業時数は1単位（35単位時間）に満たないが，次年度に連続して同一の科目を設定するような場合などにおいて，2以上の年次にわたる科目の授業時数を合算して単位の認定を行うことも可能とし，第1章総則第4款の1の（3）において，単位認定は各年次ごとに行うことを「原則とする」とした。

このように複数の年次にわたって学習活動を行う場合には，十分な見通しをもった適切な指導計画の下で履修したうえで，その成果を適切に評価しなければならない。

# 第３節　教育課程の評価

## 1　カリキュラム・マネジメントの視点からの評価

教育課程を編成，実施したものを，評価し，改善していくことは，これまでも重要であったが，今回の改訂において，カリキュラム・マネジメントを重視することを一層明確にしたことを受け，教育課程の評価を一層充実していくことが必要である。

第１章総則第１款５において，カリキュラム・マネジメントについては以下の三つの側面が示されている。今後の「社会に開かれた教育課程」の実現を通して生徒に必要な資質・能力を育成するという，新しい学習指導要領等の理念を踏まえれば，総合的な探究の時間についても，これらの側面に留意しながら着目して教育課程を評価することが考えられる。

i）生徒や学校，地域の実態を適切に把握し，教育の目的や目標の実現に必要な教育の内容等を教科・科目等横断的な視点で組み立てていくこと。

ii）教育課程実施状況を，評価してその改善を図っていくこと。

iii）教育課程の実施に必要な人的又は物的な体制を確保するとともにその改善を図っていくこと。

カリキュラム・マネジメントについては，校長を中心としつつ，教科や学年を越えて，学校全体で取り組んでいくことができるよう，学校の組織や経営の見直しを図る必要がある。そのためには，第11章第２節で示す校内推進委員会などを設け，管理職のみならず全ての教職員がカリキュラム・マネジメントの必要性を理解し，日々の授業等についても，教育課程全体の中での位置付けを意識しながら取り組む必要がある。また，学習指導要領等の趣旨や枠組みを生かしながら，各学校の地域の実状や生徒の姿と指導内容を見比べ，関連付けながら，効果的で柔軟な年間指導計画等の在り方や，授業時間や週時程の在り方等について，校内研修等を通じて研究を重ねていくことも重要である。

このような教育課程の評価は，同僚教師間での情報交換や，全校体制での組織的な取組を進めることが重要である。また，実際に授業を公開し，総合的な探究の時間で探究する生徒の様子を直に見てもらうことで理解を広げることも大切にしたい。さらに，教科横断的な視点も含めた学校全体における探究の実現状況を評価し，改善することに努める必要がある。

総合的な探究の時間は校内のみならず校外の活動も重視されることから，個人情報に配慮した上で，ウェブページや学校通信などを活用するなどして公開したり，保護者や地域社会の人々等に直接説明したりすることなども考えられる。このような保護者や外部への公開や説明は，総合的な探究の時間への理解を促進させ，その後の総合的な探究の時間の充実のために協力してもらうことにもつながる。

# 第11章　総合的な探究の時間を充実させるための体制づくり

本章では，総合的な探究の時間を充実させるための体制づくりについて解説する。第1節では，各学校で取り組むべき体制整備の基本的な考え方について四つの視点から述べる。第2節では校内組織の整備について，第3節では授業時数の確保と弾力的な運用について，第4節では環境整備について，さらに，第5節では外部との連携の構築について，具体例を交えて解説する。

## 第1節　体制整備の基本的な考え方

総合的な探究の時間においては，各学校で指導計画を適切に作成しなければならない。しかし，それだけで充実した総合的な探究の時間を実現することは難しい。適切な計画を確実に実施していくための校内の体制の整備が欠かせない。質の高い豊かな学習活動を実施するためにも，校長は，以下に記した四つを視野に入れた校内の体制づくりに十分配慮しなければならない。

一つ目は，校内の教職員が一体となり協力できる体制をつくるなど校内組織の整備についてである。総合的な探究の時間では，生徒の様々な課題に対する意識や多様な学習活動に応えるために，グループ学習や個人研究などの多様な学習形態の工夫を積極的に図る必要がある。また，それぞれの教職員の特性や専門性を生かすことが，総合的な探究の時間の特色を生み出し，一層の充実にもつながる。まず，校内の全ての教職員が協力して取り組む体制を整備することが重要である。

二つ目は，確実かつ柔軟な実施のための授業時数の確保と弾力的な運用についてである。総合的な探究の時間については，授業時数を確保するとともに，状況に応じた柔軟な対応が求められる。授業時数を適切に運用することが総合的な探究の時間の充実には欠かせない。

三つ目は，多様な学習活動に対応するための空間，時間，人などの学習環境の整備についてである。探究の過程では，様々な体験活動や観察・実験・実習，調査・研究，発表や討論などの学習活動を行うことになる。充実した総合的な探究の時間を実現するためには，実施に必要な人的または物的な体制を整備するとともに，その改善を図っていくことが重要となる。

四つ目は，学校が家庭や地域と連携・協働しながら取り組む外部連携の構築についてである。教職員と学校外の人々が力を発揮し合い，「チームとしての学校」の取組も期待されている。地域や学校の実態，生徒の特性等に応じて学習活動を展開していくには，学校が保護者をはじめ地域の人々，専門家などの教育力を活用することが欠かせない。地域や社会に存在する多様で幅広い教育力を活用することが，総合的な探究の時間の充実を実現する。

# 第２節　校内組織の整備

## 1　校長のリーダーシップ

各学校においては，育成を目指す資質・能力を明らかにし，教科・科目等横断的な視点をもって教育課程の編成と実施を行うとともに，地域の人的・物的資源を活用するなどして実社会・実生活と生徒が関わることを通じ，変化の激しい社会を生きるために必要な資質・能力を育むことが求められている。校長は，資質・能力の育成に向けて，生徒が実社会・実生活と接点をもちつつ，多様な人々とつながりをもちながら学ぶことのできる教育課程の編成と実施を行わなければならない。

総合的な探究の時間は，生徒が自己の在り方生き方を考えながら実社会・実生活に向き合い関わり合うことを通して，自らの人生を切り拓（ひら）いていくために必要な資質・能力を育成し，新たな価値を創造し，人生や社会をよりよく変えていくことに向かう他の教科・科目等にはない特質を有する。校長は，各学校において総合的な探究の時間の目標及び内容，学習活動等について決定していかなければならないことから，その教育的意義や教育課程における位置付けなどを踏まえながら，自分の学校のビジョンを全教職員に説明するとともに，その実践意欲を高め，実施に向けて校内組織を整えていかなければならない。そして，全教職員が互いに連携を密にして，総合的な探究の時間の全体計画及び年間指導計画等を作成し，実施していく必要がある。

さらに，教師が互いに知恵を出し合ったり，実践上の悩みや課題について気軽に相談し合ったりできる体制づくりや雰囲気づくりも，校長をはじめとする管理職の務めである。

加えて，総合的な探究の時間では，探究の広がりや深まりを促すために，校外の様々な人や施設，団体等からの支援が欠かせない。また，家庭の理解と協力も必要である。「社会に開かれた教育課程」の理念の下，校長はリーダーシップを発揮し，自分の学校の総合的な探究の時間の目標や内容，実施状況について発表する場と機会を定期的に設けたり，学校だよりやホームページ等により積極的に外部に情報発信したりするなどして，広く理解と協力を求めることが大切である。また，地域との連携に当たっては，コミュニティ・スクール（学校運営協議会制度）の枠組みの積極的な活用や，小・中学校の地域学校協働本部との連携を図ることが望まれるとともに，学習に必要な施設・設備，予算面については，教育委員会に加えて地元自治体等からの支援が欠かせない。

また，学校種間の「縦」のつながりという点からも，総合的な探究の時間の果たすべき役割と期待が大きいことを踏まえ，小・中・高等学校間で総合的な学習の時間及び総合的な探究の時間の目標や内容，指導方法等について関連性や発展性が確保されるよう連携を深めることが大切である。例えば，総合的な学習の時間及び総合的な探究の時間の実施に関わる協議会を近隣の小・中学校と組織し，合同研修や情報交換，指導計画作成等を行って連携を深めることも有効である。近隣の小・中・高等学校とが協議して，連携の目的や内容，方法を盛り込んだ推進計画を示したり，総合的な学習の時間及び総合的な探究の時間の支援者に参加協力を求めたりするなど，校長の率先した働きかけが欠かせない。

例えば，小・中学校の校長に働きかけ，授業や探究学習発表会を小・中学校の教師や生徒が参観する機会を設けたり，小・中学生と高校生が共に発表会や体験活動を行う場を設定したりするなどの方策が考えられる。このことは，高校生の学習への関心を高め，学ぶことの意義を明確にするとともに，社会貢献への意識を喚起することにもつながる。なお，地元の大学や企業との連携によって，生徒の学習を質的に高めることも十分に考えられる。

## 2　校内推進体制の整備

各学校の教育目標の実現に当たっては総合的な探究の時間が重要な役割を果たすことを全教職員で理解することが欠かせない。そのうえで，校長の方針に基づき，総合的な探究の時間の目標が達成できるように，全教職員が協力して全体計画及び各学年の年間指導計画，単元計画などを作成し，互いの専門性や特性を発揮し合って実践していく校内推進体制を整える必要がある。校内推進体制の整備に当たっては，全教職員が目標を共有しながら校務分掌に基づいて適切に役割を分担するとともに，教職員間及び校外の支援者とのコミュニケーションを密にすることが肝要である。

本項では，生徒に対する指導体制と実践を支える運営体制の二つの観点から，総合的な探究の時間の校内推進体制の在り方について述べる。

### (1) 生徒に対する指導体制

総合的な探究の時間の授業は，学年や学科ごとに作成された年間指導計画に基づき，学年単位・学科単位で同時展開される例が多く見られる。この場合，ホームルーム担任が自分のホームルームを直接指導する方法や，学年内や学科内の教師が指導を分担し生徒の興味・関心などを基に学習集団を組織する方法などがとられている。また，学校によっては，教師全体で指導を分担し，学年や学科の枠も外して課題別の学習集団を構成する例も見られる。

また，総合的な探究の時間では，課題の解決や探究活動の幅が広がったり学習活動が多様化したりすることや，生徒の探究が次々と深化したりすることは，当然起こり得る。その結果として，指導を担当する教師だけでは対応できない状況が次々と出てくる。このような場合に備え，まずは学年内で，さらには校内で養護教諭や司書教諭，学校図書館司書等も含め，教師の特性や教科・科目等の専門性に基づき，生徒の質問や相談に応じたり直接指導したりする仕組みを整えておくことが欠かせない。支援のために必要とされる教師は，生徒の学習の進行に伴って変化することから，指導を担当する教師の求めに応じて，学年主任や教務主任，学科主任等が適宜調整して配置することも必要である。このような複数の教職員による指導を可能にするためには，時間割の工夫のほか，全教職員が自分のホームルームや学年・学科だけでなく，他のホームルームや学年・学科の総合的な探究の時間の実施の様子を十分把握しておくことが大切である。その意味で，指導を担当する教師は，総合的な探究の時間の実施の様子を様々な形で公開する必要がある。例えば，日常の授業の公開のほか，生徒の学習活動が分かる資料を廊下に掲示したり，学級だよりや学年だより，学科だよりの記事にしたりすること，最終場面の発表会はもちろん中間発表会を公開することなども考えられる。ポスターセッションやプレゼンテーションの発表資料，ポートフォリオなどの成果物などを校内のネットワーク（LAN）で保存・共有することも考えられる。また，全教職員で実践の状況を紹介し合い，互いに学び合うことを目的としたワークショップ型の研修を行うことなども，学校全体の実施状況の理解を深めると同時に，教職員の協働性を高めることにつながる。

### (2) 実践を支える運営体制

学校は組織体として運営されており，教師や校内組織がそれぞれに連携して教育活動を営んでいる。特に総合的な探究の時間では，探究によって，教科の枠を超えた横断的・総合的な学習が展開されるため，全体計画や年間指導計画の作成，教材開発に当たって，教師の特性や教科・科目等の専門性を生かした全教職員の協働的な取組が求められる。例えば，環境問題を課題として取り上げる場合，地理歴史・公民科や理科，保健体育科，外国語科，家庭科，情報科等の教師等が指導計画の作成や指導方法の検討に積極的に参加し，専門的な知見やアイデアを出し合う場を設けることが有効である。また，総合表現など発表会で表現形態を工夫する場合には，国語科，保健体育科，芸術科，家庭科，情報科などの教師が力を合わせることが考えられる。

特に総合的な探究の時間では，生徒の課題の解決や探究活動の広がりや深まりによって，複数の教師による指導や校外の支援者との協力的な指導が必要になる。そのため，指導方法や指導内容などをめぐって，指導する教師が気軽に相談できる仕組みを職員組織に位置付けておくことも大切になる。さらに，指導に必要な施設・設備の調整や予算の配分や執行の役割も校内に必要である。このように，総合的な探究の時間においては，校内に，指導に当たる教師を支える運営体制を整える必要がある。

そこで，校長は自分の学校の実態に応じて既存の組織を生かすとともに，新たな発想で運営のための組織を整備し，生徒の学習活動を学校全体で支える仕組みを校内に整える必要がある。その際，次に示す職員分担や組織運営が参考になる。

#### ① 総合的な探究の時間の実践を支える校内分担例

総合的な探究の時間の円滑な運営のために，既存の校務分掌組織を生かす観点から，次のような役割分担が考えられる。学校教育法施行規則に示された職務等に基づき，主任主事等の果たす役割から例示する。

○ 副校長，教頭：運営体制の整備，外部との日常的な連携・協力体制の構築
○ 教務主任：各種計画の作成と評価，日課表の調整，指導の分担と調整
○ 研究担当：研修計画の立案，校内研究の実施
○ 学年主任：学年内の連絡・調整，研修，相談
○ 進路指導主事：職業選択や進路選択にかかわること
○ 学科主任：学科内の連絡・調整，研修，相談
○ 農場長：農業に関する実習や実習地，実習設備にかかわること

次に，各学校において位置付ける係や担当が果たす役割について，例示する。

○　PTA・同窓会担当：保護者や同窓会への協力依頼及び連絡調整

○　研修担当：研修計画の立案，校内研究の実施

○　総合的な探究の時間推進担当（コーディネーター）：総合的な探究の時間の充実に向けた方策の企画・運営，研修計画の立案，教師への指導・支援

○　学校図書館司書・司書教諭：必要な図書の整備，生徒及び教師の図書館活用支援

○　地域連携担当：校外の支援者，支援団体との渉外

○　情報担当：情報機器等の整備及び配当

○　養護教諭：学習活動時の健康管理，健康教育に関わること

○　実習助手：実験または実習に関わること

○　事務担当：予算の管理及び執行 など

### ②　校内推進委員会

総合的な探究の時間の全体計画等の作成や評価，各分担及び学年間・学科間の連絡・調整，実践上の課題解決や改善等を図るため，関係教職員で組織するものが，校内における推進委員会である。

構成については学校の実態によって様々なものが考えられるが，例えば，副校長や教頭，教務主任，研究担当，学年主任，学科主任，進路指導主事，生徒会担当，総合的な探究の時間コーディネーターなどが挙げられる。協議内容によっては，養護教諭，司書教諭，学校図書館司書，情報担当などを加える場合も考えられる。

推進委員会では，これらの関係教職員の共通理解や連携強化のために連絡・調整を図るとともに，全体計画をはじめとする各種計画の作成・運用・評価についての協議，校外の支援者との連携のためにコーディネート役の機能をもたせることも有効である。

なお，全ての教職員が協力して力を発揮するためには，校長のビジョンとリーダーシップの下，各教科をつないでカリキュラムをデザインし，マネジメントのできるミドルリーダー的な教員がコーディネーター役を果たすことが望まれる。こうした教員が教育活動全体を俯瞰（ふかん）し，学校全体のために動くことができるよう，校務全体の効率化や適切な分担等を行うことが求められる。

### ③　授業担当者による会議

総合的な探究の時間では，学年ごと，学科ごとに年間指導計画や単元計画等を作成したり，実施したりする学校が多い。授業を実践していく場合，学年や学科で共通理解を図りながら展開していくことが多く，異なる学年や学科で合同して行う場合も，授業担当者による連携が重要になる。このことから，授業担当者による会議は，総合的な探究の時間を運営する上で重要な役割をもつといえる。したがって，授業担当者による会議を週時程に位置付けるなどの工夫をして，円滑に学習活動が実施されるようにする必要がある。

授業担当者による会議は，ホームルーム間，学科間の連絡・調整のみならず，指導

計画の改善や実践に伴って次々と生まれる諸課題の解決や効果的な指導方法等について学び合うなど，研修の場としても大切な役割が期待される。また，他教科等と総合的な探究の時間で身に付けた資質・能力を相互に関連付け，学習や生活において生かし，それらが総合的・統合的に働くようにできているか検証する場としても期待できる。さらに，専門的見地から生徒が取り組んでいる学習について解説を加えることで，生徒の学習状況を共に理解することにつながり，より高度な学習活動を実現することも可能となる。

なお，授業担当者による会議では，実践上の悩みや疑問が率直に出され，互いに自由な雰囲気で話し合えるよう配慮することが大切である。そのことが，教師同士の協働性を高め，総合的な探究の時間の日常的な改善を容易にしていく。

## 3 教職員の研修

総合的な探究の時間を充実させ，その目標を達成する鍵を握るのは，指導する教師の指導計画の作成と運用の能力，そして，授業での指導力や評価力などである。さらに，生徒や学校，地域の実態等に応じて特色ある学習活動を生み出していく構想力も必要となる。また，総合的な探究の時間は，教師がチームを組んで指導に当たることによって，生徒の多様な学習活動に対応できることから，教職員全体の指導力向上を図る必要もある。

加えて，各学校の教育目標の実現や目指す資質・能力の育成について教科・科目等横断的な視点からカリキュラムをデザインする力も求められている。今後，各学校の校内研修においては，校長のリーダーシップの下，学習指導の改善のみならず，教育課程全体を俯瞰(ふかん)して捉え，教育課程の改善を図ることをねらいとした総合的な探究の時間の研修を積極的に取り入れることが必要である。したがって，年間の職員研修計画の中に，総合的な探究の時間のための校内研修を確実に位置付け実施することが極めて重要になる。特に，今回の改訂により，総合的な探究の時間の目標や内容は，各学校の教育目標を踏まえて設定されることとされ，教科・科目等横断的なカリキュラム・マネジメントの軸となることが明らかとなったことからも，学校全体で行う研修に位置付ける意義がある。中には，総合的な探究の時間に関わる学年研修会を週時程に位置付け，生徒の学習状況について学び合い，成果をあげている学校もある。

校内研修のねらいや内容は，各学校の職員構成や実践上の課題等に応じて適切に定めていくべきものである。学習指導要領及び本解説を初めとして，文部科学省が提供する指導資料などを参考に，総合的な探究の時間の趣旨や内容等についての理解を教職員全体で確かにすることに加え，次の例を参考に，実践を進める教師の必要感を生かした校内研修計画を立てることが大切である。

○ 総合的な探究の時間の目標及び内容について
○ 総合的な探究の時間の教育課程における位置付けや各教科・科目等，特別活動及び道徳の全体計画との関連について
○ 全体計画，年間指導計画，単元計画の作成について

○　パフォーマンス評価やポートフォリオ評価等の評価について
○　教材開発の在り方や地域素材の生かし方
○　国連の持続可能な開発目標（SDGs）との関連について
○　外部との連携について
○　学習活動時の安全確保について
○　総合的な探究の時間のための ICT の活用について　など

なお，校内研修は全教師が一堂に会して実施する場合もあるが，学年単位や学科単位，課題別グループ単位等の少人数で，実践上の課題に応じて弾力的に，そして継続的に実施していくことも必要である。また，研修方法については，次の例を参考に，各学校の実態や研修のねらいに応じて工夫すべきである。

○　校内での研修例
- グループ研修：指導計画作成や教材作りの演習，テーマに基づくワークショップ　など
- 全体研修：視察報告会，講師を招いての講義　など

○　校外での研修例
- 視察研修：他校で開催される公開研究会の参加，先進校の視察など
- 実地体験研修：生徒の体験活動の臨地研修とその評価など
- 教材収集研修：地域における教育資源となるものの観察や調査など

授業研究では，生徒の学習に取り組む姿を通して教師の指導について評価し，指導力の向上を図ることが必要である。また，総合的な探究の時間の授業を公開し，互いに学び合えるようにしておくことも大切である。

さらに，総合的な探究の時間の全体計画，年間指導計画，単元計画，実践記録，生徒の作品や論文等の写し，映像記録，参考文献等を整理・保存し，いつでも活用できるようにしておくことも，研修の推進にとって有効である。このようにして取り組む校内研修は，教師間の協働性を高める上でも重要である。

一方，校長は校外で行われる研修会や研究会に積極的に職員を派遣し，その成果を各学校の実践に役立てることが大切である。また，近隣の学校同士で実践交流を行い，互いに学び合う機会を設けることも，実践力の向上に役立つ。

なお，平成 28 年 12 月の中央教育審議会答申では，総合的な探究の時間の学習・指導の改善充実や教育環境の充実等における必要な条件整備の一つとして，「各学校において，全ての教職員が協力して力を発揮するため，校長のビジョンとリーダーシップの下，各学校が育成しようとする生徒の姿から必要な資質・能力を明らかにし，各教科・科目等をつないでカリキュラム・デザインができるミドルリーダー的な教員が育つことが期待される」ことを挙げている。教育委員会等は，所管の教職員の研修効果が一層上がるよう，十分な情報提供をしたり研修会を開催したりすることが望まれる。

# 第３節　年間授業時数の確保と弾力的な運用

## 1　年間授業時数の確保と配当

### (1) 授業時数の確保

第１章総則第２款の３の（3）においては「各教科・科目等のそれぞれの授業の１単位時間は，各学校において，各教科・科目等の授業時数を確保しつつ，生徒の実態及び各教科・科目等の特質を考慮して適切に定めるものとする」としている。

総則でいう「授業時数を確保しつつ」という意味は，あくまでも授業時数の１単位時間を50分とし，35単位時間の授業を１単位として計算した標準の授業時数を確保することである。各教科・科目等及び総合的な探究の時間の単位は，その単位数に見合う授業の時数を行うことを条件として認定されるものであり，これを確保することは前提条件として考慮されなければならない。つまり，卒業までに，３～６単位に見合う標準授業時数105～210単位時間を確保し，実施しなければならないことを示している。そのためにも，年間指導計画に授業時数を明確に示すとともに，時間割に総合的な探究の時間を位置付けることが欠かせない。

### (2) 授業時数の配当

総合的な探究の時間の授業時数の配当については，卒業までを見通して３～６単位（105～210単位時数）を確保するとともに，学校や生徒の実態に応じて，適切に配当することとしている。卒業までの各年次の全てにおいて実施する方法のほか，特定の年次において実施する方法も可能である。また，年間35週行う方法のほか，特定の学期又は期間に行う方法を組み合わせて活用することも可能である。また，通信制の課程における扱いは，学習指導要領第１章総則２款の５に規定している。

なお，総合的な探究の時間では，特に，１単位時間や年間を見通した授業時数の弾力的な取扱いが必要となる。したがって，授業時数の確保が行われているかどうかを確認することが，一層重要となる。具体的には，週単位，月単位，学期単位などに応じて授業時数の確認を行い，年間授業時数が確保されているかどうかを十分把握しなければならない。

## 2　弾力的な単位時間の運用

総合的な探究の時間では，体験活動が重視され学習活動が多様に展開される。また，地域の特色などを生かした学習活動が行われる。生徒の学習活動は校外に出てダイナミックに行われたり，季節の変化や学校行事に応じて集中的に行われたりする。したがって，１単位時間を50分で実施する場合もあれば，75分や100分に設定する場合もある。また，毎週定期的に繰り返される時期もあれば，ある時期に集中的に実施することなどもある。

学習指導要領第１章総則第２款の３（3）キにおいては，１単位時間を50分とし，35単位時間の授業を1単位として計算することを標準としており，「各教科・科目等の授業時数を確保しつつ」という意味は，あくまでも1単位時間を50分とし，35単位時間の授業を1単位として計算した標準授業時数を確保するという意味であることに留意する必要がある。

総合的な探究の時間を実施する際の具体的な授業の1単位時間は，指導内容のまとまりや学習指導の内容を考慮して教育効果を高める観点に立って，教育的な配慮に基づき定められなければならない。特に，総合的な探究の時間においては，授業の1単位時間を50分にこだわらず，弾力的に扱う柔軟な運用が求められる。なお，授業の1単位時間の運用については，学校の管理運営上支障を来すことのないよう教育課程全体にわたって検討を加える必要がある。

## 3　授業時数に関する留意点

総合的な探究の時間の授業時数を確実に確保し，しかも柔軟に運用していくには次のようなことに留意する必要がある。

### (1) 年間指導計画及び単元計画における授業時数の配当

単元において，どの活動に何時間の授業時数が必要なのかを算出し，年間指導計画及び単元計画に授業時数を適正に配当しておくことが第一に必要である。

その際，季節や植生の変化，地域の行事や季節に応じた生産活動などに目を向けて工夫を加えること，各教科・科目等との関連的な指導を考慮して授業時数を配分することなども考えられる。

### (2) 週単位の適切な実施計画と管理

単元計画を各週の計画に位置付ける。この計画は，基本的には時間割を踏まえることになるが，時期に応じて，学習活動に応じて柔軟に対応することになる。まずは，計画を立て，必要な授業時数を割り当てるとともに，実際の実施した時数を積算しながら，適切な授業時数の運用になっているかを管理していかなければならない。

### (3) 学期ごとの実績の適切な管理

授業時数の管理については，実施しながら日常的に適切かどうかを見直していくものの，学期末などの大きな節目に実施時数を積算し，学習活動の進展の状況と照らし合わせることが必要となる。そのことにより，その後の学習活動の展開が変わることもあるからである。

様々な体験活動や観察・実験・実習，調査・研究，発表や討論などの学習活動を重視する総合的な探究の時間は，ややもすると授業時数が不必要に増大していくことがある。短期的かつ長期的な見通しをもった計画作りと適切な時数管理，それらを通した学習活動の見直しが必要である。

## 第４節　環境整備

総合的な探究の時間に生徒が意欲的に取り組み，そこでの学習を深めていくには，学習環境が適切に整えられていなければならない。総合的な探究の時間では，多様な学習活動が行われるため，生徒の資質・能力が十分に発揮されるような学習環境を整えなければならない。そこで，本節では，学校全体で整備しておかなければならない施設・設備等の物的な環境整備の在り方，及び教室内の学習環境の整備について要点を述べる。

### 1　学習空間の確保

総合的な探究の時間では，探究の過程で，ホームルーム内はもちろん，学年内，学科内，さらには異学年間での学習活動などが展開されることがある。また，ものづくりや発表のための準備など，多様な学習活動が行われる。

こうした学習活動を行う際，教室以外にも学習活動を行うスペースが確保されていると，スムーズに展開しやすい。例えば，多目的スペースなどにミーティングテーブルを設置したり移動黒板を用意したりプロジェクターを設置したりするなど，多様な学習形態に対応できる空間を確保する工夫が考えられる。校内に余裕教室がある場合などは，学習目的に応じて有効に活用することが望まれる。

このような学習スペースには，総合的な探究の時間の学習活動の流れ図や活動の記録写真などを展示したり生徒の作品を展示したりして，学習への関心や意欲を高めることができる。そこには，総合的な探究の時間に活用する教材や資料，実物や模型などを展示し，いつでも生徒が活用できるように用意しておくこと，生徒の学習活動に必要な道具や材料などを常備しておくことなども考えられる。

また，探究活動や学習活動に応じて，理科室，音楽室，美術室，調理室，コンピュータ室等の特別教室が使えるよう，使用教室の割当てを定めていくことも大切である。教室内の学習環境の整備に当たっては，単なる空間の確保だけにとどまることなく，生徒の学びが主体的・対話的で深い学びにつながるようにしなければならない。

### 2　学校図書館の整備

学習の中で疑問が生じたとき，身近なところで必要な情報を収集し活用できる環境を整えておくことは，探究活動に主体的に取り組んだり，学習意欲を高めたりする上で大切な条件であり，その意味からも学校図書館は，生徒の想像力を培い，学習に対する興味・関心等を呼び起こし，豊かな心や人間性，教養，創造力等を育む自由な読書活動や読書指導の場である「読書センター」や生徒の自発的・主体的・協働的な学習活動を支援したり，授業の内容を豊かにしてその理解を深めたりする「学習センター」，さらには，生徒や教職員の情報ニーズに対応したり，生徒の情報の収集・選択・活用能力を育成したりする「情報センター」としての機能を担う中核的な施設である。

そのため，学校図書館には，総合的な探究の時間で取り上げるテーマや生徒の探究課題に対応して，関係図書を豊富に整備する必要がある。学校図書館だけでは蔵書に限りがあるため，学術情報等のデータベースへアクセスすることや外部の公立図書館との連携を構築することも大切である。自治体の中には，公立図書館が便宜を図り，学校での学習状況に応じた図書の拡充を行っているところや，学校が求める図書を定期的に配送するシステムを取っているところもある。地域と一体となって学習・情報センターとしての機能を高めたい。

学校図書館では，生徒が必要な図書を見付けやすいように日頃から図書を整理したり，コンピュータで蔵書管理したりすることも有効である。図書館担当は，学校図書館の物的環境の整備を担うだけでなく，参考図書の活用に関わって生徒の相談に乗ったり必要な情報提供をしたりするなど，生徒の学習を支援する上での重要な役割が期待される。教師は全体計画及び年間指導計画に学校図書館の活用を位置付け，授業で活用する際にも図書館担当と十分打合せを行っておく必要がある。

加えて，こうした学校図書館の環境を，生徒が自ら活用できるようにしたい。そのためには，どこに行けばどのような資料が入手できるのか，どのような観点から必要な情報を探すのかといったことができるようになる必要がある。このことは，国語科における読書指導や特別活動における主体的な学習態度の形成と学校図書館の活用に係る指導と緊密に関連付け，成果を上げていく工夫も大切である。

一方，総合的な探究の時間において生徒が作成した発表資料や論文集などを，学校図書館等で蓄積し閲覧できるようにしておくことも，生徒が学習の見通しをもつ上で参考になるだけでなく，優れた実践を学校のよき伝統や校風の一つにしていく上で有効である。

なお，高等学校の図書館の蔵書数は，小・中学校と比較して格段に多く，地域に関する資料等も豊富であることが多い。その意味からも，高等学校の図書館は，地域の小・中学校が積極的に活用できるよう開かれた図書館であることも大切である。

## 3　情報環境の整備

タブレット型端末を含むコンピュータをはじめとする情報機器は，その有効な活用によって，総合的な探究の時間における生徒の情報検索や情報活用，情報発信の可能性を広げ，学習意欲や学習効果の向上に役立つ。

コンピュータ等の情報機器が集中してコンピュータ室に配置されている場合には，コンピュータ室を有効に活用できるよう，適切に調整する必要がある。その際，例えば，2週間単位程度で利用希望調査を行って調整を図るなどして，できる限り生徒の学習状況に応じる工夫もある。また，複数のホームルームが同時に使えるように，コンピュータ等を余裕教室等に分散配置する方法も考えられる。

一方，コンピュータ室だけでなく，教室やオープンスペース等にインターネットへの接続環境を整えておくことで，生徒が必要なときに直ちに調査活動に当たることができる。また，校内にサーバーを設置し，全てのコンピュータを接続することで，デジタルコンテンツを共有したり，生徒が取材した写真やビデオなどを蓄積したりすることにつながる。

学校によっては，コンピュータ室が日常的に利活用できない状況もあるが，生徒が適切に利用できるよう指導した上で，コンピュータ室を昼休みや放課後等も開放し，生徒が積極的に利用できるようにしておきたい。また，生徒が所有するスマートフォンやタブレット端末等を，ルールを定めた上で，活用させることも考えられる。

なお，情報環境の整備については，情報と情報技術を適切に活用する態度を養う視点も重要である。様々な情報に接し，自らも生み出し，共有していくことが求められる社会の中で，安心・安全に情報の利活用を行うことができる情報セキュリティの確立や，情報モラルを含めた情報活用能力を身に付けていくことが必要である。

さらに，生徒による調査活動の記録のため，デジタルカメラやデジタルビデオカメラ，タブレット型端末やICレコーダーなどを整備しておく必要がある。発表活動を効果的に行うために，音声や映像の編集，プレゼンテーション等のソフトやプロジェクターなどを整備しておくことも望まれる。また，生徒間の情報共有や協働的な学習を促すためには，複数の生徒が同じ画面を見ながらそれぞれのアイデアを記入することができるようなツールや他の生徒の考えにコメントを付けられるような仕組みを用いることも考えられる。ワープロや表計算だけでなく，アイデアを視覚的に表したり整理したりできるようなソフトも有効である。

こうした機器等の物的条件整備のほか，校内研修や地域の教育センター等による研修を通して，教師のICT活用指導力を高めておくことが大切である。

# 第５節　外部との連携の構築

## 1　外部との連携の必要性

総合的な探究の時間では，地域の素材や地域の学習環境を積極的に活用することが期待されている。とりわけ高等学校の総合的な探究の時間では，地域にある大学等の高等教育機関，各種研究機関や団体，市町村の役場や教育委員会，商工会議所や商工会，非営利団体等との連携が期待されている。それは，総合的な探究の時間では，実社会や実生活の事象や現代社会の課題を取り上げるからである。また，この時間では，多様で幅広い学習活動が行われることも期待されている。それは，生徒一人一人の興味・関心に応じた学習活動を実現しようとするからである。

このような学習を実現するためには，教員以外の専門スタッフも参画した「チームとしての学校」の実現を通じて，複雑化・多様化した課題の解決に取り組んだり，時間的・精神的な余裕を確保したりしていくことなどが重要である。そのためにも，外部の協力が欠かせない。具体的には，例えば，以下のような外部人材等との協力が考えられる。

- 保護者や同窓会の人，地域の人々
- 専門家をはじめとした外部の人々
- 小・中学校の地域学校協働活動推進員等のコーディネーター
- 社会教育施設や社会教育関係団体等の関係者
- 社会教育主事をはじめとした教育委員会，首長部局等の行政関係者
- 企業や特定非営利活動法人等の関係者
- 小学校や中学校等，幼稚園等の関係者
- 大学等の高等教育機関，各種研究機関や団体　等

特に，地域との連携に当たっては，よりよい社会を作るという目的のもと，コミュニティ・スクール（学校運営協議会制度）の枠組みの積極的活用や小・中学校の地域学校協働本部との連携を図ることなどにより地域社会と共にある学校を実現することが期待されている。その際，地域の教育資源などを積極的に活用するとともに，育成を目指す資質・能力について共有し，必要な協力を求めることが重要である。

このように，地域の素材や地域の学習環境を積極的に活用したり，生徒が地域の一員として地域の人々と共に活動したりすることで，学校と地域との互恵性が生まれ，息長く継続的な外部連携を実現している事例として，次のような取組がある。

- 町づくりや地域活性化につながった活動や取組
- 生徒が地域の伝統や文化を守り，受け継いだ活動や取組
- 生徒が小学校や中学校等の学習支援ボランティアをする活動や取組
- 地域の商店街の再生につながった活動や取組
- 災害に備えた安全な町づくりや防災に関わった活動や取組　等

これらの取組は，学校を地域に開くことにもつながり，保護者や地域との信頼関係を築く大きな要因となると共に，学校を核として地域社会も活性化していく「次世代の学校・地域」を創生していくことにもつながる。

## 2 外部連携のための留意点

外部連携に当たっては，校長や副校長，教頭，総合的な探究の時間コーディネーター等の担当者が中心となり，外部人材等と連絡・調整の機会を設定することが考えられる。その上で，一人一人の教師が個別に外部の教育資源を有効に活用することが大切である。また，外部の教育資源を有効に活用するためには，校内に外部連携を効率的・継続的に行うためのシステムが必要である。ここでは，外部連携のためのシステムや外部連携を適切に行うための配慮事項を記す。

### (1) 日常的な関わり

協力的なシステムを構築するためには，日頃から外部人材などと適切に関わろうとする姿勢をもつことが大切である。例えば，地域活動に学校側から積極的に参画していったり，大学や商工会議所，非営利団体等から社会人講師として招いたりするなどの関わり方が大切である。そのことによって信頼関係が築かれ，互いに協力できる態勢ができあがる。このことが，外部連携の基盤となっていく。

### (2) 担当者や組織の設置

コミュニティ・スクール（学校運営協議会制度）の活用や小・中学校の地域学校協働活動との連携は，今後一層求められるようになる。外部人材などと連携し，外部の教育資源を適切に活用するためには，校務分掌上に地域連携部などを設置したり，外部と連携するための窓口となる担当者を置いたりすることなどが必要である。その上で，地域との連絡協議会などの組織を設置することも考えられる。また，学校を支えてくれる地域の有識者との協議の場を設ける必要もある。そのためにも，副校長や教頭，教務主任などが地域連携の中心を担うだけでなく，地域連携の中核を担う教師を校内組織に位置付けることも考えられる。中には，週時程の中に，地元自治体の市長部局や教育委員会，商工会議所や商工会，非営利団体等の外部機関の代表者との連絡会を位置付けて効果を挙げている学校もある。

### (3) 教育資源のリスト

学校外の教育資源を活用することに関しては，これまでに培ってきた地域の教育資源の活用のノウハウを生かして，総合的な探究の時間に協力可能な人材や施設などに関するリストを作成することが考えられる。そのデータを，校内で共有化し，手軽に，日常的に活用できるように整備しておくことも考えられる。こうしたリストを生かして，指導計画などを作成したり，具体的な学習活動を充実させたりしていくことが大切である。

なお，教育資源の活用に当たっては，教員が全てを直接アクセスする必要はない。例えば，小・中学校の地域学校協働活動の枠組を活用し，コーディネーターとなる地域学校協働活動推進員等の協力を得て，学校が期待したい教育活動に，どのような人材や施設等が活用できるか相談し，調整を依頼することも考えられる。

### (4) 適切な打合せの実施

外部の教育資源を活用して学習活動を行う際には，協力してくれる地域の人々や施設等の置かれている立場や状況などをしっかり把握しておくことが大切である。場合によっては，相手に迷惑を掛けることなども予想される。連携に当たっては，外部人材に対して，適切な対応を心掛けるとともに，授業のねらいを明確にし，教師と連携先との役割分担を事前に確認し，育成を目指す資質・能力について共有するなど，十分な打合せをする必要がある。加えて，外部人材と事後の反省をしたり，外部人材から事後の評価を受けたりするなども，その後の学習活動の充実にとって重要である。その際，生徒に関する個人情報の取り扱いについては，十分に注意しなければならない。特に，生徒の実態については，学級や学年全体としての傾向を伝えるなどして，個人が特定されることがないように配慮する必要がある。

外部から講師を招く際に，例えば，講話内容を任せきりにしてしまうことで，生徒が自分で学び取る余地がないほど詳細に教えてもらうことになってしまったり，内容が難し過ぎて生徒が理解できなくなってしまったりする場合も見られる。外部講師に依存し過ぎることなく，生徒の学習状況に応じて教師が指導するなど，学習活動を構成する責任者としての役割を果たさなくてはならない。そのためには，外部人材を活用することにより，どのような資質・能力を育成することを期待するのかという点を教師と講師で端的に共有することが大切である。

### (5) 学習成果の発信

外部との連携を一層円滑にするために，学習成果の発信が必要である。学校公開日や学校祭などの開催を通知したり，学校だよりの配布などをしたりして，保護者や地域の人々に総合的な探究の時間の成果を発表する場と機会を設けることが必要である。そのことにより，保護者や地域の人々は，総合的な探究の時間に関心を示すとともに，連携や協力の成果を実感し，満足感をもつことにもなる。また，地域の小・中学生と高校生とで，互いの学習の成果を発表し合うことも考えられる。ここでは，小・中学生が高校生の学習の様子に憧れを抱いたり，高校生は小・中学生の素朴な質問に驚いたりするなどの効果が生まれることが期待できる。こうした取組は，総合的な探究の時間が生徒の成長につながるだけでなく，相手にとっても大きな成果を生む場合がある。

# 付録

## 目次

# 学校教育法施行規則（抄）

昭和二十二年五月二十三日文部省令第十一号
一部改正：平成三十年三月三十日文部科学省令第十三号
平成三十年八月二十七日文部科学省令第二十七号

## 第六章　高等学校

### 第一節　設備，編制，学科及び教育課程

第八十三条　高等学校の教育課程は，別表第三に定める各教科に属する科目，総合的な探究の時間及び特別活動によつて編成するものとする。

第八十四条　高等学校の教育課程については，この章に定めるもののほか，教育課程の基準として文部科学大臣が別に公示する高等学校学習指導要領によるものとする。

第八十五条　高等学校の教育課程に関し，その改善に資する研究を行うため特に必要があり，かつ，生徒の教育上適切な配慮がなされていると文部科学大臣が認める場合においては，文部科学大臣が別に定めるところにより，前二条の規定によらないことができる。

第八十五条の二　文部科学大臣が，高等学校において，当該高等学校又は当該高等学校が設置されている地域の実態に照らし，より効果的な教育を実施するため，当該高等学校又は当該地域の特色を生かした特別の教育課程を編成して教育を実施する必要があり，かつ，当該特別の教育課程について，教育基本法及び学校教育法第五十一条の規定等に照らして適切であり，生徒の教育上適切な配慮がなされているものとして文部科学大臣が定める基準を満たしていると認める場合においては，文部科学大臣が別に定めるところにより，第八十三条又は第八十四条の規定の全部又は一部によらないことができる。



第八十六条　高等学校において，学校生活への適応が困難であるため，相当の期間高等学校を欠席し引き続き欠席すると認められる生徒，高等学校を退学し，その後高等学校に入学していないと認められる者若しくは学校教育法第五十七条に規定する高等学校の入学資格を有するが，高等学校に入学していないと認められる者又は疾病による療養のため若しくは障害のため，相当の期間高等学校を欠席すると認められる生徒，高等学校を退学し，その後高等学校に入学していないと認められる者若しくは学校教育法第五十七条に規定する高等学校の入学資格を有するが，高等学校に入学していないと認められる者を対象として，その実態に配慮した特別の教育課程を編成して教育を実施する必要があると文部科学大臣が認める場合においては，文部科学大臣が別に定めるところにより，第八十三条又は第八十四条の規定によらないことができる。

## 第八章　特別支援教育

第百三十四条の二　校長は，特別支援学校に在学する児童等について個別の教育支援計画（学校と医療，保健，福祉，労働等に関する業務を行う関係機関及び民間団体（次項において「関係機関等」という。）との連携の下に行う当該児童等に対する長期的な支援に関する計画をいう。）を作成しなければならない。

2　校長は，前項の規定により個別の教育支援計画を作成するに当たつては，当該児童等

又はその保護者の意向を踏まえつつ，あらかじめ，関係機関等と当該児童等の支援に関する必要な情報の共有を図らなければならない。

第百四十条　小学校，中学校，義務教育学校，高等学校又は中等教育学校において，次の各号のいずれかに該当する児童又は生徒（特別支援学級の児童及び生徒を除く。）のうち当該障害に応じた特別の指導を行う必要があるものを教育する場合には，文部科学大臣が別に定めるところにより，第五十条第一項（第七十九条の六第一項において準用する場合を含む。），第五十一条，第五十二条（第七十九条の六第一項において準用する場合を含む。），第五十二条の三，第七十二条（第七十九条の六第二項及び第百八条第一項において準用する場合を含む。），第七十三条，第七十四条（第七十九条の六第二項及び第百八条第一項において準用する場合を含む。），第七十四条の三，第七十六条，第七十九条の五（第七十九条の十二において準用する場合を含む。），第八十三条及び第八十四条（第百八条第二項において準用する場合を含む。）並びに第百七条（第百十七条において準用する場合を含む。）の規定にかかわらず，特別の教育課程によることができる。

一　言語障害者
二　自閉症者
三　情緒障害者
四　弱視者
五　難聴者
六　学習障害者
七　注意欠陥多動性障害者
八　その他障害のある者で，この条の規定により特別の教育課程による教育を行うことが適当なもの

第百四十一条　前条の規定により特別の教育課程による場合においては，校長は，児童又は生徒が，当該小学校，中学校，義務教育学校，高等学校又は中等教育学校の設置者の定めるところにより他の小学校，中学校，義務教育学校，高等学校，中等教育学校又は特別支援学校の小学部，中学部若しくは高等部において受けた授業を，当該小学校，中学校，義務教育学校，高等学校又は中等教育学校において受けた当該特別の教育課程に係る授業とみなすことができる。

第百四十一条の二　第百三十四条の二の規定は，第百四十条の規定により特別の指導が行われている児童又は生徒について準用する。

## 附 則（平成三十年三月三十日文部科学省令第十三号）

1　この省令は，平成三十四年四月一日から施行する。

2　改正後の学校教育法施行規則（以下この項及び次項において「新令」という。別表第三の規定は，施行の日以降高等学校（中等教育学校の後期課程及び特別支援学校の高等部を含む。以下この項及び次項において同じ。）に入学した生徒（新令第九十一条（新令第百十三条第一項及び第百三十五条第五項で準用する場合を含む。）の規定により入学した生徒であって同日前に入学した生徒に係る教育課程により履修するものを除く。）に係る教育課程から適用する。

3　前項の規定により新令別表第三の規定が適用されるまでの高等学校の教育課程については，なお従前の例による。

別表第三（第八十三条，第百八条，第百二十八条関係）

（一）　各学科に共通する各教科

| 各教科 | 各教科に属する科目 |
|---|---|
| 国　語 | 現代の国語，言語文化，論理国語，文学国語，国語表現，古典探究 |
| 地理歴史 | 地理総合，地理探究，歴史総合，日本史探究，世界史探究 |
| 公　民 | 公共，倫理，政治・経済 |
| 数　学 | 数学Ⅰ，数学Ⅱ，数学Ⅲ，数学A，数学B，数学C |
| 理　科 | 科学と人間生活，物理基礎，物理，化学基礎，化学，生物基礎，生物，地学基礎，地学 |
| 保健体育 | 体育，保健 |
| 芸　術 | 音楽Ⅰ，音楽Ⅱ，音楽Ⅲ，美術Ⅰ，美術Ⅱ，美術Ⅲ，工芸Ⅰ，工芸Ⅱ，工芸Ⅲ，書道Ⅰ，書道Ⅱ，書道Ⅲ |
| 外国語 | 英語コミュニケーションⅠ，英語コミュニケーションⅡ，英語コミュニケーションⅢ，論理・表現Ⅰ，論理・表現Ⅱ，論理・表現Ⅲ |
| 家　庭 | 家庭基礎，家庭総合 |
| 情　報 | 情報Ⅰ，情報Ⅱ |
| 理　数 | 理数探究基礎，理数探究 |

（二）　主として専門学科において開設される各教科

| 各教科 | 各教科に属する科目 |
|---|---|
| 農　業 | 農業と環境，課題研究，総合実習，農業と情報，作物，野菜，果樹，草花，畜産，栽培と環境，飼育と環境，農業経営，農業機械，植物バイオテクノロジー，食品製造，食品化学，食品微生物，食品流通，森林科学，森林経営，林産物利用，農業土木設計，農業土木施工，水循環，造園計画，造園施工管理，造園植栽，測量，生物活用，地域資源活用 |

| | |
|---|---|
| 工　業 | 工業技術基礎，課題研究，実習，製図，工業情報数理，工業材料技術，工業技術英語，工業管理技術，工業環境技術，機械工作，機械設計，原動機，電子機械，生産技術，自動車工学，自動車整備，船舶工学，電気回路，電気機器，電力技術，電子技術，電子回路，電子計測制御，通信技術，プログラミング技術，ハードウェア技術，ソフトウェア技術，コンピュータシステム技術，建築構造，建築計画，建築構造設計，建築施工，建築法規，設備計画，空気調和設備，衛生・防災設備，測量，土木基盤力学，土木構造設計，土木施工，社会基盤工学，工業化学，化学工学，地球環境化学，材料製造技術，材料工学，材料加工，セラミック化学，セラミック技術，セラミック工業，繊維製品，繊維・染色技術，染織デザイン，インテリア計画，インテリア装備，インテリアエレメント生産，デザイン実践，デザイン材料，デザイン史 |
| 商　業 | ビジネス基礎，課題研究，総合実践，ビジネス・コミュニケーション，マーケティング，商品開発と流通，観光ビジネス，ビジネス・マネジメント，グローバル経済，ビジネス法規，簿記，財務会計Ⅰ，財務会計Ⅱ，原価計算，管理会計，情報処理，ソフトウェア活用，プログラミング，ネットワーク活用，ネットワーク管理 |
| 水　産 | 水産海洋基礎，課題研究，総合実習，海洋情報技術，水産海洋科学，漁業，航海・計器，船舶運用，船用機関，機械設計工作，電気理論，移動体通信工学，海洋通信技術，資源増殖，海洋生物，海洋環境，小型船舶，食品製造，食品管理，水産流通，ダイビング，マリンスポーツ |
| 家　庭 | 生活産業基礎，課題研究，生活産業情報，消費生活，保育基礎，保育実践，生活と福祉，住生活デザイン，服飾文化，ファッション造形基礎，ファッション造形，ファッションデザイン，服飾手芸，フードデザイン，食文化，調理，栄養，食品，食品衛生，公衆衛生，総合調理実習 |
| 看　護 | 基礎看護，人体の構造と機能，疾病の成り立ちと回復の促進，健康支援と社会保障制度，成人看護，老年看護，小児看護，母性看護，精神看護，在宅看護，看護の統合と実践，看護臨地実習，看護情報 |
| 情　報 | 情報産業と社会，課題研究，情報の表現と管理，情報テクノロジー，情報セキュリティ，情報システムのプログラミング，ネットワークシステム，データベース，情報デザイン，コンテンツの制作と発信，メディアとサービス，情報実習 |
| 福　祉 | 社会福祉基礎，介護福祉基礎，コミュニケーション技術，生活支援技術，介護過程，介護総合演習，介護実習，こころとからだの理解，福祉情報 |
| 理　数 | 理数数学Ⅰ，理数数学Ⅱ，理数数学特論，理数物理，理数化学，理数生物，理数地学 |
| 体　育 | スポーツ概論，スポーツⅠ，スポーツⅡ，スポーツⅢ，スポーツⅣ，スポーツⅤ，スポーツⅥ，スポーツ総合演習 |

| | |
|---|---|
| 音　楽 | 音楽理論，音楽史，演奏研究，ソルフェージュ，声楽，器楽，作曲，鑑賞研究 |
| 美　術 | 美術概論，美術史，鑑賞研究，素描，構成，絵画，版画，彫刻，ビジュアルデザイン，クラフトデザイン，情報メディアデザイン，映像表現，環境造形 |
| 英　語 | 総合英語Ⅰ，総合英語Ⅱ，総合英語Ⅲ，ディベート・ディスカッションⅠ，ディベート・ディスカッションⅡ，エッセイライティングⅠ，エッセイライティングⅡ |

備考

一　(一)及び(二)の表の上欄に掲げる各教科について，それぞれの表の下欄に掲げる各教科に属する科目以外の科目を設けることができる。

二　(一)及び(二)の表の上欄に掲げる各教科以外の教科及び当該教科に関する科目を設けることができる。

# 高等学校学習指導要領　第１章　総則

## 第１款　高等学校教育の基本と教育課程の役割

1　各学校においては，教育基本法及び学校教育法その他の法令並びにこの章以下に示すところに従い，生徒の人間として調和のとれた育成を目指し，生徒の心身の発達の段階や特性等，課程や学科の特色及び学校や地域の実態を十分考慮して，適切な教育課程を編成するものとし，これらに掲げる目標を達成するよう教育を行うものとする。

2　学校の教育活動を進めるに当たっては，各学校において，第３款の１に示す主体的・対話的で深い学びの実現に向けた授業改善を通して，創意工夫を生かした特色ある教育活動を展開する中で，次の(1)から(3)までに掲げる事項の実現を図り，生徒に生きる力を育むことを目指すものとする。

(1) 基礎的・基本的な知識及び技能を確実に習得させ，これらを活用して課題を解決するために必要な思考力，判断力，表現力等を育むとともに，主体的に学習に取り組む態度を養い，個性を生かし多様な人々との協働を促す教育の充実に努めること。その際，生徒の発達の段階を考慮して，生徒の言語活動など，学習の基盤をつくる活動を充実するとともに，家庭との連携を図りながら，生徒の学習習慣が確立するよう配慮すること。

(2) 道徳教育や体験活動，多様な表現や鑑賞の活動等を通して，豊かな心や創造性の涵(かん)養を目指した教育の充実に努めること。

学校における道徳教育は，人間としての在り方生き方に関する教育を学校の教育活動全体を通じて行うことによりその充実を図るものとし，各教科に属する科目（以下「各教科・科目」という。），総合的な探究の時間及び特別活動（以下「各教科・科目等」という。）のそれぞれの特質に応じて，適切な指導を行うこと。

道徳教育は，教育基本法及び学校教育法に定められた教育の根本精神に基づき，生徒が自己探求と自己実現に努め国家・社会の一員としての自覚に基づき行為しうる発達の段階にあることを考慮し，人間としての在り方生き方を考え，主体的な判断の下に行動し，自立した人間として他者と共によりよく生きるための基盤となる道徳性を養うことを目標とすること。

道徳教育を進めるに当たっては，人間尊重の精神と生命に対する畏敬の念を家庭，学校，その他社会における具体的な生活の中に生かし，豊かな心をもち，伝統と文化を尊重し，それらを育んできた我が国と郷土を愛し，個性豊かな文化の創造を図るとともに，平和で民主的な国家及び社会の形成者として，公共の精神を尊び，社会及び国家の発展に努め，他国を尊重し，国際社会の平和と発展や環境の保全に貢献し未来を拓(ひら)く主体性のある日本人の育成に資することとなるよう特に留意すること。

(3) 学校における体育・健康に関する指導を，生徒の発達の段階を考慮して，学校の教育活動全体を通じて適切に行うことにより，健康で安全な生活と豊かなスポーツライフの実現を目指した教育の充実に努めること。特に，学校における食育の推進並びに体力の向上に関する指導，安全に関する指導及び心身の健康の保持増進に関する指導については，保健体育科，家庭科及び特別活動の時間はもとより，各教科・科目及び総合的な探究の時間などにおいてもそれぞれの特質に応じて適切に行うよう努めること。また，それらの指導を通して，家庭や地域社会との連携を図りながら，日常生活において適切な体育・健康に関する活動の実践を促し，生涯を通じて健康・安全で活力ある生活を送るための基礎が培われるよう配慮すること。

3　2の(1)から(3)までに掲げる事項の実現を図り，豊かな創造性を備え持続可能な社会の創り手となることが期待される生徒に，生きる力を育むことを目指すに当たっては，学校教育全体及び各教科・科目等の指導を通してどのような資質・能力の育成を目指すのかを明確にしながら，教育活動の充実を図るものとする。その際，生徒の発達の段階や特性等を踏まえつつ，次に掲げることが偏りなく実現できるようにするものとする。

(1) 知識及び技能が習得されるようにすること。

(2) 思考力，判断力，表現力等を育成すること。

(3) 学びに向かう力，人間性等を涵（かん）養すること。

4　学校においては，地域や学校の実態等に応じて，就業やボランティアに関わる体験的な学習の指導を適切に行うようにし，勤労の尊さや創造することの喜びを体得させ，望ましい勤労観，職業観の育成や社会奉仕の精神の涵（かん）養に資するものとする。

5　各学校においては，生徒や学校，地域の実態を適切に把握し，教育の目的や目標の実現に必要な教育の内容等を教科等横断的な視点で組み立てていくこと，教育課程の実施状況を評価してその改善を図っていくこと，教育課程の実施に必要な人的又は物的な体制を確保するとともにその改善を図っていくことなどを通して，教育課程に基づき組織的かつ計画的に各学校の教育活動の質の向上を図っていくこと（以下「カリキュラム・マネジメント」という。）に努めるものとする。



## 第2款　教育課程の編成

1　各学校の教育目標と教育課程の編成

教育課程の編成に当たっては，学校教育全体や各教科・科目等における指導を通して育成を目指す資質・能力を踏まえつつ，各学校の教育目標を明確にするとともに，教育課程の編成についての基本的な方針が家庭や地域とも共有されるよう努めるものとする。その際，第4章の第2の1に基づき定められる目標との関連を図るものとする。

2　教科等横断的な視点に立った資質・能力の育成

(1) 各学校においては，生徒の発達の段階を考慮し，言語能力，情報活用能力（情報モラルを含む。），問題発見・解決能力等の学習の基盤となる資質・能力を育成していくことができるよう，各教科・科目等の特質を生かし，教科等横断的な視点から教育課程の編成を図るものとする。

(2) 各学校においては，生徒や学校，地域の実態及び生徒の発達の段階を考慮し，豊かな人生の実現や災害等を乗り越えて次代の社会を形成することに向けた現代的な諸課題に対応して求められる資質・能力を，教科等横断的な視点で育成していくことができるよう，各学校の特色を生かした教育課程の編成を図るものとする。

3　教育課程の編成における共通的事項

(1) 各教科・科目及び単位数等

ア　卒業までに履修させる単位数等

各学校においては，卒業までに履修させるイからオまでに示す各教科・科目及びその単位数，総合的な探究の時間の単位数並びに特別活動及びその授業時数に関する事項を定めるものとする。この場合，各教科・科目及び総合的な探究の時間の単位数の計は，(2)のア，イ及びウの(ｱ)に掲げる各教科・科目の単位数並びに総合的な探究の時間の単位数を含めて74単位以上とする。

単位については，1単位時間を50分とし，35単位時間の授業を1単位として計算することを標準とする。ただし，通信制の課程においては，5に定めるところによるものとする。

イ　各学科に共通する各教科・科目及び総合的な探究の時間並びに標準単位数

各学校においては，教育課程の編成に当たって，次の表に掲げる各教科・科目及び総合的な探究の時間並びにそれぞれの標準単位数を踏まえ，生徒に履修させる各教科・科目及び総合的な探究の時間並びにそれらの単位数について適切に定めるものとする。ただし，生徒の実態等を考慮し，特に必要がある場合には，標準単位数の標準の限度を超えて単位数を増加して配当することができる。

| 教科等 | 科目 | 標準単位数 | 教科等 | 科目 | 標準単位数 |
|---|---|---|---|---|---|
| 国語 | 現代の国語 | 2 | 理科 | 科学と人間生活 | 2 |
| | 言語文化 | 2 | | 物理基礎 | 2 |
| | 論理国語 | 4 | | 物理 | 4 |
| | 文学国語 | 4 | | 化学基礎 | 2 |
| | 国語表現 | 4 | | 化学 | 4 |
| | 古典探究 | 4 | | 生物基礎 | 2 |
| 地理歴史 | 地理総合 | 2 | | 生物 | 4 |
| | 地理探究 | 3 | | 地学基礎 | 2 |
| | 歴史総合 | 2 | | 地学 | 4 |
| | 日本史探究 | 3 | 保健体育 | 体育 | 7～8 |
| | 世界史探究 | 3 | | 保健 | 2 |
| 公民 | 公共 | 2 | 芸術 | 音楽Ⅰ | 2 |
| | 倫理 | 2 | | 音楽Ⅱ | 2 |
| | 政治・経済 | 2 | | 音楽Ⅲ | 2 |
| 数学 | 数学Ⅰ | 3 | | 美術Ⅰ | 2 |
| | 数学Ⅱ | 4 | | 美術Ⅱ | 2 |
| | 数学Ⅲ | 3 | | 美術Ⅲ | 2 |
| | 数学A | 2 | | 工芸Ⅰ | 2 |
| | 数学B | 2 | | 工芸Ⅱ | 2 |
| | 数学C | 2 | | 工芸Ⅲ | 2 |

| 教科等 | 科目 | 標準単位数 |
|---|---|---|
| 芸術 | 書道Ⅰ | 2 |
| | 書道Ⅱ | 2 |
| | 書道Ⅲ | 2 |
| 外国語 | 英語コミュニケーションⅠ | 3 |
| | 英語コミュニケーションⅡ | 4 |
| | 英語コミュニケーションⅢ | 4 |
| | 論理・表現Ⅰ | 2 |
| | 論理・表現Ⅱ | 2 |
| | 論理・表現Ⅲ | 2 |
| 家庭 | 家庭基礎 | 2 |
| | 家庭総合 | 4 |
| 情報 | 情報Ⅰ | 2 |
| | 情報Ⅱ | 2 |
| 理数 | 理数探究基礎 | 1 |
| | 理数探究 | 2～5 |
| 総合的な探究の時間 | | 3～6 |

ウ　主として専門学科において開設される各教科・科目

各学校においては，教育課程の編成に当たって，次の表に掲げる主として専門学科（専門教育を主とする学科をいう。以下同じ。）において開設される各教科・科目及び設置者の定めるそれぞれの標準単位数を踏まえ，生徒に履修させる各教科・科目及びその単位数について適切に定めるものとする。

| 教科 | 科目 |
|---|---|
| 農業 | 農業と環境，課題研究，総合実習，農業と情報，作物，野菜，果樹，草花，畜産，栽培と環境，飼育と環境，農業経営，農業機械，植物バイオテクノロジー，食品製造，食品化学，食品微生物，食品流通，森林科学，森林経営，林産物利用，農業土木設計，農業土木施工，水循環，造園計画，造園施工管理，造園植栽，測量，生物活用，地域資源活用 |
| 工業 | 工業技術基礎，課題研究，実習，製図，工業情報数理，工業材料技術，工業技術英語，工業管理技術，工業環境技術，機械工作，機械設計，原動機，電子機械，生産技術，自動車工学，自動車整備，船舶工学，電気回路，電気機器，電力技術，電子技術，電子回路，電子計測制御，通信技術，プログラミング技術，ハードウェア技術，ソフトウェア技術，コンピュータシステム技術，建築構造，建築計画，建築構造設計，建築施工，建築法規，設備計画，空気調和設備，衛生・防災設備，測量，土木基盤力学，土木構造設計，土木施工，社会基盤工学，工業化学，化学工学，地球環境化学，材料製造技術，材料工学，材料加工，セラミック化学，セラミック技術，セラミック工業，繊維製品，繊維・染色技術，染織デザイン，インテリア計画，インテリア装備，インテリアエレメント生産，デザイン実践，デザイン材料，デザイン史 |

付録２

| 教科 | 科目 |
| --- | --- |
| 商業 | ビジネス基礎，課題研究，総合実践，ビジネス・コミュニケーション，マーケティング，商品開発と流通，観光ビジネス，ビジネス・マネジメント，グローバル経済，ビジネス法規，簿記，財務会計Ⅰ，財務会計Ⅱ，原価計算，管理会計，情報処理，ソフトウェア活用，プログラミング，ネットワーク活用，ネットワーク管理 |
| 水産 | 水産海洋基礎，課題研究，総合実習，海洋情報技術，水産海洋科学，漁業，航海・計器，船舶運用，船用機関，機械設計工作，電気理論，移動体通信工学，海洋通信技術，資源増殖，海洋生物，海洋環境，小型船舶，食品製造，食品管理，水産流通，ダイビング，マリンスポーツ |
| 家庭 | 生活産業基礎，課題研究，生活産業情報，消費生活，保育基礎，保育実践，生活と福祉，住生活デザイン，服飾文化，ファッション造形基礎，ファッション造形，ファッションデザイン，服飾手芸，フードデザイン，食文化，調理，栄養，食品，食品衛生，公衆衛生，総合調理実習 |
| 看護 | 基礎看護，人体の構造と機能，疾病の成り立ちと回復の促進，健康支援と社会保障制度，成人看護，老年看護，小児看護，母性看護，精神看護，在宅看護，看護の統合と実践，看護臨地実習，看護情報 |
| 情報 | 情報産業と社会，課題研究，情報の表現と管理，情報テクノロジー，情報セキュリティ，情報システムのプログラミング，ネットワークシステム，データベース，情報デザイン，コンテンツの制作と発信，メディアとサービス，情報実習 |
| 福祉 | 社会福祉基礎，介護福祉基礎，コミュニケーション技術，生活支援技術，介護過程，介護総合演習，介護実習，こころとからだの理解，福祉情報 |
| 理数 | 理数数学Ⅰ，理数数学Ⅱ，理数数学特論，理数物理，理数化学，理数生物，理数地学 |
| 体育 | スポーツ概論，スポーツⅠ，スポーツⅡ，スポーツⅢ，スポーツⅣ，スポーツⅤ，スポーツⅥ，スポーツ総合演習 |
| 音楽 | 音楽理論，音楽史，演奏研究，ソルフェージュ，声楽，器楽，作曲，鑑賞研究 |
| 美術 | 美術概論，美術史，鑑賞研究，素描，構成，絵画，版画，彫刻，ビジュアルデザイン，クラフトデザイン，情報メディアデザイン，映像表現，環境造形 |
| 英語 | 総合英語Ⅰ，総合英語Ⅱ，総合英語Ⅲ，ディベート・ディスカッションⅠ，ディベート・ディスカッションⅡ，エッセイライティングⅠ，エッセイライティングⅡ |

エ　学校設定科目

学校においては，生徒や学校，地域の実態及び学科の特色等に応じ，特色ある教育課程の編成に資するよう，イ及びウの表に掲げる教科について，これらに属する科目以外の科目(以下「学校設定科目」という。)を設けることができる。この場合において，学校設定科目の名称，目標，内容，単位数等については，その科目の属する教科の目標に基づき，高等学校教育としての水準の確保に十分配慮し，各学校の定めるところによるものとする。

オ　学校設定教科

(ｱ) 学校においては，生徒や学校，地域の実態及び学科の特色等に応じ，特色ある教育課程の編成に資するよう，イ及びウの表に掲げる教科以外の教科(以下「学校設定教科」という。)及び当該教科に関する科目を設けることができる。この場合において，学校設定教科及び当該教科に関する科目の名称，目標，内容，単位数等については，高等学校教育の目標に基づき，高等学校教育としての水準の確保に十分配慮し，各学校の定めるところによるものとする。

(ｲ) 学校においては，学校設定教科に関する科目として「産業社会と人間」を設けることができる。この科目の目標，内容，単位数等を各学校において定めるに当たっては，産業社会における自己の在り方生き方について考えさせ，社会に積極的に寄与し，生涯にわたって学習に取り組む意欲や態度を養うとともに，生徒の主体的な各教科・科目の選択に資するよう，就業体験活動等の体験的な学習や調査・研究などを通して，次のような事項について指導することに配慮するものとする。

㋐　社会生活や職業生活に必要な基本的な能力や態度及び望ましい勤労観，職業観の育成

㋑　我が国の産業の発展とそれがもたらした社会の変化についての考察

㋒　自己の将来の生き方や進路についての考察及び各教科・科目の履修計画の作成

(2) 各教科・科目の履修等

ア　各学科に共通する必履修教科・科目及び総合的な探究の時間

(ｱ) 全ての生徒に履修させる各教科・科目(以下「必履修教科・科目」という。)は次のとおりとし，その単位数は，(1)のイに標準単位数として示された単位数を下らないものとする。ただし，生徒の実態及び専門学科の特色等を考慮し，特に必要がある場合には，「数学Ｉ」及び「英語コミュニケーションＩ」については２単位とすることができ，その他の必履修教科・科目(標準単位数が２単位であるものを除く。)についてはその単位数の一部を減じることができる。

㋐　国語のうち「現代の国語」及び「言語文化」

㋑　地理歴史のうち「地理総合」及び「歴史総合」

㋒　公民のうち「公共」

㋓　数学のうち「数学Ｉ」

㋔ 理科のうち「科学と人間生活」,「物理基礎」,「化学基礎」,「生物基礎」及び「地学基礎」のうちから2科目(うち1科目は「科学と人間生活」とする。)又は「物理基礎」,「化学基礎」,「生物基礎」及び「地学基礎」のうちから3科目

㋕ 保健体育のうち「体育」及び「保健」

㋖ 芸術のうち「音楽Ⅰ」,「美術Ⅰ」,「工芸Ⅰ」及び「書道Ⅰ」のうちから1科目

㋗ 外国語のうち「英語コミュニケーションⅠ」(英語以外の外国語を履修する場合は,学校設定科目として設ける1科目とし,その標準単位数は3単位とする。)

㋘ 家庭のうち「家庭基礎」及び「家庭総合」のうちから1科目

㋙ 情報のうち「情報Ⅰ」

(ｲ) 総合的な探究の時間については,全ての生徒に履修させるものとし,その単位数は,(1)のイに標準単位数として示された単位数の下限を下らないものとする。ただし,特に必要がある場合には,その単位数を2単位とすることができる。

(ｳ) 外国の高等学校に留学していた生徒について,外国の高等学校における履修により,必履修教科・科目又は総合的な探究の時間の履修と同様の成果が認められる場合においては,外国の高等学校における履修をもって相当する必履修教科・科目又は総合的な探究の時間の履修の一部又は全部に替えることができる。

イ 専門学科における各教科・科目の履修

専門学科における各教科・科目の履修については,アのほか次のとおりとする。

(ｱ) 専門学科においては,専門教科・科目((1)のウの表に掲げる各教科・科目,同表に掲げる教科に属する学校設定科目及び専門教育に関する学校設定教科に関する科目をいう。以下同じ。)について,全ての生徒に履修させる単位数は,25単位を下らないこと。ただし,商業に関する学科においては,上記の単位数の中に外国語に属する科目の単位を5単位まで含めることができること。また,商業に関する学科以外の専門学科においては,各学科の目標を達成する上で,専門教科・科目以外の各教科・科目の履修により,専門教科・科目の履修と同様の成果が期待できる場合においては,その専門教科・科目以外の各教科・科目の単位を5単位まで上記の単位数の中に含めることができること。

(ｲ) 専門教科・科目の履修によって,アの必履修教科・科目の履修と同様の成果が期待できる場合においては,その専門教科・科目の履修をもって,必履修教科・科目の履修の一部又は全部に替えることができること。

(ｳ) 職業教育を主とする専門学科においては,総合的な探究の時間の履修により,農業,工業,商業,水産,家庭若しくは情報の各教科の「課題研究」,看護の「看護臨地実習」又は福祉の「介護総合演習」(以下「課題研究等」という。)の履修と同様の成果が期待できる場合においては,総合的な探究の時間の履修をもって課題研究等の履修の一部又は全部に替えることができること。また,課題研究等の履修により,総合的な探究の時間の履修と同様の成果が期待できる場合においては,課題研究等の履修をもって総合的な探究の時間の履修の一部又は全部に替えることができること。

ウ　総合学科における各教科・科目の履修等

総合学科における各教科・科目の履修等については，アのほか次のとおりとする。

(ｱ) 総合学科においては，(1)のオの(ｲ)に掲げる「産業社会と人間」を全ての生徒に原則として入学年次に履修させるものとし，標準単位数は2～4単位とすること。

(ｲ) 総合学科においては，学年による教育課程の区分を設けない課程（以下「単位制による課程」という。）とすることを原則とするとともに，「産業社会と人間」及び専門教科・科目を合わせて25単位以上設け，生徒が多様な各教科・科目から主体的に選択履修できるようにすること。その際，生徒が選択履修するに当たっての指針となるよう，体系性や専門性等において相互に関連する各教科・科目によって構成される科目群を複数設けるとともに，必要に応じ，それら以外の各教科・科目を設け，生徒が自由に選択履修できるようにすること。

(3) 各教科・科目等の授業時数等

ア　全日制の課程における各教科・科目及びホームルーム活動の授業は，年間35週行うことを標準とし，必要がある場合には，各教科・科目の授業を特定の学期又は特定の期間（夏季，冬季，学年末等の休業日の期間に授業日を設定する場合を含む。）に行うことができる。

イ　全日制の課程における週当たりの授業時数は，30単位時間を標準とする。ただし，必要がある場合には，これを増加することができる。

ウ　定時制の課程における授業日数の季節的配分又は週若しくは1日当たりの授業時数については，生徒の勤労状況と地域の諸事情等を考慮して，適切に定めるものとする。

エ　ホームルーム活動の授業時数については，原則として，年間35単位時間以上とするものとする。

オ　生徒会活動及び学校行事については，学校の実態に応じて，それぞれ適切な授業時数を充てるものとする。

カ　定時制の課程において，特別の事情がある場合には，ホームルーム活動の授業時数の一部を減じ，又はホームルーム活動及び生徒会活動の内容の一部を行わないものとすることができる。

キ　各教科・科目等のそれぞれの授業の1単位時間は，各学校において，各教科・科目等の授業時数を確保しつつ，生徒の実態及び各教科・科目等の特質を考慮して適切に定めるものとする。

ク　各教科・科目等の特質に応じ，10分から15分程度の短い時間を活用して特定の各教科・科目等の指導を行う場合において，当該各教科・科目等を担当する教師が単元や題材など内容や時間のまとまりを見通した中で，その指導内容の決定や指導の成果の把握と活用等を責任をもって行う体制が整備されているときは，その時間を当該各教科・科目等の授業時数に含めることができる。

ケ　総合的な探究の時間における学習活動により，特別活動の学校行事に掲げる各行事の実施と同様の成果が期待できる場合においては，総合的な探究の時間における学習活動をもって相当する特別活動の学校行事に掲げる各行事の実施に替えることができる。

コ　理数の「理数探究基礎」又は「理数探究」の履修により，総合的な探究の時間の履修と同様の成果が期待できる場合においては，「理数探究基礎」又は「理数探究」の履修をもって総合的な探究の時間の履修の一部又は全部に替えることができる。

(4) 選択履修の趣旨を生かした適切な教育課程の編成

教育課程の編成に当たっては，生徒の特性，進路等に応じた適切な各教科・科目の履修ができるようにし，このため，多様な各教科・科目を設け生徒が自由に選択履修することのできるよう配慮するものとする。また，教育課程の類型を設け，そのいずれかの類型を選択して履修させる場合においても，その類型において履修させることになっている各教科・科目以外の各教科・科目を履修させたり，生徒が自由に選択履修することのできる各教科・科目を設けたりするものとする。

(5) 各教科・科目等の内容等の取扱い

ア　学校においては，第2章以下に示していない事項を加えて指導することができる。また，第2章以下に示す内容の取扱いのうち内容の範囲や程度等を示す事項は，当該科目を履修する全ての生徒に対して指導するものとする内容の範囲や程度等を示したものであり，学校において必要がある場合には，この事項にかかわらず指導することができる。ただし，これらの場合には，第2章以下に示す教科，科目及び特別活動の目標や内容の趣旨を逸脱したり，生徒の負担が過重となったりすることのないようにするものとする。

イ　第2章以下に示す各教科・科目及び特別活動の内容に掲げる事項の順序は，特に示す場合を除き，指導の順序を示すものではないので，学校においては，その取扱いについて適切な工夫を加えるものとする。

ウ　学校においては，あらかじめ計画して，各教科・科目の内容及び総合的な探究の時間における学習活動を学期の区分に応じて単位ごとに分割して指導することができる。

エ　学校においては，特に必要がある場合には，第2章及び第3章に示す教科及び科目の目標の趣旨を損なわない範囲内で，各教科・科目の内容に関する事項について，基礎的・基本的な事項に重点を置くなどその内容を適切に選択して指導することができる。

(6) 指導計画の作成に当たって配慮すべき事項

各学校においては，次の事項に配慮しながら，学校の創意工夫を生かし，全体として，調和のとれた具体的な指導計画を作成するものとする。

ア　各教科・科目等の指導内容については，単元や題材など内容や時間のまとまりを見通しながら，そのまとめ方や重点の置き方に適切な工夫を加え，第3款の1に示す主体的・対話的で深い学びの実現に向けた授業改善を通して資質・能力を育む効果的な指導ができるようにすること。

イ　各教科・科目等について相互の関連を図り，系統的，発展的な指導ができるようにすること。

(7) キャリア教育及び職業教育に関して配慮すべき事項

ア　学校においては，第5款の1に示すキャリア教育及び職業教育を推進するために，生徒の特性や進路，学校や地域の実態等を考慮し，地域や産業界等との連携を図り，産業現場等における長期間の実習を取り入れるなどの就業体験活動の機会を積極的に設けるとともに，地域や産業界等の人々の協力を積極的に得るよう配慮するものとする。

イ　普通科においては，生徒の特性や進路，学校や地域の実態等を考慮し，必要に応じて，適切な職業に関する各教科・科目の履修の機会の確保について配慮するものとする。

ウ　職業教育を主とする専門学科においては，次の事項に配慮するものとする。

(ア) 職業に関する各教科・科目については，実験・実習に配当する授業時数を十分確保するようにすること。

(イ) 生徒の実態を考慮し，職業に関する各教科・科目の履修を容易にするため特別な配慮が必要な場合には，各分野における基礎的又は中核的な科目を重点的に選択し，その内容については基礎的・基本的な事項が確実に身に付くように取り扱い，また，主として実験・実習によって指導するなどの工夫をこらすようにすること。

エ　職業に関する各教科・科目については，次の事項に配慮するものとする。

(ア) 職業に関する各教科・科目については，就業体験活動をもって実習に替えることができること。この場合，就業体験活動は，その各教科・科目の内容に直接関係があり，かつ，その一部としてあらかじめ計画し，評価されるものであることを要すること。

(イ) 農業，水産及び家庭に関する各教科・科目の指導に当たっては，ホームプロジェクト並びに学校家庭クラブ及び学校農業クラブなどの活動を活用して，学習の効果を上げるよう留意すること。この場合，ホームプロジェクトについては，その各教科・科目の授業時数の10分の2以内をこれに充てることができること。

(ウ) 定時制及び通信制の課程において，職業に関する各教科・科目を履修する生徒が，現にその各教科・科目と密接な関係を有する職業（家事を含む。）に従事している場合で，その職業における実務等が，その各教科・科目の一部を履修した場合と同様の成果があると認められるときは，その実務等をもってその各教科・科目の履修の一部に替えることができること。

4　学校段階等間の接続

教育課程の編成に当たっては，次の事項に配慮しながら，学校段階等間の接続を図るものとする。

(1) 現行の中学校学習指導要領を踏まえ，中学校教育までの学習の成果が高等学校教育に円滑に接続され，高等学校教育段階の終わりまでに育成することを目指す資質・能力を，生徒が確実に身に付けることができるよう工夫すること。特に，中等教育学校，連携型高等学校及び併設型高等学校においては，中等教育6年間を見通した計画的かつ継続的な教育課程を編成すること。

(2) 生徒や学校の実態等に応じ，必要がある場合には，例えば次のような工夫を行い，義務教育段階での学習内容の確実な定着を図るようにすること。

ア　各教科・科目の指導に当たり，義務教育段階での学習内容の確実な定着を図るための学習機会を設けること。

イ　義務教育段階での学習内容の確実な定着を図りながら，必履修教科・科目の内容を十分に習得させることができるよう，その単位数を標準単位数の標準の限度を超えて増加して配当すること。

ウ　義務教育段階での学習内容の確実な定着を図ることを目標とした学校設定科目等を履修させた後に，必履修教科・科目を履修させるようにすること。

(3) 大学や専門学校等における教育や社会的・職業的自立，生涯にわたる学習のために，高等学校卒業以降の教育や職業との円滑な接続が図られるよう，関連する教育機関や企業等との連携により，卒業後の進路に求められる資質・能力を着実に育成することができるよう工夫すること。

5　通信制の課程における教育課程の特例

通信制の課程における教育課程については，1から4まで(3の(3)，(4)並びに(7)のエの(ｱ)及び(ｲ)を除く。)並びに第1款及び第3款から第7款までに定めるところによるほか，次に定めるところによる。

(1) 各教科・科目の添削指導の回数及び面接指導の単位時間(1単位時間は，50分として計算するものとする。以下同じ。)数の標準は，1単位につき次の表のとおりとする。

| 各教科・科目 | 添削指導(回) | 面接指導(単位時間) |
|---|---|---|
| 国語，地理歴史，公民及び数学に属する科目 | 3 | 1 |
| 理科に属する科目 | 3 | 4 |
| 保健体育に属する科目のうち「体育」 | 1 | 5 |
| 保健体育に属する科目のうち「保健」 | 3 | 1 |
| 芸術及び外国語に属する科目 | 3 | 4 |
| 家庭及び情報に属する科目並びに専門教科・科目 | 各教科・科目の必要に応じて2～3 | 各教科・科目の必要に応じて2～8 |

(2) 学校設定教科に関する科目のうち専門教科・科目以外のものの添削指導の回数及び面接指導の単位時間数については，1単位につき，それぞれ1回以上及び1単位時間以上を確保した上で，各学校が適切に定めるものとする。

(3) 理数に属する科目及び総合的な探究の時間の添削指導の回数及び面接指導の単位時

間数については，１単位につき，それぞれ１回以上及び１単位時間以上を確保した上で，各学校において，学習活動に応じ適切に定めるものとする。

(4) 各学校における面接指導の１回あたりの時間は，各学校において，(1)から(3)までの標準を踏まえ，各教科・科目及び総合的な探究の時間の面接指導の単位時間数を確保しつつ，生徒の実態並びに各教科・科目及び総合的な探究の時間の特質を考慮して適切に定めるものとする。

(5) 学校が，その指導計画に，各教科・科目又は特別活動について体系的に行われるラジオ放送，テレビ放送その他の多様なメディアを利用して行う学習を計画的かつ継続的に取り入れた場合で，生徒がこれらの方法により学習し，報告課題の作成等により，その成果が満足できると認められるときは，その生徒について，その各教科・科目の面接指導の時間数又は特別活動の時間数(以下「面接指導等時間数」という。)のうち，10分の6以内の時間数を免除することができる。また，生徒の実態等を考慮して特に必要がある場合は，面接指導等時間数のうち，複数のメディアを利用することにより，各メディアごとにそれぞれ10分の6以内の時間数を免除することができる。ただし，免除する時間数は，合わせて10分の8を超えることができない。

なお，生徒の面接指導等時間数を免除しようとする場合には，本来行われるべき学習の量と質を低下させることがないよう十分配慮しなければならない。

(6) 特別活動については，ホームルーム活動を含めて，各々の生徒の卒業までに30単位時間以上指導するものとする。なお，特別の事情がある場合には，ホームルーム活動及び生徒会活動の内容の一部を行わないものとすることができる。



## 第３款　教育課程の実施と学習評価

1　主体的・対話的で深い学びの実現に向けた授業改善

各教科・科目等の指導に当たっては，次の事項に配慮するものとする。

(1) 第１款の３の(1)から(3)までに示すことが偏りなく実現されるよう，単元や題材など内容や時間のまとまりを見通しながら，生徒の主体的・対話的で深い学びの実現に向けた授業改善を行うこと。

特に，各教科・科目等において身に付けた知識及び技能を活用したり，思考力，判断力，表現力等や学びに向かう力，人間性等を発揮させたりして，学習の対象となる物事を捉え思考することにより，各教科・科目等の特質に応じた物事を捉える視点や考え方(以下「見方・考え方」という。)が鍛えられていくことに留意し，生徒が各教科・科目等の特質に応じた見方・考え方を働かせながら，知識を相互に関連付けてより深く理解したり，情報を精査して考えを形成したり，問題を見いだして解決策を考えたり，思いや考えを基に創造したりすることに向かう過程を重視した学習の充実を図ること。

(2) 第２款の２の(1)に示す言語能力の育成を図るため，各学校において必要な言語環境を整えるとともに，国語科を要としつつ各教科・科目等の特質に応じて，生徒の言語活動を充実すること。あわせて，(6)に示すとおり読書活動を充実すること。

(3) 第2款の2の(1)に示す情報活用能力の育成を図るため，各学校において，コンピュータや情報通信ネットワークなどの情報手段を活用するために必要な環境を整え，これらを適切に活用した学習活動の充実を図ること。また，各種の統計資料や新聞，視聴覚教材や教育機器などの教材・教具の適切な活用を図ること。

(4) 生徒が学習の見通しを立てたり学習したことを振り返ったりする活動を，計画的に取り入れるように工夫すること。

(5) 生徒が生命の有限性や自然の大切さ，主体的に挑戦してみることや多様な他者と協働することの重要性などを実感しながら理解することができるよう，各教科・科目等の特質に応じた体験活動を重視し，家庭や地域社会と連携しつつ体系的・継続的に実施できるよう工夫すること。

(6) 学校図書館を計画的に利用しその機能の活用を図り，生徒の主体的・対話的で深い学びの実現に向けた授業改善に生かすとともに，生徒の自主的，自発的な学習活動や読書活動を充実すること。また，地域の図書館や博物館，美術館，劇場，音楽堂等の施設の活用を積極的に図り，資料を活用した情報の収集や鑑賞等の学習活動を充実すること。

2　学習評価の充実

学習評価の実施に当たっては，次の事項に配慮するものとする。

(1) 生徒のよい点や進歩の状況などを積極的に評価し，学習したことの意義や価値を実感できるようにすること。また，各教科・科目等の目標の実現に向けた学習状況を把握する観点から，単元や題材など内容や時間のまとまりを見通しながら評価の場面や方法を工夫して，学習の過程や成果を評価し，指導の改善や学習意欲の向上を図り，資質・能力の育成に生かすようにすること。

(2) 創意工夫の中で学習評価の妥当性や信頼性が高められるよう，組織的かつ計画的な取組を推進するとともに，学年や学校段階を越えて生徒の学習の成果が円滑に接続されるように工夫すること。



## 第4款　単位の修得及び卒業の認定

1　各教科・科目及び総合的な探究の時間の単位の修得の認定

(1) 学校においては，生徒が学校の定める指導計画に従って各教科・科目を履修し，その成果が教科及び科目の目標からみて満足できると認められる場合には，その各教科・科目について履修した単位を修得したことを認定しなければならない。

(2) 学校においては，生徒が学校の定める指導計画に従って総合的な探究の時間を履修し，その成果が第4章の第2の1に基づき定められる目標からみて満足できると認められる場合には，総合的な探究の時間について履修した単位を修得したことを認定しなければならない。

(3) 学校においては，生徒が1科目又は総合的な探究の時間を2以上の年次にわたって履修したときは，各年次ごとにその各教科・科目又は総合的な探究の時間について履修した単位を修得したことを認定することを原則とする。また，単位の修得の認定を学期の区分ごとに行うことができる。

2　卒業までに修得させる単位数

学校においては，卒業までに修得させる単位数を定め，校長は，当該単位数を修得した者で，特別活動の成果がその目標からみて満足できると認められるものについて，高等学校の全課程の修了を認定するものとする。この場合，卒業までに修得させる単位数は，74 単位以上とする。なお，普通科においては，卒業までに修得させる単位数に含めることができる学校設定科目及び学校設定教科に関する科目に係る修得単位数は，合わせて 20 単位を超えることができない。

3　各学年の課程の修了の認定

学校においては，各学年の課程の修了の認定については，単位制が併用されていることを踏まえ，弾力的に行うよう配慮するものとする。

## 第５款　生徒の発達の支援

1　生徒の発達を支える指導の充実

教育課程の編成及び実施に当たっては，次の事項に配慮するものとする。

(1) 学習や生活の基盤として，教師と生徒との信頼関係及び生徒相互のよりよい人間関係を育てるため，日頃からホームルーム経営の充実を図ること。また，主に集団の場面で必要な指導や援助を行うガイダンスと，個々の生徒の多様な実態を踏まえ，一人一人が抱える課題に個別に対応した指導を行うカウンセリングの双方により，生徒の発達を支援すること。

(2) 生徒が，自己の存在感を実感しながら，よりよい人間関係を形成し，有意義で充実した学校生活を送る中で，現在及び将来における自己実現を図っていくことができるよう，生徒理解を深め，学習指導と関連付けながら，生徒指導の充実を図ること。

(3) 生徒が，学ぶことと自己の将来とのつながりを見通しながら，社会的・職業的自立に向けて必要な基盤となる資質・能力を身に付けていくことができるよう，特別活動を要としつつ各教科・科目等の特質に応じて，キャリア教育の充実を図ること。その中で，生徒が自己の在り方生き方を考え主体的に進路を選択することができるよう，学校の教育活動全体を通じ，組織的かつ計画的な進路指導を行うこと。

(4) 学校の教育活動全体を通じて，個々の生徒の特性等の的確な把握に努め，その伸長を図ること。また，生徒が適切な各教科・科目や類型を選択し学校やホームルームでの生活によりよく適応するとともに，現在及び将来の生き方を考え行動する態度や能力を育成することができるようにすること。

(5) 生徒が，基礎的・基本的な知識及び技能の習得も含め，学習内容を確実に身に付けることができるよう，生徒や学校の実態に応じ，個別学習やグループ別学習，繰り返し学習，学習内容の習熟の程度に応じた学習，生徒の興味・関心等に応じた課題学習，補充的な学習や発展的な学習などの学習活動を取り入れることや，教師間の協力による指導体制を確保することなど，指導方法や指導体制の工夫改善により，個に応じた指導の充実を図ること。その際，第３款の１の(3)に示す情報手段や教材・教具の活用を図ること。

(6) 学習の遅れがちな生徒などについては，各教科・科目等の選択，その内容の取扱いなどについて必要な配慮を行い，生徒の実態に応じ，例えば義務教育段階の学習内容の確実な定着を図るための指導を適宜取り入れるなど，指導内容や指導方法を工夫すること。

2　特別な配慮を必要とする生徒への指導

(1) 障害のある生徒などへの指導

ア　障害のある生徒などについては，特別支援学校等の助言又は援助を活用しつつ，個々の生徒の障害の状態等に応じた指導内容や指導方法の工夫を組織的かつ計画的に行うものとする。

イ　障害のある生徒に対して，学校教育法施行規則第140条の規定に基づき，特別の教育課程を編成し，障害に応じた特別の指導（以下「通級による指導」という。）を行う場合には，学校教育法施行規則第129条の規定により定める現行の特別支援学校高等部学習指導要領第６章に示す自立活動の内容を参考とし，具体的な目標や内容を定め，指導を行うものとする。その際，通級による指導が効果的に行われるよう，各教科・科目等と通級による指導との関連を図るなど，教師間の連携に努めるものとする。

なお，通級による指導における単位の修得の認定については，次のとおりとする。

(ｱ) 学校においては，生徒が学校の定める個別の指導計画に従って通級による指導を履修し，その成果が個別に設定された指導目標からみて満足できると認められる場合には，当該学校の単位を修得したことを認定しなければならない。

(ｲ) 学校においては，生徒が通級による指導を２以上の年次にわたって履修したときは，各年次ごとに当該学校の単位を修得したことを認定することを原則とする。ただし，年度途中から通級による指導を開始するなど，特定の年度における授業時数が，１単位として計算する標準の単位時間に満たない場合は，次年度以降に通級による指導の時間を設定し，２以上の年次にわたる授業時数を合算して単位の修得の認定を行うことができる。また，単位の修得の認定を学期の区分ごとに行うことができる。

ウ　障害のある生徒などについては，家庭，地域及び医療や福祉，保健，労働等の業務を行う関係機関との連携を図り，長期的な視点で生徒への教育的支援を行うために，個別の教育支援計画を作成し活用することに努めるとともに，各教科・科目等の指導に当たって，個々の生徒の実態を的確に把握し，個別の指導計画を作成し活用することに努めるものとする。特に，通級による指導を受ける生徒については，個々の生徒の障害の状態等の実態を的確に把握し，個別の教育支援計画や個別の指導計画を作成し，効果的に活用するものとする。

(2) 海外から帰国した生徒などの学校生活への適応や，日本語の習得に困難のある生徒に対する日本語指導

ア　海外から帰国した生徒などについては，学校生活への適応を図るとともに，外国における生活経験を生かすなどの適切な指導を行うものとする。

イ　日本語の習得に困難のある生徒については，個々の生徒の実態に応じた指導内容や指導方法の工夫を組織的かつ計画的に行うものとする。

(3) 不登校生徒への配慮

ア　不登校生徒については，保護者や関係機関と連携を図り，心理や福祉の専門家の助言又は援助を得ながら，社会的自立を目指す観点から，個々の生徒の実態に応じた情報の提供その他の必要な支援を行うものとする。

イ　相当の期間高等学校を欠席し引き続き欠席すると認められる生徒等を対象として，文部科学大臣が認める特別の教育課程を編成する場合には，生徒の実態に配慮した教育課程を編成するとともに，個別学習やグループ別学習など指導方法や指導体制の工夫改善に努めるものとする。

## 第6款　学校運営上の留意事項

1　教育課程の改善と学校評価，教育課程外の活動との連携等

ア　各学校においては，校長の方針の下に，校務分掌に基づき教職員が適切に役割を分担しつつ，相互に連携しながら，各学校の特色を生かしたカリキュラム・マネジメントを行うよう努めるものとする。また，各学校が行う学校評価については，教育課程の編成，実施，改善が教育活動や学校運営の中核となることを踏まえ，カリキュラム・マネジメントと関連付けながら実施するよう留意するものとする。

イ　教育課程の編成及び実施に当たっては，学校保健計画，学校安全計画，食に関する指導の全体計画，いじめの防止等のための対策に関する基本的な方針など，各分野における学校の全体計画等と関連付けながら，効果的な指導が行われるように留意するものとする。

ウ　教育課程外の学校教育活動と教育課程の関連が図られるように留意するものとする。特に，生徒の自主的，自発的な参加により行われる部活動については，スポーツや文化，科学等に親しませ，学習意欲の向上や責任感，連帯感の涵(かん)養等，学校教育が目指す資質・能力の育成に資するものであり，学校教育の一環として，教育課程との関連が図られるよう留意すること。その際，学校や地域の実態に応じ，地域の人々の協力，社会教育施設や社会教育関係団体等の各種団体との連携などの運営上の工夫を行い，持続可能な運営体制が整えられるようにするものとする。

2　家庭や地域社会との連携及び協働と学校間の連携

教育課程の編成及び実施に当たっては，次の事項に配慮するものとする。

ア　学校がその目的を達成するため，学校や地域の実態等に応じ，教育活動の実施に必要な人的又は物的な体制を家庭や地域の人々の協力を得ながら整えるなど，家庭や地

域社会との連携及び協働を深めること。また，高齢者や異年齢の子供など，地域における世代を越えた交流の機会を設けること。

イ　他の高等学校や，幼稚園，認定こども園，保育所，小学校，中学校，特別支援学校及び大学などとの間の連携や交流を図るとともに，障害のある幼児児童生徒との交流及び共同学習の機会を設け，共に尊重し合いながら協働して生活していく態度を育むようにすること。

## 第７款　道徳教育に関する配慮事項

道徳教育を進めるに当たっては，道徳教育の特質を踏まえ，第６款までに示す事項に加え，次の事項に配慮するものとする。

1　各学校においては，第１款の２の(2)に示す道徳教育の目標を踏まえ，道徳教育の全体計画を作成し，校長の方針の下に，道徳教育の推進を主に担当する教師(「道徳教育推進教師」という。)を中心に，全教師が協力して道徳教育を展開すること。なお，道徳教育の全体計画の作成に当たっては，生徒や学校の実態に応じ，指導の方針や重点を明らかにして，各教科・科目等との関係を明らかにすること。その際，公民科の「公共」及び「倫理」並びに特別活動が，人間としての在り方生き方に関する中核的な指導の場面であることに配慮すること。

2　道徳教育を進めるに当たっては，中学校までの特別の教科である道徳の学習等を通じて深めた，主として自分自身，人との関わり，集団や社会との関わり，生命や自然，崇高なものとの関わりに関する道徳的諸価値についての理解を基にしながら，様々な体験や思索の機会等を通して，人間としての在り方生き方についての考えを深めるよう留意すること。また，自立心や自律性を高め，規律ある生活をすること，生命を尊重する心を育てること，社会連帯の自覚を高め，主体的に社会の形成に参画する意欲と態度を養うこと，義務を果たし責任を重んずる態度及び人権を尊重し差別のないよりよい社会を実現しようとする態度を養うこと，伝統と文化を尊重し，それらを育んできた我が国と郷土を愛するとともに，他国を尊重すること，国際社会に生きる日本人としての自覚を身に付けることに関する指導が適切に行われるよう配慮すること。

3　学校やホームルーム内の人間関係や環境を整えるとともに，就業体験活動やボランティア活動，自然体験活動，地域の行事への参加などの豊かな体験を充実すること。また，道徳教育の指導が，生徒の日常生活に生かされるようにすること。その際，いじめの防止や安全の確保等にも資することとなるように留意すること。

4　学校の道徳教育の全体計画や道徳教育に関する諸活動などの情報を積極的に公表したり，道徳教育の充実のために家庭や地域の人々の積極的な参加や協力を得たりするなど，家庭や地域社会との共通理解を深めること。

# 高等学校学習指導要領　第4章　総合的な探究の時間

## 第1　目　標

探究の見方・考え方を働かせ，横断的・総合的な学習を行うことを通して，自己の在り方生き方を考えながら，よりよく課題を発見し解決していくための資質・能力を次のとおり育成することを目指す。

(1) 探究の過程において，課題の発見と解決に必要な知識及び技能を身に付け，課題に関わる概念を形成し，探究の意義や価値を理解するようにする。

(2) 実社会や実生活と自己との関わりから問いを見いだし，自分で課題を立て，情報を集め，整理・分析して，まとめ・表現することができるようにする。

(3) 探究に主体的・協働的に取り組むとともに，互いのよさを生かしながら，新たな価値を創造し，よりよい社会を実現しようとする態度を養う。

## 第2　各学校において定める目標及び内容

### 1　目　標

各学校においては，第1の目標を踏まえ，各学校の総合的な探究の時間の目標を定める。

### 2　内　容

各学校においては，第1の目標を踏まえ，各学校の総合的な探究の時間の内容を定める。

### 3　各学校において定める目標及び内容の取扱い

各学校において定める目標及び内容の設定に当たっては，次の事項に配慮するものとする。

(1) 各学校において定める目標については，各学校における教育目標を踏まえ，総合的な探究の時間を通して育成を目指す資質・能力を示すこと。

(2) 各学校において定める目標及び内容については，他教科等の目標及び内容との違いに留意しつつ，他教科等で育成を目指す資質・能力との関連を重視すること。

(3) 各学校において定める目標及び内容については，地域や社会との関わりを重視すること。

(4) 各学校において定める内容については，目標を実現するにふさわしい探究課題，探究課題の解決を通して育成を目指す具体的な資質・能力を示すこと。

(5) 目標を実現するにふさわしい探究課題については，地域や学校の実態，生徒の特性等に応じて，例えば，国際理解，情報，環境，福祉・健康などの現代的な諸課題に対応する横断的・総合的な課題，地域や学校の特色に応じた課題，生徒の興味・関心に基づく課題，職業や自己の進路に関する課題などを踏まえて設定すること。

(6) 探究課題の解決を通して育成を目指す具体的な資質・能力については，次の事項に配慮すること。

ア　知識及び技能については，他教科等及び総合的な探究の時間で習得する知識及び技能が相互に関連付けられ，社会の中で生きて働くものとして形成されるようにすること。

イ　思考力，判断力，表現力等については，課題の設定，情報の収集，整理・分析，まとめ・表現などの探究の過程において発揮され，未知の状況において活用できるものとして身に付けられるようにすること。

ウ　学びに向かう力，人間性等については，自分自身に関すること及び他者や社会との関わりに関することの両方の視点を踏まえること。

(7) 目標を実現するにふさわしい探究課題及び探究課題の解決を通して育成を目指す具体的な資質・能力については，教科・科目等を越えた全ての学習の基盤となる資質・能力が育まれ，活用されるものとなるよう配慮すること。

## 第３　指導計画の作成と内容の取扱い

1　指導計画の作成に当たっては，次の事項に配慮するものとする。

(1) 年間や，単元など内容や時間のまとまりを見通して，その中で育む資質・能力の育成に向けて，生徒の主体的・対話的で深い学びの実現を図るようにすること。その際，生徒や学校，地域の実態等に応じて，生徒が探究の見方・考え方を働かせ，教科・科目等の枠を超えた横断的・総合的な学習や生徒の興味・関心等に基づく学習を行うなど創意工夫を生かした教育活動の充実を図ること。

(2) 全体計画及び年間指導計画の作成に当たっては，学校における全教育活動との関連の下に，目標及び内容，学習活動，指導方法や指導体制，学習の評価の計画などを示すこと。

(3) 目標を実現するにふさわしい探究課題を設定するに当たっては，生徒の多様な課題に対する意識を生かすことができるよう配慮すること。

(4) 他教科等及び総合的な探究の時間で身に付けた資質・能力を相互に関連付け，学習や生活において生かし，それらが総合的に働くようにすること。その際，言語能力，情報活用能力など全ての学習の基盤となる資質・能力を重視すること。

(5) 他教科等の目標及び内容との違いに留意しつつ，第１の目標並びに第２の各学校において定める目標及び内容を踏まえた適切な学習活動を行うこと。

(6) 各学校における総合的な探究の時間の名称については，各学校において適切に定めること。

(7) 障害のある生徒などについては，学習活動を行う場合に生じる困難さに応じた指導内容や指導方法の工夫を計画的，組織的に行うこと。

(8) 総合学科においては，総合的な探究の時間の学習活動として，原則として生徒が興味・関心，進路等に応じて設定した課題について知識や技能の深化，総合化を図る学習活動を含むこと。

2　内容の取扱いに当たっては，次の事項に配慮するものとする。

(1) 第２の各学校において定める目標及び内容に基づき，生徒の学習状況に応じて教師が適切な指導を行うこと。

(2) 課題の設定においては，生徒が自分で課題を発見する過程を重視すること。

(3) 第2の3の(6)のウにおける両方の視点を踏まえた学習を行う際には，これらの視点を生徒が自覚し，内省的に捉えられるよう配慮すること。

(4) 探究の過程においては，他者と協働して課題を解決しようとする学習活動や，言語により分析し，まとめたり表現したりするなどの学習活動が行われるようにすること。その際，例えば，比較する，分類する，関連付けるなどの考えるための技法が自在に活用されるようにすること。

(5) 探究の過程においては，コンピュータや情報通信ネットワークなどを適切かつ効果的に活用して，情報を収集・整理・発信するなどの学習活動が行われるよう工夫すること。その際，情報や情報手段を主体的に選択し活用できるよう配慮すること。

(6) 自然体験や就業体験活動，ボランティア活動などの社会体験，ものづくり，生産活動などの体験活動，観察・実験・実習，調査・研究，発表や討論などの学習活動を積極的に取り入れること。

(7) 体験活動については，第1の目標並びに第2の各学校において定める目標及び内容を踏まえ，探究の過程に適切に位置付けること。

(8) グループ学習や個人研究などの多様な学習形態，地域の人々の協力も得つつ，全教師が一体となって指導に当たるなどの指導体制について工夫を行うこと。

(9) 学校図書館の活用，他の学校との連携，公民館，図書館，博物館等の社会教育施設や社会教育関係団体等の各種団体との連携，地域の教材や学習環境の積極的な活用などの工夫を行うこと。

(10) 職業や自己の進路に関する学習を行う際には，探究に取り組むことを通して，自己を理解し，将来の在り方生き方を考えるなどの学習活動が行われるようにすること。

# 中学校学習指導要領　第４章　総合的な学習の時間

## 第１　目　標

探究的な見方・考え方を働かせ，横断的・総合的な学習を行うことを通して，よりよく課題を解決し，自己の生き方を考えていくための資質・能力を次のとおり育成することを目指す。

(1) 探究的な学習の過程において，課題の解決に必要な知識及び技能を身に付け，課題に関わる概念を形成し，探究的な学習のよさを理解するようにする。

(2) 実社会や実生活の中から問いを見いだし，自分で課題を立て，情報を集め，整理・分析して，まとめ・表現することができるようにする。

(3) 探究的な学習に主体的・協働的に取り組むとともに，互いのよさを生かしながら，積極的に社会に参画しようとする態度を養う。

## 第２　各学校において定める目標及び内容

### １　目　標

各学校においては，第１の目標を踏まえ，各学校の総合的な学習の時間の目標を定める。

### ２　内　容

各学校においては，第１の目標を踏まえ，各学校の総合的な学習の時間の内容を定める。

### ３　各学校において定める目標及び内容の取扱い

各学校において定める目標及び内容の設定に当たっては，次の事項に配慮するものとする。

(1) 各学校において定める目標については，各学校における教育目標を踏まえ，総合的な学習の時間を通して育成を目指す資質・能力を示すこと。

(2) 各学校において定める目標及び内容については，他教科等の目標及び内容との違いに留意しつつ，他教科等で育成を目指す資質・能力との関連を重視すること。

(3) 各学校において定める目標及び内容については，日常生活や社会との関わりを重視すること。

(4) 各学校において定める内容については，目標を実現するにふさわしい探究課題，探究課題の解決を通して育成を目指す具体的な資質・能力を示すこと。

(5) 目標を実現するにふさわしい探究課題については，学校の実態に応じて，例えば，国際理解，情報，環境，福祉・健康などの現代的な諸課題に対応する横断的・総合的な課題，地域や学校の特色に応じた課題，生徒の興味・関心に基づく課題，職業や自己の将来に関する課題などを踏まえて設定すること。

(6) 探究課題の解決を通して育成を目指す具体的な資質・能力については，次の事項に配慮すること。

ア　知識及び技能については，他教科等及び総合的な学習の時間で習得する知識及び技能が相互に関連付けられ，社会の中で生きて働くものとして形成されるようにすること。

イ　思考力，判断力，表現力等については，課題の設定，情報の収集，整理・分析，まとめ・表現などの探究的な学習の過程において発揮され，未知の状況において活用できるものとして身に付けられるようにすること。

ウ　学びに向かう力，人間性等については，自分自身に関すること及び他者や社会との関わりに関することの両方の視点を踏まえること。

(7) 目標を実現するにふさわしい探究課題及び探究課題の解決を通して育成を目指す具体的な資質・能力については，教科等を越えた全ての学習の基盤となる資質・能力が育まれ，活用されるものとなるよう配慮すること。

## 第3　指導計画の作成と内容の取扱い

1　指導計画の作成に当たっては，次の事項に配慮するものとする。

(1) 年間や，単元など内容や時間のまとまりを見通して，その中で育む資質・能力の育成に向けて，生徒の主体的・対話的で深い学びの実現を図るようにすること。その際，生徒や学校，地域の実態等に応じて，生徒が探究的な見方・考え方を働かせ，教科等の枠を超えた横断的・総合的な学習や生徒の興味・関心等に基づく学習を行うなど創意工夫を生かした教育活動の充実を図ること。

(2) 全体計画及び年間指導計画の作成に当たっては，学校における全教育活動との関連の下に，目標及び内容，学習活動，指導方法や指導体制，学習の評価の計画などを示すこと。その際，小学校における総合的な学習の時間の取組を踏まえること。

(3) 他教科等及び総合的な学習の時間で身に付けた資質・能力を相互に関連付け，学習や生活において生かし，それらが総合的に働くようにすること。その際，言語能力，情報活用能力など全ての学習の基盤となる資質・能力を重視すること。

(4) 他教科等の目標及び内容との違いに留意しつつ，第1の目標並びに第2の各学校において定める目標及び内容を踏まえた適切な学習活動を行うこと。

(5) 各学校における総合的な学習の時間の名称については，各学校において適切に定めること。

(6) 障害のある生徒などについては，学習活動を行う場合に生じる困難さに応じた指導内容や指導方法の工夫を計画的，組織的に行うこと。

(7) 第1章総則の第1の2の(2)に示す道徳教育の目標に基づき，道徳科などとの関連を考慮しながら，第3章特別の教科道徳の第2に示す内容について，総合的な学習の時間の特質に応じて適切な指導をすること。

2　第2の内容の取扱いについては，次の事項に配慮するものとする。

(1) 第2の各学校において定める目標及び内容に基づき，生徒の学習状況に応じて教師が適切な指導を行うこと。

(2) 探究的な学習の過程においては，他者と協働して課題を解決しようとする学習活動や，言語により分析し，まとめたり表現したりするなどの学習活動が行われるようにすること。その際，例えば，比較する，分類する，関連付けるなどの考えるための技法が活用されるようにすること。

(3) 探究的な学習の過程においては，コンピュータや情報通信ネットワークなどを適切かつ効果的に活用して，情報を収集・整理・発信するなどの学習活動が行われるよう工夫すること。その際，情報や情報手段を主体的に選択し活用できるよう配慮すること。

(4) 自然体験や職場体験活動，ボランティア活動などの社会体験，ものづくり，生産活動などの体験活動，観察・実験，見学や調査，発表や討論などの学習活動を積極的に取り入れること。

(5) 体験活動については，第1の目標並びに第2の各学校において定める目標及び内容を踏まえ，探究的な学習の過程に適切に位置付けること。

(6) グループ学習や異年齢集団による学習などの多様な学習形態，地域の人々の協力も得つつ，全教師が一体となって指導に当たるなどの指導体制について工夫を行うこと。

(7) 学校図書館の活用，他の学校との連携，公民館，図書館，博物館等の社会教育施設や社会教育関係団体等の各種団体との連携，地域の教材や学習環境の積極的な活用などの工夫を行うこと。

(8) 職業や自己の将来に関する学習を行う際には，探究的な学習に取り組むことを通して，自己を理解し，将来の生き方を考えるなどの学習活動が行われるようにすること。

# 小・中学校における「道徳の内容」の学年段階・学校段階の一覧表

| | 小学校第１学年及び第２学年（19） | 小学校第３学年及び第４学年（20） |
|---|---|---|
| **A　主として自分自身に関すること** | | |
| 善悪の判断，自律，自由と責任 | (1) よいことと悪いこととの区別をし，よいと思うことを進んで行うこと。 | (1) 正しいと判断したことは，自信をもって行うこと。 |
| 正直，誠実 | (2) うそをついたりごまかしをしたりしないで，素直に伸び伸びと生活すること。 | (2) 過ちは素直に改め，正直に明るい心で生活すること。 |
| 節度，節制 | (3) 健康や安全に気を付け，物や金銭を大切にし，身の回りを整え，わがままをしないで，規則正しい生活をすること。 | (3) 自分でできることは自分でやり，安全に気を付け，よく考えて行動し，節度のある生活をすること。 |
| 個性の伸長 | (4) 自分の特徴に気付くこと。 | (4) 自分の特徴に気付き，長所を伸ばすこと。 |
| 希望と勇気，努力と強い意志 | (5) 自分のやるべき勉強や仕事をしっかりと行うこと。 | (5) 自分でやろうと決めた目標に向かって，強い意志をもち，粘り強くやり抜くこと。 |
| 真理の探究 | | |
| **B　主として人との関わりに関すること** | | |
| 親切，思いやり | (6) 身近にいる人に温かい心で接し，親切にすること。 | (6) 相手のことを思いやり，進んで親切にすること。 |
| 感謝 | (7) 家族など日頃世話になっている人々に感謝すること。 | (7) 家族など生活を支えてくれている人々や現在の生活を築いてくれた高齢者に，尊敬と感謝の気持ちをもって接すること。 |
| 礼儀 | (8) 気持ちのよい挨拶，言葉遣い，動作などに心掛けて，明るく接すること。 | (8) 礼儀の大切さを知り，誰に対しても真心をもって接すること。 |
| 友情，信頼 | (9) 友達と仲よくし，助け合うこと。 | (9) 友達と互いに理解し，信頼し，助け合うこと。 |
| 相互理解，寛容 | | (10) 自分の考えや意見を相手に伝えるとともに，相手のことを理解し，自分と異なる意見も大切にすること。 |
| **C　主として集団や社会との関わりに関すること** | | |
| 規則の尊重 | (10) 約束やきまりを守り，みんなが使う物を大切にすること。 | (11) 約束や社会のきまりの意義を理解し，それらを守ること。 |
| 公正，公平，社会正義 | (11) 自分の好き嫌いにとらわれないで接すること。 | (12) 誰に対しても分け隔てをせず，公正，公平な態度で接すること。 |
| 勤労，公共の精神 | (12) 働くことのよさを知り，みんなのために働くこと。 | (13) 働くことの大切さを知り，進んでみんなのために働くこと。 |
| 家族愛，家庭生活の充実 | (13) 父母，祖父母を敬愛し，進んで家の手伝いなどをして，家族の役に立つこと。 | (14) 父母，祖父母を敬愛し，家族みんなで協力し合って楽しい家庭をつくること。 |
| よりよい学校生活，集団生活の充実 | (14) 先生を敬愛し，学校の人々に親しんで，学級や学校の生活を楽しくすること。 | (15) 先生や学校の人々を敬愛し，みんなで協力し合って楽しい学級や学校をつくること。 |
| 伝統と文化の尊重，国や郷土を愛する態度 | (15) 我が国や郷土の文化と生活に親しみ，愛着をもつこと。 | (16) 我が国や郷土の伝統と文化を大切にし，国や郷土を愛する心をもつこと。 |
| 国際理解，国際親善 | (16) 他国の人々や文化に親しむこと。 | (17) 他国の人々や文化に親しみ，関心をもつこと。 |
| **D　主として生命や自然，崇高なものとの関わりに関すること** | | |
| 生命の尊さ | (17) 生きることのすばらしさを知り，生命を大切にすること。 | (18) 生命の尊さを知り，生命あるものを大切にすること。 |
| 自然愛護 | (18) 身近な自然に親しみ，動植物に優しい心で接すること。 | (19) 自然のすばらしさや不思議さを感じ取り，自然や動植物を大切にすること。 |
| 感動，畏敬の念 | (19) 美しいものに触れ，すがすがしい心をもつこと。 | (20) 美しいものや気高いものに感動する心をもつこと。 |
| よりよく生きる喜び | | |

| 小学校第５学年及び第６学年（22） | 中学校（22） | |
|---|---|---|
| | | |
| (1) 自由を大切にし，自律的に判断し，責任のある行動をすること。 | (1) 自律の精神を重んじ，自主的に考え，判断し，誠実に実行してその結果に責任をもつこと。 | 自主，自律，自由と責任 |
| (2) 誠実に，明るい心で生活すること。 | | |
| (3) 安全に気を付けることや，生活習慣の大切さについて理解し，自分の生活を見直し，節度を守り節制に心掛けること。 | (2) 望ましい生活習慣を身に付け，心身の健康の増進を図り，節度を守り節制に心掛け，安全で調和のある生活をすること。 | 節度，節制 |
| (4) 自分の特徴を知って，短所を改め長所を伸ばすこと。 | (3) 自己を見つめ，自己の向上を図るとともに，個性を伸ばして充実した生き方を追求すること。 | 向上心，個性の伸長 |
| (5) より高い目標を立て，希望と勇気をもち，困難があってもくじけずに努力して物事をやり抜くこと。 | (4) より高い目標を設定し，その達成を目指し，希望と勇気をもち，困難や失敗を乗り越えて着実にやり遂げること。 | 希望と勇気，<br>克己と強い意志 |
| (6) 真理を大切にし，物事を探究しようとする心をもつこと。 | (5) 真実を大切にし，真理を探究して新しいものを生み出そうと努めること。 | 真理の探究，創造 |
| | | |
| (7) 誰に対しても思いやりの心をもち，相手の立場に立って親切にすること。 | (6) 思いやりの心をもって人と接するとともに，家族などの支えや多くの人々の善意により日々の生活や現在の自分があることに感謝し，進んでそれに応え，人間愛の精神を深めること。 | 思いやり，感謝 |
| (8) 日々の生活が家族や過去からの多くの人々の支え合いや助け合いで成り立っていることに感謝し，それに応えること。 | | |
| (9) 時と場をわきまえて，礼儀正しく真心をもって接すること。 | (7) 礼儀の意義を理解し，時と場に応じた適切な言動をとること。 | 礼儀 |
| (10) 友達と互いに信頼し，学び合って友情を深め，異性についても理解しながら，人間関係を築いていくこと。 | (8) 友情の尊さを理解して心から信頼できる友達をもち，互いに励まし合い，高め合うとともに，異性についての理解を深め，悩みや葛藤も経験しながら人間関係を深めていくこと。 | 友情，信頼 |
| (11) 自分の考えや意見を相手に伝えるとともに，謙虚な心をもち，広い心で自分と異なる意見や立場を尊重すること。 | (9) 自分の考えや意見を相手に伝えるとともに，それぞれの個性や立場を尊重し，いろいろなものの見方や考え方があることを理解し，寛容の心をもって謙虚に他に学び，自らを高めていくこと。 | 相互理解，寛容 |
| | | |
| (12) 法やきまりの意義を理解した上で進んでそれらを守り，自他の権利を大切にし，義務を果たすこと。 | (10) 法やきまりの意義を理解し，それらを進んで守るとともに，そのよりよい在り方について考え，自他の権利を大切にし，義務を果たして，規律ある安定した社会の実現に努めること。 | 遵法精神，公徳心 |
| (13) 誰に対しても差別をすることや偏見をもつことなく，公正，公平な態度で接し，正義の実現に努めること。 | (11) 正義と公正さを重んじ，誰に対しても公平に接し，差別や偏見のない社会の実現に努めること。 | 公正，公平，社会正義 |
| (14) 働くことや社会に奉仕することの充実感を味わうとともに，その意義を理解し，公共のために役に立つことをすること。 | (12) 社会参画の意識と社会連帯の自覚を高め，公共の精神をもってよりよい社会の実現に努めること。 | 社会参画，公共の精神 |
| | (13) 勤労の尊さや意義を理解し，将来の生き方について考えを深め，勤労を通じて社会に貢献すること。 | 勤労 |
| (15) 父母，祖父母を敬愛し，家族の幸せを求めて，進んで役に立つことをすること。 | (14) 父母，祖父母を敬愛し，家族の一員としての自覚をもって充実した家庭生活を築くこと。 | 家族愛，家庭生活の充実 |
| (16) 先生や学校の人々を敬愛し，みんなで協力し合ってよりよい学級や学校をつくるとともに，様々な集団の中での自分の役割を自覚して集団生活の充実に努めること。 | (15) 教師や学校の人々を敬愛し，学級や学校の一員としての自覚をもち，協力し合ってよりよい校風をつくるとともに，様々な集団の意義や集団の中での自分の役割と責任を自覚して集団生活の充実に努めること。 | よりよい学校生活，<br>集団生活の充実 |
| (17) 我が国や郷土の伝統と文化を大切にし，先人の努力を知り，国や郷土を愛する心をもつこと。 | (16) 郷土の伝統と文化を大切にし，社会に尽くした先人や高齢者に尊敬の念を深め，地域社会の一員としての自覚をもって郷土を愛し，進んで郷土の発展に努めること。 | 郷土の伝統と文化の尊重，郷土を愛する態度 |
| | (17) 優れた伝統の継承と新しい文化の創造に貢献するとともに，日本人としての自覚をもって国を愛し，国家及び社会の形成者として，その発展に努めること。 | 我が国の伝統と文化の尊重，国を愛する態度 |
| (18) 他国の人々や文化について理解し，日本人としての自覚をもって国際親善に努めること。 | (18) 世界の中の日本人としての自覚をもち，他国を尊重し，国際的視野に立って，世界の平和と人類の発展に寄与すること。 | 国際理解，<br>国際貢献 |
| | | |
| (19) 生命が多くの生命のつながりの中にあるかけがえのないものであることを理解し，生命を尊重すること。 | (19) 生命の尊さについて，その連続性や有限性なども含めて理解し，かけがえのない生命を尊重すること。 | 生命の尊さ |
| (20) 自然の偉大さを知り，自然環境を大切にすること。 | (20) 自然の崇高さを知り，自然環境を大切にすることの意義を理解し，進んで自然の愛護に努めること。 | 自然愛護 |
| (21) 美しいものや気高いものに感動する心や人間の力を超えたものに対する畏敬の念をもつこと。 | (21) 美しいものや気高いものに感動する心をもち，人間の力を超えたものに対する畏敬の念を深めること。 | 感動，畏敬の念 |
| (22) よりよく生きようとする人間の強さや気高さを理解し，人間として生きる喜びを感じること。 | (22) 人間には自らの弱さや醜さを克服する強さや気高く生きようとする心があることを理解し，人間として生きることに喜びを見いだすこと。 | よりよく生きる喜び |

学習指導要領等の改善に係る検討に必要な専門的作業等協力者（五十音順）

（職名は平成30年7月現在）

| | |
|---|---|
| 荒　瀬　克　己 | 大谷大学教授 |
| 黒　上　晴　夫 | 関西大学教授 |
| 香　山　真　一 | 岡山県立和気閑谷高等学校長 |
| 奈　須　正　裕 | 上智大学教授 |
| 野　口　　徹 | 山形大学教授 |
| 廣　瀬　志　保 | 山梨県立吉田高等学校教頭 |
| 藤　井　千　春 | 早稲田大学教授 |
| 藤　島　尚　子 | 北海道函館西高等学校教頭 |
| 松　井　孝　夫 | 群馬県立中央中等教育学校教諭 |
| 松　井　千鶴子 | 上越教育大学教授 |
| 松　田　淑　子 | 金沢大学教授 |
| 山　下　真　司 | リクルート進学総研キャリアガイダンス編集長 |

なお，文部科学省においては，次の者が本書の編集に当たった。

| | |
|---|---|
| 淵　上　　孝 | 初等中等教育局教育課程課長 |
| 降　籏　友　宏 | 初等中等教育局教育課程課主任学校教育官 |
| 渋　谷　一　典 | 初等中等教育局教育課程課教科調査官 |
| 田　村　　学 | 初等中等教育局視学委員<br>（國學院大學教授） |

高等学校学習指導要領（平成30年告示）解説
総合的な探究の時間編

MEXT 1-1831

平成31年3月28日　初版発行
令和 6 年4月29日　第3刷発行

著作権所有　文部科学省

発行者　東京都千代田区神田淡路町 2-23-1
学校図書株式会社
代表者　芹 澤 克 明

印刷所　東京都北区東十条 3-10-36
図書印刷株式会社
代表者　川 田 和 照

発行所　〒101-0063
東京都千代田区神田淡路町 2-23-1
学校図書株式会社
電　話　03-6285-2927

定価 297円（本体270円＋税10%）

ISBN 978-4-7625-0536-2